Deutsche romantische Prosa

Deutsche
romantische Prosa

Eberhard Reichmann
INDIANA UNIVERSITY

HOLT, RINEHART AND WINSTON   NEW YORK

Preface

Preface

This text introduces the college student of intermediate German to the fascinating period of German Romanticism. The variety of the selections takes the complexity of this movement into account as much as is possible in a slender introductory volume. Poetry has been excluded, since it is customary to use a separate anthology on this level.

Only Arnim's *Der tolle Invalide* and some *Fragmente* have appeared before in college editions; all other works are presented to the American student here for the first time.

Chapter I features unabridged narrative prose by five different writers. In Chapter II, the Grimm Brothers and Heinrich Heine lead us into the world of fairy tales and sagas, popular belief and superstition. Both selections in this chapter have been abridged but not otherwise altered. Chapter III offers examples of patriotic and political prose: cries for freedom, praises of the fatherland, warnings against the inner foes (inertia of thought, will and heart), and calls for united action against Napoleon. Of the 16 chapters of Kleist's *Katechismus*, 10 have been included; Fichte's *14. Rede* is an abridged version, but with all the fervor and flavor of the whole. Chapter IV contains some of the Romanticists' aphoristic attempts at defining and explaining their position. Heine's critique of the *Romantische Schule* — though brilliantly written — needs to be taken *cum grano salis*. Some selections in this chapter have been slightly abridged.

The introduction, "Ein Wort zur deutschen Romantik," outlines the movement in simple German. It may be read prior to the text proper, and may be referred to while studying individual selections. It should again be useful for a final discussion of Romanticism.

The "Kleine Bibliographie zur deutschen Romantik" contains works that are extremely useful in the study of German literature and literature in general.

The biographical sketches of the authors do not present any interpretations, for it is the editor's belief that interpretation should grow out of the struggle with the text at home and in class. To encourage and to aid the reader in this direction, *Diskussionsthemen* have been supplied for Chapters I–III. These discussion topics are not meant to be exhaustive. They are suggestions which some teachers will want to modify, amend, or replace by their own. At any rate, the student should look at them closely *before* he begins to read. This will add dimensions of purpose to his reading. If he also gets into the habit of taking *written notes* on everything pertaining to the *Diskussionsthemen* or to any other significant point, he will be well prepared not only for good class discussions but also for later examinations.

The marginal German-to-German vocabulary will help most students to increase their reading speed while continuing an active approach to the language. Reading without translating must be our motto lest we lose the hard-earned fruits of the labors of the first year.

For marginal glossing, certain abbreviation techniques have been used: if a noun in the text appears with its article, or if its gender can otherwise be detected, the article will usually not be given in the margin. If the synonymous equivalent appears without article, it is most likely of the same gender. Feminine abstract nouns ending in *-heit, -keit, -schaft, -ung* are always given without article. Examples for phrase renditions: *den Pfad weisen* is given and glossed as *Pfad weisen = Weg zeigen;* the phrase, *bemühte sich viel um*, is given and glossed as . . . *um = war sehr interessiert an.* A list of standard abbreviations is found at the beginning of the vocabulary list.

A tape program containing readings from the text as well as supplementary material accompanies the text.

It is a pleasure to acknowledge the advice and criticism of my colleagues, Dr. Frederick Beharriell, Dr. Norbert Fuerst, Dr. Albrecht Holschuh, and Dr. Hans Jaeger.

Particular thanks are due to my wife for her help in preparing the manuscript.

Eberhard Reichmann
Bloomington, Indiana

Inhalt

4 Die romantische Anschauung von der Dichtung

Deutsche romantische Prosa

Ein Wort zur deutschen Romantik

Moritz von Schwind: Ein Jüngling auf der Wanderschaft (Gemälde verbrannt)

Jedes Volk hat seine Blütezeit. Für den Italie-
ner ist es die Renaissance, für den Engländer die Zeit Shakespeares
und Miltons, für den Franzosen das 17. Jahrhundert mit Corneille,
Racine und Molière, für den Deutschen ist es die Zeit Goethes
(1749–1832). In ihr entfaltet sich der Genius des deutschen Geistes
nicht nur in der Literatur, sondern auch in der Philosophie durch
Kant (1724–1804), Fichte (1762–1814), Hegel (1770–1831), Scho-
penhauer (1788–1860), und in der Musik durch Haydn (1732–
1809), Mozart (1756–1791), Beethoven (1770–1827), Schubert
(1797–1828).

Die Goethezeit umfaßt die letzte Phase der
Aufklärung (engl. Enlightenment), den *Sturm und Drang* (engl. Storm
and Stress), die *Klassik* und die *Romantik*. Das gibt dieser Kul-
turepoche eine geistige Polyphonie ohnegleichen.

Was ist die Romantik? Seit ihren Anfängen
wurde diese Frage immer wieder gestellt, doch eine wirklich be-
friedigende Antwort gibt es nicht. Man sagt oft, es sei leichter, das
Romantische intuitiv zu erfühlen als intellektuell zu erkennen.

Das Wort *Romantik* geht zurück auf *Roman*
(engl. novel). *Romantisch* (engl. romantic, franz. romantesque) be-
deutete dann zuerst: so wie in einem Roman, also etwas ungewöhnlich, abenteuerlich. Auch wild-schöne Landschaften wurden *romantisch* genannt. Literarische Bedeutung gewinnt das Wort erst
1798 durch die Brüder August Wilhelm und Friedrich Schlegel
in Deutschland.

Die Romantik ist eine europäische Geistesbe-
wegung, die nach 1750 einsetzt und von 1800 bis 1850 das westliche
Kulturleben auf das stärkste beeinflußt. Alles wird von ihr erfaßt:
Literatur, Kunst, Musik, Religion, Philosophie, Geschichte, selbst
die Naturwissenschaften und das politisch-staatliche Denken und
Leben. In Deutschland geht ihre Wirkung besonders tief.

Die Wurzeln der deutschen Romantik liegen in der Tradition der Mystik und des Pietismus, und vor allem aber im Sturm und Drang (1765–1785), dieser Reaktion gegen den Rationalismus der Aufklärung. Die Ideengrundlage für den Sturm und Drang schaffen besonders: Rousseau in Frankreich, Young in England, Hamann und Herder in Deutschland. Die Schriften dieser Männer betonen: das Irrationale, Emotionale, Spontane, Natürliche, die Freiheit des Individuums und des Genies, aber auch die geschichtliche Tradition und das Nationale, denn auch der individuelle Charakter des einzelnen Volkes wird jetzt gesehen. Vieles davon zeigt sich wieder bei den Romantikern, nur ist für sie die antirationale Sturm-und-Drang-These: „Gefühl ist alles" (Goethe, „Faust") nicht das letzte Wort, denn die Romantik will eine höhere, ja eine höchste Synthese: den fühlenden Geist und das geistige Gefühl. Daß neben anderen Dichtern besonders Goethe und auch Schiller (die späteren Klassiker) den literarischen Sturm und Drang schaffen, ist doppelt bemerkenswert. Einerseits erklärt es die Gefühlsstärke und Dynamik der deutschen Klassik, andererseits die Tatsache, daß wir schon vor der eigentlichen Romantik bei den Klassikern romantische Elemente finden.

Eine schwierige Frage ist gerade das Verhältnis von Sturm und Drang, Klassik und Romantik. Es gibt Literatur- und Kulturhistoriker, die mit guten Gründen die verschiedenen Gegensätze im Denken und im Stil betonen. Andere aber sehen in der Goethezeit vor allem eine große Einheit, die sich in drei Stufen entfaltet: als Sturm und Drang der älteren Generation, die dann auch die Klassik schafft, und als Romantik der jüngeren Generation. Da der Sturm und Drang eine *Vorromantik* ist, können wir sagen, daß die Klassik von einer *doppelten* Romantik umgeben ist.

Die eigentliche deutsche Romantik zeigt zwei Hauptphasen. Die erste nennen wir die Frühromantik. Sie beginnt ungefähr 1795 und kulminiert zwischen 1798 und 1800. Die zweite Phase ist die Hochromantik. Sie beginnt etwa 1805.

Die F r ü h r o m a n t i k setzt in Berlin ein und dann aber vor allem in Jena, in nächster Nähe von Goethe und Schiller, die beide in Weimar lebten. Die philosophischen Grundlagen für die Romantik bilden J. G. Fichtes „Wissenschaftslehre" (1794), ein umfassendes philosophisches System (vgl. Seite 160,) und F. W. Schellings „Ideen zu einer Philosophie der Natur" (1797.) Darauf bauen dann besonders die Brüder Schlegel die romantische Theorie auf, zuerst in ihrer Zeitschrift „Athenäum"

(1798–1800), dann durch akademische Vorlesungen in Berlin und Wien. (Vgl. auch die Fragmente der Brüder Schlegel, Kap. 4). Neben den Schlegels sind wichtig für die theoretische Grundlegung: Novalis (Pseudonym für Friedrich von Hardenberg) mit seinen Fragmenten (vgl. Kap. 4), und Wilhelm Wackenroder, der eigentliche romantische Entdecker der mittelalterlichen Kunst, der Begründer der religiös-enthusiastischen Kunst- und Musikanschauung, mit seinen „Herzensergießungen eines kunstliebenden Klosterbruders" (1797) (*"An Artloving Friar's Outpourings of the Heart"*).

Wilhelm von Schadow: Heilige Familie

In den Reden „Über die Religion" (1799) *romantisiert* der protestantische Theologe Friedrich Schleiermacher das religiöse Denken. Nach Schleiermacher besteht die religiöse Aufgabe des Menschen darin, ein so starkes Gefühl für das Unendliche zu entwickeln, daß er mitten im Leben (in der Zeit) *eins* wird mit dem Unendlichen (mit der Ewigkeit). Auch der Aufsatz von Novalis „Die Christenheit oder Europa" (1799) ist hier wichtig. Darin wird die religiöse Einheit des Mittelalters idealisiert: „Es waren schöne, glänzende Zeiten, wo Europa *ein* christliches Land war, wo *eine* Christenheit diesen Weltteil bewohnte." Aus dieser Liebe zum „katholischen" Mittelalter treten manche protestantischen Romantiker zur katholischen Kirche über.

Die spekulativen, philosophischen und kritischen Elemente dominieren in der Frühromantik. Es kommen aber auch bedeutende poetische Werke aus ihr. Zwei Dichter sind hier besonders zu nennen: Ludwig Tieck (1773–1853) ist nicht nur der langlebigste, sondern auch der produktivste romantische Dichter. Sein Werk umfaßt alle poetischen Genres, vom Märchen über die Novelle zum Roman und zum Drama. Seine Meisternovelle ist „Der blonde Eckbert" (Eichendorffs „Die Zauberei im Herbste", Kap. 1, ist davon beeinflußt). — Novalis (1772–1801) ist der bedeutendste Dichter der Frühromantik, als Lyriker mit seinen „Hymnen an die Nacht" und den geistlichen (religiösen) Liedern, als Erzähler mit dem Romanfragment „Heinrich von Ofterdingen". Dieses Fragment enthält auch den Traum von der *blauen Blume*, die dann zum romantischen Symbol der Poesie wird.

Zu den wichtigsten Leistungen der Frühromantik gehören:

1. Die Wiederentdeckung der alten deutschen Kunst des Mittelalters (Wackenroder, Tieck).
2. Die Grundlegung der romantischen Theorie (Brüder Schlegel, Novalis), in der die Freiheit des Künstlers und Dichters absolut wird. Damit beginnt theoretisch die Moderne.
3. Die Märchendichtungen Tiecks und Novalis'.
4. Die Lyrik des Novalis.
5. Der Beginn des romantischen Romans (Tieck, Fr. Schlegel, Novalis) und der romantischen Novelle (Tieck).
6. Das Fragment wird zur Kunstform (Brüder Schlegel, Novalis).
7. Die großen Dichter der Weltliteratur werden übersetzt: Dante, Calderón, Cervantes, Shakespeare. A. W. Schlegels Shakespeare-Übersetzung ist eine der größten Übersetzungsleistungen in der Literatur.

Caspar David Friedrich: Landschaft mit Regenbogen (um 1825)

Im Ganzen gesehen ist die Frühromantik universal, idealistisch und kosmopolitisch orientiert. In ihren geistigen Visionen will sie alles Polare verbinden: Geist und Natur, Intellekt und Gefühl, Gegenwart und Vergangenheit, Realität und Illusion, Prosa und Poesie, Kunst und Leben. Der poetisch-musikalische Geist soll dabei die Führung haben. „Die Welt muß romantisiert werden" (Novalis).

Moritz von Schwind: Des Knaben Wunderhorn (um 1860)
(Gemälde verbrannt)

Die H o c h r o m a n t i k . Während Napoleon zwischen 1801 und 1806 Stück um Stück das Deutsche Reich zertrümmert und sich zum Herrn des europäischen Kontinents aufschwingt, setzt in dem „romantischen" Neckarstädtchen Heidelberg die zweite Phase der Romantik ein. Die Frühromantik in Jena war weltoffen; jetzt — in der Stunde vaterländischer Not und Schwäche — wendet sich der romantische Geist stärker zur eigenen Kulturtradition, zu Deutschland, zum Volk und seiner Geschichte. Diese Flucht aus der hoffnungslosen Gegenwart in eine idealistisch gesehene Vergangenheit bringt schöne und wertvolle Früchte: Die deutschen Volkslieder werden von Arnim und Brentano gesammelt und herausgegeben als „Des Knaben Wunderhorn" (1806–1808).

J. Görres (1776–1848) schreibt über „Die teutschen Volksbücher"
(1807), und erweckt dadurch Interesse am Prosa-Epos des späten
Mittelalters. Als Publizist und Herausgeber des „Rheinischen
Merkur" ruft er die Deutschen auf, den halbfertigen Bau des
Kölner Doms zu beenden. Die Brüder Grimm (vgl. Seite 114) sind
befreundet mit den Heidelbergern. Parallel zu der Volksliedersammlung stehen die Grimm'schen Märchen- und Sagensamm-
lungen. Der Enthusiasmus für die Volksdichtung hat in der Hochromantik seinen Höhepunkt erreicht. Das geht bis zur Mythisierung
des *Volksgeistes*, der die Volksdichtung geschaffen haben soll (vgl.
Kap. 4, Volkspoesie und Kunstpoesie).

Was gewinnt die Dichtung durch diese Orien-
tierung auf die anonyme Tradition der Volksliteratur? In die Lyrik
kommt der warme Volksliedton durch Brentano und Eichendorff,
und die Ballade erhält neue Impulse durch Brentano, Uhland,
Heine und Mörike. In der Prosa wird das Märchen zur liebsten
Kunstform. Das romantische Kunstmärchen zeigt eine magische
Welt, die nicht den rationalen Gesetzen der Logik und Kausalität

J. A. Ramboux: Chor des Kölner Doms (1844)

Ludwig Richter

untersteht (vgl. Kap. 4, Märchen). Manche dieser wunderbaren Erzählungen sind im naiven Märchenstil der Grimm'schen Sammlung, andere betonen das Phantastische oder das Dämonische. Aus der Liebe zur Vergangenheit des Volkes wächst auch das Interesse am historischen Roman und am historischen Drama.

Die Frühromantik hatte ihren Kristallisationspunkt in Jena, die Dichter der Hochromantik sind in Heidelberg, in Berlin und über ganz Deutschland verteilt, eine stattliche Zahl, wenn wir alle Namen nennen wollten.

Die Frühromantiker träumten von einer Renaissance der Universalität des Geistes, die Hochromantiker wollen und schaffen durch ihr literarisches und publizistisches Werk eine Renaissance des Volksgeistes. Aus diesem neugeborenen Volksgeist entspringt auch die patriotische Prosa (vgl. Kap. 3) und die patriotische Lyrik. Sie machen Deutschland innerlich bereit für die Befreiungskriege (1813–1815), in denen Napoleon von der Koalition der Russen, Deutschen und Engländer endgültig geschlagen wird.

Die äußere Freiheit ist gewonnen, doch der Traum von der Wiedergeburt eines einigen deutschen Vaterlandes mit innerer politischer Freiheit erfüllt sich nicht. In der Restaurationsepoche nach den napoleonischen Kriegen wandelt sich der *Volksgeist* zu einem monarchisch-autoritären *Staatsgeist*. Die Romantik als literarische Bewegung geht in diesen Jahren zu Ende, doch die romantische Kunst blüht noch weiter und die romantische Musik dominiert im ganzen 19. Jahrhundert.

Karl Friedrich Schinkel: Mittelalterliche Stadt an einem Flusse (1815)

Die Verbindungen zwischen Literatur, Kunst und Musik sind eng und vielfach, denn schon die frühromantische Theorie will „die Künste einander nähern." Das erklärt auch die häufigen Synästhesien bei den Romantikern: farbige Töne und tönende Farben, Lyrik als Wortmusik, Klavierstücke mit dem Titel „Ballade". Es ist nicht selten, daß ein Romantiker in mehr als einer Kunst daheim ist: der Dichter Clemens Brentano malt, der symbolistische Maler Ph. O. Runge schreibt Gedichte und Märchen, E. T. A. Hoffmann und P. Cornelius dichten, malen und komponieren, und der große Architekt K. F. Schinkel malt phantastische gotische Visionen, die er als Architekt nicht bauen kann.

In der Architektur tritt neben den klassizistischen Stil die Imitation der Gotik. In der Malerei finden wir Ideen und Motive der Dichtung wieder. Was wird gemalt? Landschaften sind sehr beliebt, Waldszenen, gotische Kirchen und Ruinen im Mondschein, Nebel und Schnee, einsame Bäume und einsame Menschen, auch das Meer mit Segelschiffen, die aus der Ferne kommen oder in die Ferne gehen, Szenen aus Shakespeares und Goethes Wer-

Karl Blechen: Ruine einer Kapelle (um 1835)

Caspar David Friedrich: Einsamer Baum

Caspar David Friedrich: Mondaufgang am Meer (1823)

Caspar David Friedrich: Zwei Männer in Betrachtung des Mondes (1819)

Karl Blechen: Gebirgsschlucht im Winter (1825)

Philip Otto Runge: Mutter und Kind an der Quelle (1804)

ken, auch Sagen und Märchen geben Stoff zu tausend Bildern und Buchillustrationen. Die Maler Philipp Otto Runge, Caspar David Friedrich, Ludwig Richter, Moritz von Schwind und Carl Spitzweg haben einen festen Platz in der deutschen Kunst.

Die Romantiker sind große Kunstenthusiasten, doch noch mehr als die Malerei lieben sie die M u s i k . Der geniale Frühromantiker Wilhelm Wackenroder hält die Musik für die wunderbarste Kunst, weil sie alle Gefühle der Seele „unkörperlich in goldnen Wolken luftiger Harmonien" zeigt, „weil sie eine Sprache redet, die wir im ordentlichen [normalen] Leben nicht kennen . . ., die Sprache der Engel." Wie Goethe das Ideal der jungen romantischen Dichter ist, so ist Beethoven das Ideal der jungen Musikergeneration, denn in seinem Werk kommt erstmalig die gefühlsstarke, dynamische, ja explosive Individualität zum musikalischen Ausdruck. Franz Schubert (1797–1828) entwickelt das romantische Element, das schon Beethovens klassische Musik durchzieht, weiter. Er ist auch der Schöpfer des *Kunstlieds*. Mehr als 600 Lieder stammen von ihm! Carl Maria von Weber (1786–1826) schafft mit seinem „Freischütz" die romantischste deutsche Oper. Felix Mendelssohn (1809–1847) wird durch seine Musik zu Shakespeares „Sommernachtstraum" weltberühmt, daneben verdanken wir ihm auch die Wiedererweckung von lange vergessenen Werken Bachs und Händels. Robert Schumann (1810–1856) führt das Schubert'sche Kunstlied weiter und kultiviert die kleine Form des betitelten Charakterstücks („Kinderszenen"). Fast alle romantischen Musiker schreiben Symphonien, ja sogar *symphonische Tondichtungen*. „Die Künste einander nähern" ist auch hier Motto. Die letzten großen Synthesen des Romantischen und Klassischen in der Musik bilden die Werke von Anton Bruckner (1824–1896) und von

Moritz von Schwind: Erlkönig (1830)

Johannes Brahms (1833–1897). Dann müssen wir noch eines Mannes gedenken, der mehr als irgendein anderer den romantischen Traum von der Verbindung aller Künste zu verwirklichen sucht: Richard Wagner (1813–1883). Er schafft das *Gesamtkunstwerk*, die totale Integrierung von Dichtung, Musik, Mimik, Tanz, Malerei und Architektur. In dem für ihn gebauten *Festspielhaus* in Bayreuth will er die alte kultische Funktion der Kunst für den modernen Menschen neubeleben, besonders mit seinem letzten Werk, dem „Parsifal". Seine *Musikdramen* — Wagner ist Dichter und Komponist zugleich — behandeln besonders das Problem der Liebe und Treue bei großen Sagengestalten („Der fliegende Holländer", „Tannhäuser", „Lohengrin", „Tristan und Isolde", „Der Ring des Nibelungen"). Noch heute finden jeden Sommer in Bayreuth die Wagner-Festspiele statt.

Zum Schluß sei noch das Wort genannt, in dem das romantische Lebensgefühl am besten zum Ausdruck kommt, das Wort *Sehnsucht* (engl. longing). Immer wieder finden wir die Sehnsucht nach blauen Fernen und neuen Horizonten, nach Italien und Griechenland, nach den Ländern der Phantasie, ja nach der Unendlichkeit selbst. Aber daneben steht mit gleicher Stärke die Sehnsucht nach den mittelalterlichen deutschen Städtchen und den dunklen Märchenwäldern der Heimat. Diese Sehnsucht manifestiert sich auch in der *Wanderlust* der Romantiker und in dem reichen Schatz ihrer Wanderlieder, die auch heute noch von der wandernden deutschen Jugend gesungen werden.

Sehnsucht

Es schienen so golden die Sterne.
Am Fenster ich einsam stand
Und hörte aus weiter Ferne
Ein Posthorn im stillen Land.
Das Herz mir im Leib entbrennte,
Da hab ich mir heimlich gedacht:
Ach, wer da mitreisen könnte
In der prächtigen Sommernacht! . . .

Eichendorff

Kleine Bibliographie zur Romantik

ARTIKEL

Harold M. March: "Romanticism," in Joseph T. Shipley: *Dictionary of World Literature*, new revised edition, New Students Outline Series, No. 135, Littlefield, Adams & Co., Paterson, N. J., 1960.

Henry H. H. Remak: "West European Romanticism: Definition and Scope," in *Comparative Literature: Method and Perspective*, Illinois University Press, Carbondale 1961 (mit sehr guter Bibliographie).

ANTHOLOGIEN

Gerhard Stenzel: *Die deutschen Romantiker*, Werke, in zwei Dünndruck-Bänden, Verlag "Das Bergland-Buch", Salzburg-Stuttgart.

Friedrich Bruns: *Die Lese der deutschen Lyrik*, edited with introduction, notes and bibliography, Appleton-Century-Crofts, New York.

Howard E. Hugo: *The Portable Romantic Reader:* The Age of Romanticism mirrored in poetry and prose from England, France, Germany, and America, edited and with an introduction, in The Viking Portable Library.

GESCHICHTE UND KULTURGESCHICHTE

Eberhard Orthbandt: *Bildbuch deutscher Geschichte*, Hermann Pfahl-Verlag, Baden-Baden, 1955.

MALEREI

Hermann Bünemann: *Von Runge bis Spitzweg*, in "Die blauen Bücher", Langewiesche Verlag.

MUSIKGESCHICHTE

Kurt Pahlen: *The Music of the World:* A History, translated by J. Galston, Crown Publishers, Inc., New York.

ERZÄHLUNG UND ANEKDOTE

Joseph Freiherr von Eichendorff

1788–1857

Der junge Eichendorff, Bildnis von Joseph Raabe (1809)

Oberschlesien ist seine Heimat, im deutschen Osten, wo er später auch als preußischer Staatsbeamter lebt und literarhistorische Arbeiten schreibt. Als junger Student in Heidelberg befreundet er sich mit den etwas älteren Romantikern Arnim und Brentano. Die arbeiten eben an ihrer großen Volksliedersammlung „Des Knaben Wunderhorn." Eichendorff findet darin formal und motivisch das Ideal für seine eigene Lyrik, die mit zum Schönsten und Volkstümlichsten gehört, was die Romantik hervorbringt. Er ist der Sänger des deutschen Waldes, der Mondnacht und der Wanderlust. In seiner Novellistik schafft er mit dem wandernden „Taugenichts" die liebenswerteste Figur der deutschen Literatur. Der für die meisten Romantiker charakteristische moderne Dualismus und die Nachtseiten des Lebens spielen bei Eichendorff eine untergeordnete Rolle. Tradition und Religion geben ihm eine innere Harmonie, wie sie wenige finden. Daß ihm aber das Dämonische nicht ganz fremd ist, zeigt seine frühe Novelle „Die Zauberei im Herbste" (*1808/09*).

Die Zauberei im Herbste

Ein Märchen

Ritter Ubaldo war an einem heiteren
Herbstabend auf der Jagd weit von den Seinigen abgekommen und ritt eben zwischen einsamen Waldbergen
hin, als er von dem einen derselben einen Mann in
5 seltsamer, bunter Kleidung herabsteigen sah. Der
Fremde bemerkte ihn nicht, bis er dicht vor ihm stand.
Ubaldo sah nun mit Verwunderung, daß derselbe ein
sehr zierliches und prächtig geschmücktes Wams trug,
das aber durch die Zeit altmodisch und unscheinlich
10 geworden war. Sein Gesicht war schön, aber bleich und
wild mit Bart verwachsen.

Beide begrüßten einander erstaunt, und
Ubaldo erzählte, daß er so unglücklich gewesen, sich
hier zu verirren. Die Sonne war schon hinter den Bergen
15 versunken, dieser Ort weit entfernt von allen Wohnungen
der Menschen. Der Unbekannte trug daher dem Ritter
an, heute bei ihm zu übernachten; morgen mit dem
frühesten wolle er ihm den einzigen Pfad weisen, der aus
diesen Bergen herausführe. Ubaldo willigte gern ein und
20 folgte nun seinem Führer durch die öden Waldes-
schluften.

Sie kamen bald an einen hohen Fels, in
dessen Fuß eine geräumige Höhle ausgehauen war. Ein
großer Stein lag in der Mitte derselben, auf dem Stein
25 stand ein hölzernes Kruzifix. Ein Lager von trockenem
Laube füllte den Hintergrund der Klause. Ubaldo band
sein Pferd am Eingange an, während sein Wirt stillschweigend Wein und Brot brachte. Sie setzten sich
miteinander hin, und der Ritter, dem die Kleidung des
30 Unbekannten für einen Einsiedler wenig passend schien,
konnte sich nicht enthalten, ihn um seine früheren
Schicksale zu befragen. — „Forsche nur nicht, wer ich
bin", antwortete der Klausner streng, und sein Gesicht
wurde dabei finster und unfreundlich. — Dagegen be-
35 merkte Ubaldo, daß derselbe hoch aufhorchte und dann
in ein tiefes Nachsinnen versank, als er selber nun anfing,
mancher Fahrten und rühmlicher Taten zu erwähnen,
die er in seiner Jugend bestanden. Ermüdet endlich

heiter *schön*

die Jagd (*Tiere schießen oder
fangen*) war von den
Seinigen abgekommen
hatte seine Leute verloren

bunt *vielfarbig*

dicht *nah*

mit Verwunderung *erstaunt*

zierlich *fein* prächtig
geschmücktes Wams *schön
ornamentierte Jacke*
unscheinlich *alt, abgetragen*
bleich *weißlich*

sich verirren *den Weg verlieren*

Ort *Platz*

trug an *bot an* daher *deshalb*

Pfad weisen *Weg zeigen*

einwilligen *akzeptieren*

öde Schluft *wilder, enger Paß*

Fels *Steinwand*

geräumig *relativ groß* Höhle
Grotte

Lager *der Schlafplatz* das
Laub *Blätter* Klause
Heim des Eremiten
Wirt *Gastgeber*

Einsiedler *Eremit, Klausner*

sich nicht enthalten *es nicht
lassen* das Schicksal
Erlebnis forsche *frage*

dagegen *jedoch*

Nachsinnen *Nachdenken*

rühmlich *groß* erwähnen
erzählen bestehen *erleben*

streckte sich Ubaldo auf das ihm angebotene Laub hin und schlummerte bald ein, während sein Wirt sich am Eingang der Höhle niedersetzte.

fuhr auf *erwachte plötzlich*

sich emporrichten *sich aufrichten*
der Leib *Körper*
Kreis *die Runde*

Mitten in der Nacht fuhr der Ritter, von unruhigen Träumen geschreckt, auf. Er richtete sich mit 5 halbem Leibe empor. Draußen beschien der Mond sehr hell den stillen Kreis der Berge. Auf dem Platz vor der Höhle sah er seinen Wirt unruhig unter den hohen,

schwanken *sich hin und her bewegen*

schwankenden Bäumen auf und ab wandeln. Er sang dabei mit hohler Stimme ein Lied, wovon Ubaldo nur 10

ungefähr *etwa*

abgebrochen ungefähr folgende Worte vernehmen konnte:

Kluft *Grotte, Abyss* Bangen *Furcht* Klänge *Melodien* langen *greifen*

> Aus der Kluft treibt mich das Bangen,
> Alte Klänge nach mir langen —
> Süße Sünde, laß mich los! 15
> Oder wirf mich ganz darnieder,
> Vor dem Zauber dieser Lieder

bergen *schützen* der Schoß *das Innere*
inbrünstig *von Herzen*

> Bergend in der Erde Schoß!
>
> Gott! Inbrünstig möcht ich beten,
> Doch der Erde Bilder treten 20
> Immer zwischen dich und mich,

ringsum *rund herum* Sausen *Tönen, Rauschen*
Grausen *Schrecken, die Angst*
streng *strikt*

> Und ringsum der Wälder Sausen
> Füllt die Seele mir mit Grausen
> Strenger Gott! ich fürchte dich.

Ketten *Bande*

> Ach! So brich auch meine Ketten! 25
> Alle Menschen zu erretten,
> Gingst du ja in bittern Tod.

irren *den Weg verlieren*

> Irrend an der Hölle Toren,
> Ach, wie bald bin ich verloren!
> Jesus, hilf in meiner Not! 30

Der Sänger schwieg wieder, setzte sich auf einen Stein und schien einige unvernehmliche Gebete

vernehmlich *hörbar*
verwirrt *konfus*

herzumurmeln, die aber vielmehr wie verwirrte Zauberformeln klangen. Das Rauschen der Bäche von den nahen Bergen und das leise Sausen der Tannen sang 35

überwältigt *überkommen*

seltsam mit darein, und Ubaldo sank, vom Schlafe überwältigt, wieder auf sein Lager zurück.

Kaum blitzten die ersten Morgenstrahlen durch die Wipfel, als auch der Einsiedler schon vor dem

der Wipfel *höchster Punkt des Baumes* Schluften *Wald- und Felspässe*
wohlgemut(et) *froh*

Ritter stand, um ihm den Weg aus den Schluften zu 40 weisen. Wohlgemutet schwang sich Ubaldo auf sein Pferd, und sein sonderbarer Führer schritt schweigend

neben ihm her. Sie hatten bald den Gipfel des letzten
Berges erreicht, da lag plötzlich die blitzende Tiefe mit
Strömen, Städten und Schlössern im schönsten Morgen-
glanze zu ihren Füßen. Der Einsiedler schien selber
5 überrascht. „Ach, wie schön ist die Welt!" rief er bestürzt aus, bedeckte sein Gesicht mit beiden Händen und
eilte so in die Wälder zurück. — Kopfschüttelnd schlug
Ubaldo nun den wohlbekannten Weg nach seinem
Schlosse ein.

10 Die Neugierde trieb ihn indessen gar bald
von neuem nach der Einöde, und er fand mit einiger
Mühe die Höhle wieder, wo ihn der Klausner diesmal
weniger finster und verschlossen empfing.

Daß derselbe schwere Sünden redlich ab-
15 büßen wolle, hatte Ubaldo wohl schon aus jenem nächtlichen Gesange entnommen, aber es kam ihm vor, als ob
dieses Gemüt fruchtlos mit dem Feinde ringe, denn in
seinem Wandel war nichts von der heiteren Zuversicht
einer wahrhaft gottergebenen Seele, und gar oft, wenn
20 sie im Gespräch beieinander saßen, brach eine schwer
unterdrückte irdische Sehnsucht mit einer fast furchtbaren Gewalt aus den irre flammenden Augen des
Mannes, wobei alle seine Mienen sonderbar zu ver-
wildern und sich gänzlich zu verwandeln schienen.

25 Dies bewog den frommen Ritter, seine Besuche öfter zu wiederholen, um den Schwindelnden mit
der ganzen vollen Kraft eines ungetrübten, schuldlosen
Gemüts zu umfassen und zu erhalten. Seinen Namen
und früheren Wandel verschwieg der Einsiedler indes
30 fortdauernd, es schien ihm vor der Vergangenheit zu
schaudern. Doch wurde er mit jedem Besuche sichtbar
ruhiger und zutraulicher. Ja, es gelang dem guten
Ritter endlich sogar, ihn einmal zu bewegen, ihm nach
seinem Schlosse zu folgen.

35 Es war schon Abend geworden, als sie auf
der Burg anlangten. Der Ritter ließ daher ein wär-
mendes Kaminfeuer anlegen und brachte von dem besten
Wein, den er hatte. Der Einsiedler schien sich hier zum
ersten Male ziemlich behaglich zu fühlen. Er be-
40 trachtete sehr aufmerksam ein Schwert und andere
Waffenstücke, die im Widerscheine des Kaminfeuers
funkelnd dort an der Wand hingen, und sah dann wieder

Gipfel *die Höhe*
blitzend *leuchtend*
im Glanz *im Licht*

bestürzt *erschrocken*

schlug ein *ging*

Neugier(de) *das Wissen-
wollen* indessen *jedoch*
Einöde *Wildnis* mit ...
Mühe *nach langem Suchen*
verschlossen *unfreundlich*

redlich *ehrlich, ernstlich* ab-
büßen *wieder gut machen*

es kam ihm vor *es schien ihm*

Gemüt *die Psyche* ringen
kämpfen Wandel *Lebens-
stil* heitere Zuversicht
gläubige Hoffnung

irdische Sehnsucht *Heimweh
nach der Welt* irre *geistes-
gestört* Miene *Gesichts-
ausdruck*

sich verwandeln *sich ändern*

bewog *war der Grund für*
den Schwindelnden *den Halt-
losen, Kranken* ungetrüb-
ten, schuldlosen Gemüts
klaren, reinen Herzens
Wandel *das Leben* indes fortdauernd *jedoch immer noch*

schaudern *sich fürchten*
zutraulich *offen*
bewegen *überreden*

anlangen *ankommen*
anlegen *machen*

behaglich *ruhig, gut*

betrachten *ansehen*
Widerschein *die Lichtreflek-
tion* funkeln *scheinen,
blitzen*

27

Gestalt *Figur, Person*
Ehrfurcht *Reverenz*
unbekümmert *ohne Sorge*

gleich einem *wie ein*

unterwegens (heute:
unterwegs)
sich vorkommen wie *glauben
man sei* feiger Tor oder
wie ein Wahnsinniger
*ängstlicher Dummkopf oder
Geisteskranker* der Be-
rauschte *der Trunkene*
nüchtern *klar, wach*

Bewegung *Emotion*

drang in *bat*

verbürgen *garantieren*

ersehnt *erwünscht*

abspiegeln *reflektieren*
verwirrt *konfus*

Waldgrund *Tiefe des Waldes*

lodern *brennen und leuchten*
folgendermaßen *wie folgt*

der Nebel '*fog, mist*'

Geselle *Freund* Häuflein
kleiner Trupp

den Ritter lange schweigend an. „Ihr seid glücklich",
sagte er, „und ich betrachte Eure feste, freudige, männliche Gestalt mit wahrer Scheu und Ehrfurcht, wie Ihr
Euch, unbekümmert durch Leid und Freud, bewegt und
das Leben ruhig regieret, während Ihr Euch demselben 5
ganz hinzugeben scheint, gleich einem Schiffer, der
bestimmt weiß, wo er hinsteuern soll, und sich von dem
wunderbaren Liede der Sirenen unterwegens nicht ir-
remachen läßt. Ich bin mir in Eurer Nähe schon oft
vorgekommen wie ein feiger Tor oder wie ein Wahnsin- 10
niger. — Es gibt vom Leben Berauschte — ach, wie
schrecklich ist es, dann auf einmal wieder nüchtern zu
werden!"

Der Ritter, welcher diese ungewöhnliche
Bewegung seines Gastes nicht unbenutzt vorbeigehen 15
lassen wollte, drang mit gutmütigem Eifer in denselben,
ihm nun endlich einmal seine Lebensgeschichte zu vertrauen. Der Klausner wurde nachdenkend. „Wenn
Ihr mir versprecht", sagte er endlich, „ewig zu verschweigen, was ich Euch erzähle, und mir erlaubt, alle 20
Namen wegzulassen, so will ich es tun." Der Ritter
reichte ihm die Hand und versprach ihm freudig, was er
forderte, rief seine Hausfrau, deren Verschwiegenheit er
verbürgte, herein, um auch sie an der von beiden lange
ersehnten Erzählung teilnehmen zu lassen. 25

Sie erschien, ein Kind auf dem Arme, das
andere an der Hand führend. Es war eine hohe, schöne
Gestalt in verblühender Jugend, still und mild wie die
untergehende Sonne, noch einmal in den lieblichen
Kindern die eigene versinkende Schönheit abspiegelnd. 30
Der Fremde wurde bei ihrem Anblick ganz verwirrt.
Er riß das Fenster auf und schaute einige Augenblicke
über den nächtlichen Waldgrund hinaus, um sich zu
sammeln. Ruhiger trat er darauf wieder zu ihnen, sie
rückten alle dichter um den lodernden Kamin, und er 35
begann folgendermaßen:

„Die Herbstsonne stieg lieblich wärmend
über die farbigen Nebel, welche die Täler um mein
Schloß bedeckten. Die Musik schwieg, das Fest war zu
Ende, und die lustigen Gäste zogen nach allen Seiten 40
davon. Es war ein Abschiedsfest, das ich meinem liebsten
Jugendgesellen gab, welcher heute mit seinem Häuflein

dem heiligen Kreuze zuzog, um dem großen christlichen
Heere das gelobte Land erobern zu helfen. Seit unserer
frühesten Jugend war dieser Zug der einzige Gegenstand
unserer beiderseitigen Wünsche, Hoffnungen und Pläne,
5 und ich versenke mich noch jetzt oft mit einer unbe-
schreiblichen Wehmut in jene stille, morgenschöne Zeit,
wo wir unter den hohen Linden auf dem Felsenabhange
meines Burgplatzes zusammensaßen und in Gedanken
den segelnden Wolken nach jenem gebenedeiten Wun-
10 derlande folgten, wo Gottfried[1] und die anderen Helden
in lichtem Glanze des Ruhmes lebten und stritten. —
Aber wie bald verwandelte sich alles in mir!

Ein Fräulein, die Blume aller Schönheit,
die ich nur einigemal gesehen und zu welcher ich, ohne
15 daß sie davon wußte, gleich von Anfang eine unbe-
zwingliche Liebe gefaßt hatte, hielt mich in dem stillen
Zwinger dieser Berge gebannt. Jetzt, da ich stark genug
war, mitzukämpfen, konnte ich nicht scheiden und ließ
meinen Freund allein ziehen.

20 Auch sie war bei dem Feste zugegen, und
ich schwelgte vor übergroßer Seligkeit in dem Wider-
glanze ihrer Schönheit. Nur erst, als sie des Morgens
fortziehen wollte und ich ihr auf das Pferd half, wagte
ich, es ihr zu entdecken, daß ich nur ihretwillen den
25 Zug unterlassen. Sie sagte nichts darauf, aber blickte
mich groß und, wie es schien, erschrocken an und ritt
dann schnell davon.“ —

Bei diesen Worten sahen der Ritter und
seine Frau einander mit sichtbarem Erstaunen an. Der
30 Fremde bemerkte es aber nicht und fuhr weiter fort:

„Alles war nun fortgezogen. Die Sonne
schien durch die hohen Bogenfenster[2] in die leeren
Gemächer, wo jetzt nur noch meine einsamen Fußtritte
widerhallten. Ich lehnte mich lange zum Erker[3] hinaus,
35 aus den stillen Wäldern unten schallte der Schlag einzelner Holzhauer herauf. Eine unbeschreiblich sehnsüchtige Bewegung bemächtigte sich in dieser Einsamkeit
meiner. Ich konnte es nicht länger aushalten, ich

Heer *die Armee* gelobt
heilig, versprochen erobern
gewinnen Gegenstand
das Objekt

Wehmut *Melancholie*

Felsenabhang *steiler Berg*

gebenedeit (*von Benediktion*)

Helden *Heroen*

Ruhm *die Ehre*

unbezwinglich *unkon-
trollierbar*

Zwinger *Gefängnis*

scheiden *fortgehen*

zugegen *da, hier*

schwelgte vor ... *war
überglücklich* Widerglanz
das Licht, die Reflektion

ihretwillen *wegen ihr*

unterlassen (hatte) *nicht
mitgemacht hatte*

Gemach *Zimmer*

Widerhall *das Echo*

sehnsüchtige ... (*ein) Liebes-
verlangen ergriff mich*

---

[1]G. von Bouillon, Führer des 1. Kreuzzuges (1096–1099).
[2]Fenster im romanischen oder gotischen Stil.
[3]ein Balkon mit Dach und Fenstern.

schwang mich auf mein Roß und ritt auf die Jagd, um dem gepreßten Herzen Luft zu machen.

Lange war ich umhergeirrt und befand mich endlich zu meiner Verwunderung in einer mir bis jetzt noch ganz unbekannt gebliebenen Gegend des Gebirges. Ich ritt gedankenvoll, meinen Falken auf der Hand, über eine wunderschöne Heide, über welche die Strahlen der untergehenden Sonne schrägblitzend hinfuhren, die herbstlichen Gespinste flogen wie Schleier durch die heiter blaue Luft, hoch über die Berge weg wehten die Abschiedslieder der fortziehenden Vögel.

Da hörte ich plötzlich mehrere Waldhörner, die in einiger Entfernung von den Bergen einander Antwort zu geben schienen. Einige Stimmen begleiteten sie mit Gesang. Nie noch vorher hatte mich Musik mit solcher wunderbaren Sehnsucht erfüllt als diese Töne, und noch heute sind mir mehrere Strophen des Gesanges erinnerlich, wie sie der Wind zwischen den Klängen herüberwehte:

Über gelb und roten Streifen
Ziehen hoch die Vögel fort.
Trostlos die Gedanken schweifen,
Ach! sie finden keinen Port,
Und der Hörner dunkle Klagen
Einsam nur ans Herz dir schlagen.

Siehst du blauer Berge Runde
Ferne überm Walde stehn,
Bäche in dem stillen Grunde
Rauschend nach der Ferne gehn?
Wolken, Bäche, Vögel munter,
Alles ziehet mit hinunter.

Golden meine Locken wallen,
Süß mein junger Leib noch blüht —
Bald ist Schönheit auch verfallen,
Wie des Sommers Glanz verglüht,
Jugend muß die Blüten neigen,
Rings die Hörner alle schweigen.

Schlanke Arme zu umarmen,
Roten Mund zum süßen Kuß,
Weiße Brust, dran zu erwarmen,
Reichen, vollen Liebesgruß
Bietet dir der Hörner Schallen,
Süßer! komm, eh sie verhallen!

Marginal glosses:

Gegend *Region*

Heide *'heather'*

schrägblitzend *fast parallel zur Erde* Gespinste *Spinnweben*
Schleier *'veil'*
wehen *tönen*

Waldhorn *Blasinstrument, 'French horn'*

Klänge *Töne, Melodien*

trostlos *ohne Hoffnung*
schweifen *wandern*

Klagen *Lamentationen*

Grund *das Tal, die Tiefe*

munter *froh*

Golden . . . *'golden fall my locks'*

Glanz *Schönheit*
neigen *senken*
rings *rund herum*

schallen *tönen*
verhallen *still werden*

Ich war wie verwirrt bei diesen Tönen, die das ganze Herz durchdrangen. Mein Falke, sobald sich die ersten Klänge erhoben, wurde scheu, schwang sich wildkreischend auf, hoch in den Lüften verschwin-
5 dend, und kam nicht wieder. Ich aber konnte nicht widerstehen und folgte dem verlockenden Waldhornsliede immerfort, das sinnenverwirrend bald wie aus der Ferne klang, bald wieder mit dem Winde näherschwellte.
10 So kam ich endlich aus dem Walde heraus und erblickte ein blankes Schloß, das auf einem Berge vor mir lag. Rings um das Schloß, vom Gipfel bis zum Walde hinab, lachte ein wunderschöner Garten in den buntesten Farben, der das Schloß wie ein Zauberring
15 umgab. Alle Bäume und Sträucher in demselben, vom Herbste viel kräftiger gefärbt als anderswo, waren purpurrot, goldgelb und feuerfarb; hohe Astern, diese letzten Gestirne des versinkenden Sommers, brannten dort im mannigfaltigsten Schimmer. Die untergehende
20 Sonne warf gerade ihre Strahlen auf die liebliche Anhöhe, auf die Springbrunnen und die Fenster des Schlosses, die blendend blitzten.
Ich bemerkte nun, daß die Waldhornklänge, die ich vorhin gehört, aus diesem Garten kamen,
25 und mitten in dem Glanze unter wilden Weinlaubranken sah ich, innerlichst erschrocken — das Fräulein, das alle meine Gedanken meinten, zwischen den Klängen, selber singend, herumwandeln. Sie schwieg, als sie mich erblickte, aber die Hörner klangen fort. Schöne Knaben
30 in seidenen Kleidern eilten herab und nahmen mir das Pferd ab.
Ich flog durch das zierlich übergoldete Gittertor auf die Terrasse des Gartens, wo meine Geliebte stand, und sank, von so viel Schönheit überwältigt,
35 zu ihren Füßen nieder. Sie trug ein dunkelrotes Gewand, lange Schleier, durchsichtig wie die Sommerfäden des Herbstes, umflatterten die goldgelben Locken, von einer prächtigen Aster aus funkelnden Edelsteinen über der Stirn zusammengehalten.
40 Liebreich hob sie mich auf, und mit einer rührenden, wie vor Liebe und Schmerz gebrochenen Stimme sagte sie: „Schöner, unglücklicher Jüngling,

verwirrt *konfus*

kreischen *schreien, rufen*

verlocken *faszinieren, verführen* immerfort *immer weiter*

blank *hell, hübsch*

Gipfel *die Höhe*

Sträucher *Büsche*

Gestirne *Sterne*

Schimmer *Glanz, das Licht*

Anhöhe *der Hügel, kleiner Berg*
Springbrunnen *Fontänen*
blenden *blind machen*

Laubranken *Blätter und Zweige*

seiden '*silken*'

zierlich *fein, hübsch*
Gitter *aus Eisenstäben*

Gewand *Kleid*
Sommerfäden *fliegende Spinnweben*

prächtig *wunderschön*
Edelsteine *Juwelen*

rührend *gefühlvoll*
der Schmerz *das Weh*

geheimnisvolle Feier
mysteriöses Fest Verlangen *innerstes Wünschen*
die Gewalt *Macht, Kraft*
Kreis *Zirkel*

schaudern *Angst bekommen*

beschwor *bat (auf den Knien)*

indes *inzwischen*

Hoheit *Majestät*

Verräter *falscher Freund*

gezwungen *gegen meinen
Willen* verlobt, 'engaged'
Eifersucht *Jalousie*
verhehlen *Information
zurückhalten* abgelegen
weit weg von allem
verbergen *von der Welt zu
isolieren*

der Gang *Weg* funkeln
leuchten

schauerliche Wollust *mor-
bide Liebeslust* die Ader
Vene
das Entsetzen *Angst und Furcht*
das Gift *(meist) tödliche
Substanz*

die Staffel *Stufe, Treppe*

Seligkeit *das Glück*

wie lieb ich dich! Schon lange liebt' ich dich, und wenn
der Herbst seine geheimnisvolle Feier beginnt, erwacht
mit jedem Jahre mein Verlangen mit neuer, unwider-
stehlicher Gewalt. Unglücklicher! Wie bist du in den
Kreis meiner Klänge gekommen? Laß mich und fliehe!" 5

Mich schauderte bei diesen Worten, und
ich beschwor sie, weiter zu reden und sich näher zu
erklären. Aber sie antwortete nicht, und wir gingen
stillschweigend nebeneinander durch den Garten.

Es war indes dunkel geworden. Da ver- 10
breitete sich eine ernste Hoheit über ihre ganze Gestalt.

„So wisse denn", sagte sie, „dein Jugend-
freund, der heute von dir geschieden ist, ist ein Verräter.
Ich bin gezwungen seine verlobte Braut. Aus wilder 15
Eifersucht verhehlte er dir seine Liebe. Er ist nicht nach
Palästina, sondern kommt morgen, um mich abzuholen
und in einem abgelegenen Schlosse vor allen menschlichen Augen auf ewig zu verbergen. — Ich muß nun
scheiden. Wir sehen uns nie wieder, wenn er nicht 20
stirbt."

Bei diesen Worten drückte sie einen Kuß
auf meine Lippen und verschwand in den dunklen
Gängen. Ein Stein aus ihrer Aster funkelte im Weggehen
kühlblitzend über meinen beiden Augen, ihr Kuß 25
flammte mit fast schauerlicher Wollust durch alle meine
Adern.

Ich überdachte nun mit Entsetzen die
fürchterlichen Worte, die sie beim Abschied wie Gift in
mein gesundes Blut geworfen hatte, und irrte lange 30
nachsinnend in den einsamen Gängen umher. Ermüdet
warf ich mich endlich auf die steinernen Staffeln vor
dem Schloßtore, die Waldhörner hallten noch fort, und
ich schlummerte unter seltsamen Gedanken ein.

Als ich die Augen aufschlug, war es heller 35
Morgen. Alle Türen und Fenster des Schlosses waren
fest verschlossen, der Garten und die ganze Gegend still.
In dieser Einsamkeit erwachte das Bild der Geliebten
und die ganze Zauberei des gestrigen Abends mit neuen
morgenschönen Farben in meinem Herzen, und ich 40
fühlte die volle Seligkeit, wiedergeliebt zu werden.
Manchmal wohl, wenn mir jene furchtbaren Worte

wieder einfielen, wandelte mich ein Trieb an, weit von
hier zu fliehen; aber der Kuß brannte noch auf meinen
Lippen, und ich konnte nicht fort.

    Es wehte eine warme, fast schwüle Luft,
5 als wollte der Sommer noch einmal wiederkehren. Ich
schweifte daher träumend in den nahen Wald hinaus,
um mich mit der Jagd zu zerstreuen. Da erblickte ich in
dem Wipfel eines Baumes einen Vogel von so wunder-
schönem Gefieder, wie ich noch nie vorher gesehen. Als
10 ich den Bogen spannte, um ihn zu schießen, flog er
schnell auf einen anderen Baum. Ich folgte ihm begierig, aber der schöne Vogel flatterte immerfort von
Wipfel zu Wipfel vor mir her, wobei seine hellgoldenen
Schwingen reizend im Sonnenschein glänzten.

15   So war ich in ein enges Tal gekommen,
das rings von hohen Felsen eingeschlossen war. Kein
rauhes Lüftchen wehte hier herein, alles war hier noch
grün und blühend wie im Sommer. Ein Gesang schwoll
wunderlieblich aus der Mitte dieses Tales. Erstaunt bog
20 ich die Zweige des dichten Gesträuches, an dem ich
stand, auseinander, — und meine Augen senkten sich
trunken und geblendet vor dem Zauber, der sich mir
da eröffnete.

    Ein stiller Weiher lag im Kreise der hohen
25 Felsen, an denen Efeu und seltsame Schilfblumen üppig
emporrankten. Viele Mädchen tauchten ihre schönen
Glieder singend in der lauen Flut auf und nieder. Über
allen erhoben stand das Fräulein prächtig und ohne
Hülle und schaute, während die anderen sangen, schwei-
30 gend auf die wollüstig auf ihre Knöchel spielenden
Wellen, wie verzaubert und versunken in das Bild der
eigenen Schönheit, das der trunkene Wasserspiegel widerstrahlte. — Eingewurzelt stand ich lange in flammen-
dem Schauer, da bewegte sich die schöne Schar ans
35 Land, und ich eilte schnell davon, um nicht entdeckt
zu werden.

    Ich stürzte mich in den dicksten Wald, um
die Flammen zu kühlen, die mein Inneres durchtobten.
Aber je weiter ich floh, desto lebendiger gaukelten jene
40 Bilder vor meinen Augen, desto verzehrender langte der
Schimmer jener jugendlichen Glieder mir nach.

    So traf mich die einbrechende Nacht noch

Marginal glosses:

wandelte mich ein Trieb an
packte mich ein Gefühl

schwül *schwer und feucht*

schweifen *ziellos wandern*

sich zerstreuen *sich amüsieren,
Zeit vertreiben*

begierig *neugierig,
erwartungsvoll*

reizend *hübsch, nett*

rauh *kalt*

Gesträuch *Gebüsch*

Weiher *kleiner See*

der Efeu 'ivy'   Schilfblumen
*. . . Wasserpflanzen dicht
hochwuchsen*   Glieder *Arme
und Beine*   laue Flut
warmes Wasser   ohne
Hülle *nackt*

wollüstig *amourös*   Knöchel
Knochen am Fuß

widerstrahlte   *reflektierte*

eingewurzelt *fest, unbeweglich*

Schar *Gruppe*

toben *stürmen*

gaukeln *spielen, zaubern*

verzehrend *wild, mächtig*

langte mir nach *verfolgte
mich*

unterdes verwandelt *inzwischen verändert*

das Gespenst *der Geist, das Phantom*
es kam mir vor *es war mir*
vernähme *hörte*
das Getös *Getrampel, Geräusch, Getön(e)*

Glanz der Kerzen *Schein der Lichter*

rang *kämpfte*
meiner Sinne kaum mehr mächtig *halb wahnsinnig*
brausend *wild und laut*

Gestalt *Figur, Person*

soeben *eben, gerade*

Bräutigam *(maskuline Form zu Braut)*

... hinabschleuderte *in die Tiefe warf*

die Woge *Welle*
eilig *schnell*   grausig *furchtbar*

widrig *sarkastisch*
dreinschallen *nachtönen*

im Walde. Der ganze Himmel hatte sich unterdes verwandelt und war dunkel geworden, ein wilder Sturm
ging über die Berge. „Wir sehen uns nie wieder, wenn
er nicht stirbt!" rief ich immerfort in mich selbst hinein
und rannte, als würde ich von Gespenstern gejagt.   5

    Es kam mir manchmal dabei vor, als ver-
nähme ich seitwärts Getös von Rosseshufen im Walde,
aber ich scheute jedes menschliche Angesicht und floh
vor dem Geräusch, so oft es näher zu kommen schien.
Das Schloß meiner Geliebten sah ich oft, wenn ich auf 10
eine Höhe kam, in der Ferne stehen; die Waldhörner
sangen wieder wie gestern abend, der Glanz der Kerzen
drang wie ein milder Mondenschein durch alle Fenster
und beleuchtete rings umher magisch den Kreis der
nächsten Bäume und Blumen, während draußen die   15
ganze Gegend in Sturm und Finsternis wild durcheinan-
derrang.

    Meiner Sinne kaum mehr mächtig, bestieg
ich endlich einen hohen Felsen, an dem unten ein brau-
sender Waldstrom vorüberstürzte. Als ich auf der Spitze 20
ankam, erblickte ich dort eine dunkle Gestalt, die auf
einem Steine saß, still und unbeweglich, als wäre sie
selber von Stein. Die Wolken jagten soeben zerrissen
über den Himmel. Der Mond trat blutrot auf einen
Augenblick hervor — und ich erkannte meinen Freund, 25
den Bräutigam meiner Geliebten. Er richtete sich,
sobald er mich erblickte, schnell und hoch auf, daß ich
innerlichst zusammenschauderte, und griff nach seinem
Schwerte. Wütend fiel ich ihn an und umfaßte ihn mit
beiden Armen. So rangen wir einige Zeit miteinander, 30
bis ich ihn zuletzt über die Felsenwand in den Abgrund
hinabschleuderte.

    Da wurde es auf einmal still in der Tiefe
und rings umher, nur der Strom unten rauschte stärker,
als wäre mein ganzes voriges Leben unter diesen wir- 35
belnden Wogen begraben und alles auf ewig vorbei.

    Eilig stürzte ich nun fort von diesem grau-
sigen Orte. Da kam es mir vor, als hörte ich ein lautes,
widriges Lachen wie aus dem Wipfel der Bäume hinter
mir dreinschallen; zugleich glaubte ich in der Verwir- 40
rung meiner Sinne den Vogel, den ich vorhin verfolgte,
in den Zweigen über mir wiederzusehen. — So gejagt,

geängstigt und halb sinnlos rannte ich durch die Wildnis über die Gartenmauer hinweg zu dem Schlosse des Fräuleins. Mit allen Kräften riß ich dort an den Angeln des verschlossenen Tores. „Mach auf", schrie ich außer
5 mir, „mach auf, ich habe meinen Herzensbruder erschlagen! Du bist nun mein auf Erden und in der Hölle!" Da taten sich die Torflügel schnell auf, und das Fräulein, schöner als ich sie jemals gesehen, sank ganz hingegeben in flammenden Küssen an meine von Stür-
10 men durchwühlte, zerrissene Brust.

    Laßt mich nun schweigen von der Pracht der Gemächer, dem Duft ausländischer Blumen und Bäume, zwischen denen schöne Frauen singend hervorsahen, von den Wogen von Licht und Musik, von der
15 wilden, namenlosen Lust, die ich in den Armen des Fräuleins —"

    Hier fuhr der Fremde plötzlich auf. Denn draußen hörte man einen seltsamen Gesang an den Fenstern der Burg vorüberfliegen. Es waren nur einzelne
20 Sätze, die zuweilen wie eine menschliche Stimme, dann wieder wie die höchsten Töne einer Klarinette klangen, wenn sie der Wind über ferne Berge herüberweht, das ganze Herz ergreifend und schnell dahinfahrend. — „Beruhigt Euch", sagte der Ritter, „wir sind das lange
25 gewohnt. Zauberei soll in den nahen Wäldern wohnen, und oft zur Herbstzeit streifen solche Töne in der Nacht bis an unser Schloß. Es vergeht ebensoschnell als es kommt, und wir bekümmern uns weiter nicht darum."
— Eine große Bewegung schien jedoch in der Brust des
30 Ritters zu arbeiten, die er nur mit Mühe unterdrückte.
— Die Töne draußen waren schon wieder verklungen. Der Fremde saß, wie im Geiste abwesend, in tiefes Nachsinnen verloren. Nach einer langen Pause erst sammelte er sich wieder und fuhr, obgleich nicht mehr so ruhig
35 wie vorher, in seiner Erzählung weiter fort:

    „Ich bemerkte, daß das Fräulein mitten im Glanze manchmal von einer unwillkürlichen Wehmut befallen wurde, wenn sie aus dem Schloße sah, wie nun endlich der Herbst von allen Fluren Abschied nehmen
40 wollte. Aber ein gesunder, fester Schlaf machte durch eine Nacht alles wieder gut, und ihr wunderschönes Antlitz, der Garten und die ganze Gegend ringsumher

---

die Angel (*womit Tür und Tor befestigt sind*)

hingegeben *voller Liebe*
durchwühlt *chaotisch*

Pracht . . . *der Luxus der Zimmer* der Duft *Geruch, das Aroma*

zuweilen *manchmal*

wir sind das lange gewohnt *wir kennen das*
streifen *kommen*

bekümmern *sorgen*

mit Mühe *schwer*

abwesend *woanders*
Nachsinnen *Nachdenken*

unwillkürliche Wehmut *unkontrollierbare Melancholie* Fluren *Wiesen und Felder*

Antlitz *Gesicht*

erquickt *erneuert*

blickte mich am Morgen immer wieder erquickt, frischer und wie neugeboren an.

    Nur einmal, da ich eben mit ihr am Fenster stand, war sie stiller und trauriger als jemals. Draußen im Garten spielte der Wintersturm mit den herabfallen- 5 den Blättern. Ich merkte, daß sie oft heimlich schau-derte, als sie in die ganz verbleichte Gegend hinaus-schaute. Alle ihre Frauen hatten uns verlassen, die Lieder der Waldhörner klangen heute nur aus weiter Ferne, bis sie endlich gar verhallten. Die Augen meiner 10 Geliebten hatten allen ihren Glanz verloren und schienen wie verlöschend. Jenseits der Berge ging eben die Sonne unter und erfüllte den Garten und die Täler ringsum mit ihrem verbleichenden Glanze. Da umschlang das Fräulein mich mit beiden Armen und begann ein selt- 15 sames Lied zu singen, das ich vorher noch nie von ihr gehört und das mit unendlich wehmütigem Akkorde das ganze Haus durchdrang. Ich lauschte entzückt, es war, als zögen mich diese Töne mit dem versinkenden Abend-rot langsam hinab, die Augen fielen mir wider Willen 20 zu, und ich schlummerte in Träumen ein.

    Als ich erwachte, war es Nacht geworden und alles still im Schlosse. Der Mond schien sehr hell. Meine Geliebte lag auf seidenem Lager schlafend neben mir hingestreckt. Ich betrachtete sie mit Erstaunen, 25 denn sie war bleich wie eine Leiche, ihre Locken hingen verwirrt und wie vom Winde zerzaust um Angesicht und Busen herum. Alles andere lag und stand noch un-berührt umher, wie es bei meinem Entschlummern gele-gen, es war mir, als wäre das schon sehr lange her. — Ich 30 trat an das offene Fenster. Die Gegend draußen schien mir verwandelt und ganz anders, als ich sie sonst gesehen. Die Bäume sausten wunderlich. Da sah ich unten an der Mauer des Schlosses zwei Männer stehen, die dunkel murmelnd und sich besprechend, sich immerfort gleich- 35 förmig beugend und neigend gegeneinander hin- und herbewegten, als ob sie ein Gespinste weben wollten. Ich konnte nichts verstehen, nur hörte ich sie öfters meinen Namen nennen. — Ich blickte noch einmal zurück nach der Gestalt des Fräuleins, welche eben vom 40 Monde klar beschienen wurde. Es kam mir vor, als sähe ich ein steinernes Bild, schön, aber totenkalt und un-

verbleicht *weiß, farblos geworden*

verhallen *unhörbar werden*

verlöschen *erblinden, sterben*

unendlich wehmütig *tief melancholisch* entzückt *begeistert, in höchster Lust*

wider Willen *ohne es zu wollen*

Leiche *eine Tote*
verwirrt *unordentlich* zerzaust *durcheinanderge-bracht (in Unordnung)*

sausen *rauschen*

immerfort *pausenlos* gleichförmig *uniform* beugen und neigen (tautologisch), 'bow' Gespinste *feinster Stoff, Spinnweben*

beweglich. Ein Stein blitzte wie Basiliskenaugen von ihrer starren Brust, ihr Mund schien mir seltsam verzerrt. Ein Grausen, wie ich es noch in meinem Leben nicht gefühlt, befiel mich da auf einmal. Ich ließ
5 alles liegen und eilte durch die leeren, öden Hallen, wo aller Glanz verloschen war, fort. Als ich aus dem Schlosse trat, sah ich in einiger Entfernung die zwei ganz fremden Männer plötzlich in ihrem Geschäfte erstarren und wie Statuen stillestehen. Seitwärts weit unter dem
10 Berge erblickte ich an einem einsamen Weiher mehrere Mädchen in schneeweißen Gewändern, welche wunderbar singend beschäftigt schienen, seltsame Gespinste auf der Wiese auszubreiten und am Mondschein zu bleichen. Dieser Anblick und dieser Gesang vermehrte noch mein
15 Grausen, und ich schwang mich nur desto rascher über die Gartenmauer weg. Die Wolken flogen schnell über den Himmel, die Bäume sausten hinter mir drein, ich eilte atemlos immer fort.
Stiller und wärmer wurde allmählich die
20 Nacht, Nachtigallen schlugen in den Gebüschen. Draußen tief unter den Bergen hörte ich Stimmen gehen, und alte, langvergessene Erinnerungen kehrten halbdämmernd wieder in das ausgebrannte Herz zurück, während vor mir die schönste Frühlingsmorgendämmerung sich
25 über dem Gebirge erhob. — Was ist das? Wo bin ich denn? rief ich erstaunt und wußte nicht, wie mir geschehen. Herbst und Winter sind vergangen, Frühling ist's wieder auf der Welt. Mein Gott! wo bin ich so lange gewesen?
30 So langte ich endlich auf dem Gipfel des letzten Berges an. Da ging die Sonne prächtig auf. Ein wonniges Erschüttern flog über die Erde, Ströme und Schlösser blitzten, die Menschen, ach! ruhig und fröhlich kreisten in ihren täglichen Verrichtungen wie ehedem,
35 unzählige Lerchen jubilierten hoch in der Luft. Ich stürzte auf die Knie und weinte bitterlich um mein verlorenes Leben.
Ich begriff und begreife noch jetzt nicht, wie das alles zugegangen, aber hinabstürzen mocht ich
40 noch nicht in die heitere, schuldlose Welt mit dieser Brust voll Sünde und zügelloser Lust. In die tiefste Einöde vergraben, wollte ich den Himmel um Verge-

---

starr *steif, unbeweglich*
verzerrt *wie in einer Grimasse* das Grausen *die Todesangst*
öd *verlassen*
verloschen *verschwunden*

das Gewand *Kleid*

rasch *schnell*

schlugen *sangen*

halbdämmernd *nur halb klar*

Morgendämmerung *der Tagesanbruch*

langte an *kam an*

ein wonniges Erschüttern *ein herrliches Erwachen*
kreisten (*von Kreis*)
die Verrichtung *Arbeit*
die Lerche 'lark'

hinabstürzen *hinabrennen*
heitere *frohe, friedliche*
zügellose Lust *Erotik und Brutalität* Einöde *Wildnis*

Fehle *Fehler, Sünden*

die Reue *das Leidtun nach der Sünde*

inbrünstig *aus ganzem Herzen*

wähnte *dachte, glaubte*

überstanden *vorbei* die Gnade *Vergebung* selige Täuschung *glückliche Illusion*

ausspreiten *entfalten*
schweifen *ziehen, fliegen*

klangen sie wider *echoten*

Gottesreich *die göttliche Ordnung*

Reich *Land, Staat*

schauerlich *geheimnisvoll, schrecklich*

irdisch *(von Erde)*
dämmernd *halb klar, halb dunkel* die Quelle *Ursprung des Bachs, 'spring'* wehmütig ... *melancholisch* rufend *fort und fort*

Rührung *Teilnahme, das Mitleid*

gerührt *getroffen*

zittern *'tremble'*

vielbewegt *unruhig*

bung bitten und die Wohnungen der Menschen nicht eher wiedersehen, bis ich alle meine Fehle, das einzige, dessen ich mir aus der Vergangenheit nur zu klar und deutlich bewußt war, mit Tränen heißer Reue abgewaschen hätte. 5

Ein Jahr lang lebt' ich so, als Ihr mich damals an der Höhle traft. Inbrünstige Gebete entstiegen gar oft meiner geängstigten Brust, und ich wähnte manchmal, es sei überstanden und ich hätte Gnade gefunden vor Gott; aber das war nur selige Täuschung 10 seltener Augenblicke und schnell alles wieder vorbei. Und als nun der Herbst wieder sein wunderlich farbiges Netz über Berg und Tal ausspreitete, da schweiften von neuem einzelne wohlbekannte Töne aus dem Walde in meine Einsamkeit, und dunkle Stimmen in mir klangen 15 sie wider und gaben ihnen Antwort, und im Innersten erschreckten mich noch immer die Glockenklänge des fernen Doms, wenn sie am klaren Sonntagsmorgen über die Berge zu mir herüberlangten, als suchten sie das alte, stille Gottesreich der Kindheit in meiner Brust, das nicht 20 mehr in ihr war. — Seht, es ist ein wunderbares, dunkles Reich von Gedanken in des Menschen Brust, da blitzen Kristall und Rubin und alle die versteinerten Blumen der Tiefe mit schauerlichem Liebesblick herauf, zauberische Klänge wehen dazwischen, du weißt nicht, woher 25 sie kommen und wohin sie gehen, die Schönheit des irdischen Lebens schimmert von draußen dämmernd herein, die unsichtbaren Quellen rauschen wehmütig lockend in einem fort, und es zieht dich ewig hinunter — hinunter!'' ,,Armer Raimund!'' rief da der Ritter, 30 der den in seiner Erzählung träumerisch verlorenen Fremden lange mit tiefer Rührung betrachtet hatte.

,,Wer seid Ihr um Gottes willen, daß Ihr meinen Namen wißt!'' rief der Fremde und sprang wie vom Blitze gerührt von seinem Sitze auf. 35

,,Mein Gott!'' erwiderte der Ritter und schloß den Zitternden mit herzlicher Liebe in seine Arme, ,,kennst du uns denn gar nicht mehr? Ich bin ja dein alter, treuer Waffenbruder Ubaldo, und da ist deine Berta, die du heimlich liebtest, die du nach jenem 40 Abschiedsfeste auf deiner Burg auf das Pferd hobst. Gar sehr hat die Zeit und ein vielbewegtes Leben seitdem

unsere frischen Jugendbilder verwischt, und ich erkannte
dich erst wieder, als du deine Geschichte zu erzählen
anfingest. Ich bin nie in einer Gegend gewesen, die du
da beschrieben hast, und habe nie mit dir auf dem Felsen
5 gerungen. Ich zog gleich nach jenem Feste gen Palästina,
wo ich mehrere Jahre mitfocht, und die schöne Berta
dort wurde nach meiner Heimkehr mein Weib. Auch
Berta hatte dich nach dem Abschiedsfeste niemals wiedergesehen, und alles, was du da erzähltest, ist eitel
10 Phantasie. — Ein böser Zauber, jeden Herbst neuer-
wachend und dann wieder samt dir versinkend, mein
armer Raimund, hielt dich viele Jahre lang mit lügenhaften Spielen umstrickt. Du hast unbemerkt Monate
wie einzelne Tage verlebt. Niemand wußte, als ich aus
15 dem gelobten Lande zurückkam, wohin du gekommen,
und wir glaubten dich längst verloren."

    Ubaldo merkte vor Freude nicht, daß sein
Freund bei jedem Worte immer heftiger zitterte. Mit
hohlen, starr offenen Augen sah er die beiden abwech-
20 selnd an und erkannte nun auf einmal den Freund und
die Jugendgeliebte, über deren lang verblühte, rührende
Gestalt die Flamme des Kamins spielend die zuckenden
Scheine warf.

    „Verloren, alles verloren!" rief er aus
25 tiefster Brust, riß sich aus den Armen Ubaldos und flog
pfeilschnell aus dem Schlosse in die Nacht und den
Wald hinaus.

    „Ja, verloren, und meine Liebe und mein
ganzes Leben eine lange Täuschung!" sagte er immer-
30 fort für sich selbst und lief, bis alle Lichter in Ubaldos
Schlosse hinter ihm versunken waren. Er nahm fast
unwillkürlich die Richtung nach seiner eigenen Burg und
langte daselbst an, als eben die Sonne aufging.

    Es war wieder ein heiterer Herbstmorgen
35 wie damals, als er vor vielen Jahren das Schloß verlassen
hatte, und die Erinnerung an jene Zeit und der Schmerz
über den verlorenen Glanz und Ruhm seiner Jugend
befiel da auf einmal seine ganze Seele. Die hohen
Linden auf dem steinernen Burghofe rauschten noch
40 immerfort, aber der Platz und das ganze Schloß war
leer und öde, und der Wind strich überall durch die
verfallenen Fensterbogen.

verwischt *verändert*

gerungen *gekämpft*
gen (*von gegen*), nach

eitel Phantasie *pure Phantasie*
Zauber *Zauberei, der Bann*
samt dir versinkend *mit dir
  verschwindend*
mit lügenhaften Spielen
umstrickt *mit falschen
  Illusionen gefangen*

heftig *stark*
abwechselnd *mal ihn, mal sie*

lang verblühte *nicht mehr
  junge, liebliche*
zucken *blinken, blitzen*

pfeilschnell *blitzschnell*

Täuschung *Illusion*

unwillkürlich *instinktiv*
daselbst *da, dort*

Schmerz *das Weh*
Glanz und Ruhm *Erfolg, die
  Ehre*

öde *verlassen*

falb *gelblich*

Er trat in den Garten hinaus. Der lag auch wüst und zerstört, nur einzelne Spätblumen schimmerten noch hin und her aus dem falben Grase. Auf einer hohen Blume saß ein Vogel und sang ein wunderbares Lied, das die Brust mit unendlicher Sehnsucht erfüllte. 5 Es waren dieselben Töne, die er gestern abend während seiner Erzählung auf Ubaldos Burg vorüberschweifen hörte. Mit Schrecken erkannte er auch nun den schönen goldgelben Vogel aus dem Zauberwalde wieder. — Hinter ihm aber, hoch aus einem Bogenfenster des Schlosses 10 schaute während des Gesanges ein langer Mann über die Gegend hinaus, still, bleich und mit Blut bespritzt. Es war leibhaftig Ubaldos Gestalt.

leibhaftig *wirklich*

entsetzt *schockiert*

Entsetzt wandte Raimund das Gesicht von dem furchtbar stillen Bilde und sah in den klaren Morgen 15 vor sich hinab. Da sprengte plötzlich unten auf einem schlanken Rosse das schöne Zauberfräulein, lächelnd, in üppiger Jugendblüte, vorüber. Silberne Sommerfäden flogen hinter ihr drein, die Aster von ihrer Stirne warf lange grünlichgoldene Scheine über die Heide. 20

sprengte *ritt*

üppig *voll*
Sommerfäden *Spinnweben*

In allen Sinnen verwirrt, stürzte Raimund aus dem Garten, dem holden Bilde nach.

verwirrt *irrsinnig, wahnsinnig*
hold *schön*

Die seltsamen Lieder des Vogels zogen, wie er ging, immer vor ihm her. Allmählich, je weiter er kam, verwandelten sich diese Töne sonderbar in das 25 alte Waldhornlied, das ihn damals verlockte.

allmählich *langsam*

„Golden meine Locken wallen,
 Süß mein junger Leib noch blüht —‘‘

hörte er einzeln und abgebrochen aus der Ferne wieder herüberschallen. 30

„Bäche in dem stillen Grunde
 Rauschend nach der Ferne gehen.‘‘ —

Sein Schloß, die Berge und die ganze Welt versank dämmernd hinter ihm.

dämmernd *dunkel werdend*

„Reichen, vollen Liebesgruß 35
 Bietet dir der Hörner Schallen.
 Komm, ach komm! eh sie verhallen!‘‘

widerhallen *echoen*

hallte es wider, — und im Wahnsinn verloren ging der arme Raimund den Klängen nach in den Wald hinein und ward niemals mehr wiedergesehen. 40

Clemens Brentano

1778–1842

Sein Vater war ein italienischer Kaufmann, der in Frankfurt a.M. lebte, seine Mutter eine Freundin Goethes. Als Student kommt Brentano auch nach Jena, wo eben die Romantik aufzublühen beginnt. Er lernt auch die Brüder Grimm kennen. In Heidelberg bildet er mit seinem Freunde Achim von Arnim und anderen einen zweiten Romantikerkreis. Aus der Zusammenarbeit mit Arnim entsteht die schöne deutsche Volksliedersammlung „Des Knaben Wunderhorn" (1806/1808). Brentanos zweite Lebenshälfte steht im Zeichen katholisch-religiöser Mystik. Er ist vor allem ein lyrisches Genie. Seine Gedichte sind von einer unerhörten Musikalität. Auch in den kleinen Prosaformen, im Märchen und in der Erzählung zeigt er sich als Meister.

Die drei Nüsse

Daniel Wilhelm Möller, nachmals Professor und Bibliothekar zu Altdorf, lebte im Jahre 1665 in Kolmar[1] als Hofmeister der drei Söhne des Bürgermeisters Maggi. Im Oktober dieses Jahres hatte der
5 Bürgermeister einen reisenden Alchimisten zu Gaste, und als nach dem Nachtische der Abendmahlzeit unter anderem Obste auch welsche Nüsse auf die Tafel gesetzt wurden, sprach die Gesellschaft mancherlei von den Eigenschaften dieser Frucht. Da aber die drei Zöglinge
10 Möllers etwas unmäßig zu den Nüssen griffen und sie lustig nacheinander aufknackten, verwies Möller es ihnen freundlich und gab ihnen folgenden Vers aus der Schola Salernitana[2] zu verdeutschen auf: Unica nux prodest, nocet altera, tertia mors est. — Da übersetzten
15 sie: Eine Nuß nützt, die zweite schadet, der Tod ist die dritte. Möller aber sagte zu ihnen, diese Übersetzung könne unmöglich die rechte sein, da sie die dritte Nuß längst genossen und doch noch frisch und gesund seien, sie möchten sich eines Besseren besinnen. Kaum waren
20 diese Worte gesprochen, als der Alchimist mit Bestürzung plötzlich vom Tische aufsprang und sich in der ihm angewiesenen Stube verschloß, worüber alle Anwesende in nicht geringer Verwunderung waren. Der jüngste Sohn des Bürgermeisters folgte dem Fremden, um ihn
25 auf Befehl seines Vaters zu fragen, ob ihm etwas zugestoßen sei; da er aber die Tür verschlossen fand, sah er durch das Schlüsselloch den Fremden auf den Knien liegen und hörte unter Tränen und Händeringen mehrere Male ihn ausrufen: „Ah, mon Dieu, mon Dieu!"
30 Kaum hatte der Knabe seinem Vater dies hinterbracht, als der Fremde sich von dem Diener zu einer einsamen Unterredung melden ließ. Alle entfernten sich. Da trat der Alchimist herein, fiel auf die Knie,

nachmals *später*

Hofmeister *Hauslehrer*

welsche Nüsse *Walnüsse*

Eigenschaften *Qualitäten*
Zögling *Schüler*

verwies *verbot*

mit Bestürzung *schockiert*

Anwesende *die hier sind (waren)*

zugestoßen *passiert, geschehen*

mon Dieu *(franz.) mein Gott*

hinterbracht *erzählt*

. . . Unterredung *Gespräch unter vier Augen*

---

[1]Stadt im Elsaß zwischen Straßburg und Basel.
[2]Der lateinische Text ist aus dem mittelalterlichen Gesundheitsbüchlein *Regimen Sanitatis Salerni*. Die Universität Salerno war besonders wegen ihrer medizinischen Fakultät berühmt.

anflehen *bitten*

das Gericht *die Justiz*

schmählich *ehrlos*

heftig *sehr*

Verstand *Kopf*

sich verstellen *tun als ob*

Verbrechen *Delikt*

... Kugel *Geschoß aus Blei;*
'*bullet*' verabreden
zusammen planen aus-
liefern *der Polizei übergeben*

durchdringend *bis ins
Innerste hinein*

verraten *denunzieren*

beteuerte *versprach*

das mindeste *gar nichts*

sich ... *nicht glauben*

Empfehlung *Rekommandation*

Verdacht *Mißtrauen*

Flehen *Bitten*

die Seinigen *seine Familie*

umfaßte die Füße des Bürgermeisters und flehte ihn unter heftigen Tränen an, er möge ihn nicht vor Gericht bringen, er möge ihn vor einem schmählichen Tod retten.

Der Bürgermeister, heftig über seine Rede erschrocken, fürchtete, der Mensch möge den Verstand 5 verloren haben, hob ihn von der Erde auf und bat ihn freundlich, er möge ihm sagen, wie er auf so schreckliche Reden komme. Da erwiderte der Fremde: „Herr, verstellen Sie sich nicht, Sie und der Magister Möller kennen mein Verbrechen; der Vers von den drei Nüssen 10 beweist es: tertia mors est, die dritte ist der Tod, ja, ja, eine bleierne Kugel war es, ein Druck des Fingers und er schlug nieder. Sie haben sich verabredet, mich zu peinigen; Sie werden mich ausliefern, ich werde durch Sie unter das Schwert kommen." 15

Der Bürgermeister glaubte nun die Verrücktheit des Alchimisten gewiß und suchte ihn durch freundliches Zureden zu beruhigen. Er aber ließ sich nicht beruhigen und sprach: „Wenn Sie es auch nicht wissen, so weiß es doch Ihr Hofmeister gewiß, denn er 20 sah mich durchdringend an, als er sagte: tertia mors est." Nun konnte der Bürgermeister nichts anderes tun, als ihn bitten, ruhig zu Bette zu gehen, und ihm sein Ehrenwort zu geben, daß weder er noch Möller ihn verraten würden, wenn irgend etwas Wahres an seinem 25 Unglück sein sollte. Der Unglückliche aber wollte ihn nicht eher verlassen, bis Möller gerufen war und ihm auch heilig beteuerte, daß er ihn nicht verraten wolle; denn daß auch er nicht das mindeste von seinem Unglück wisse, wollte er sich auf keine Weise überreden 30 lassen.

Am folgenden Morgen entschloß sich der Unglückliche, von Kolmar nach Basel zu gehen, und bat den Magister Möller um eine Empfehlung an einen Professor der Medizin. Möller schrieb ihm einen Brief 35 an den Doktor Bauhinus und reichte ihm denselben offen, damit er keine Art von Verdacht schöpfen könne. Er verließ das Haus mit Tränen und nochmaligem Flehen, ihn nicht zu verraten.

Im folgenden Jahre um dieselbe Zeit, 40 etwa drei Wochen später, als der Bürgermeister mit den Seinigen wieder Nüsse aß und sie sich dabei alle lebhaft

an den unglücklichen Alchimisten erinnerten, ließ sich
eine Frau bei ihm melden. Er hieß sie hereintreten; sie
war eine Reisende in anständiger Tracht, sie trauerte
und schien vom Kummer ganz zerstört, doch hatte sie
5 noch Spuren von großer Schönheit. Der Bürgermeister
bot ihr einen Stuhl an und stellte ihr ein Glas Wein und
einige Nüsse vor; aber sie geriet bei dem Anblick dieser
Frucht in eine heftige Erschütterung, die Tränen liefen
ihr die Wangen herab: „Keine Nüsse, keine Nüsse!"
10 sagte sie und schob den Teller zurück.

　　Diese ihre Weigerung mit der Erinnerung
an den Alchimisten brachte unter den Tischgenossen
eine eigene Spannung hervor. Der Bürgermeister befahl
dem Diener, die Nüsse sogleich wegzubringen, und bat
15 die Frau, nach einer Entschuldigung, daß er ihren
Abscheu vor den Nüssen nicht gekannt, um die Angabe
des Geschäftes, das sie zu ihm geführt.

　　„Ich bin die Witwe eines Apothekers aus
Lyon",[3] sagte sie, „und wünsche, mich hier in Kolmar
20 niederzulassen. Die traurigsten Schicksale nötigen mich,
meine Vaterstadt zu verlassen." Der Bürgermeister
fragte sie um ihre Pässe, auf daß er versichert sein könne,
daß sie ihr Vaterland frei von allen gerichtlichen Ansprü-
chen auf sie verlassen habe. Sie übergab ihre Papiere,
25 die in der besten Ordnung waren und ihr den Namen
der Witwe des Apothekers Pierre du Pont oder Petrus
Pontanus gaben. Auch zeigte sie dem Bürgermeister
mancherlei Atteste der medizinischen Fakultät von
Montpellier,[4] daß sie im Besitz der Fabrikationsrezepte
30 vieler trefflicher Arzneien sei.

　　Der Bürgermeister versprach ihr alle mög-
liche Unterstützung bei ihrer Niederlassung und bat
sie, ihm in sein Arbeitszimmer zu folgen, wo er ihr
Empfehlungen an einige Ärzte und Apotheker der Stadt
35 schreiben wollte. Als er nun die Frau die Treppe hinauf-
führte und oben über den Flur weg, kam dieselbe bei
dem Anblick eines kindischen Gemäldes in eine solche
Bestürzung, daß der Bürgermeister fürchtete, sie möchte

hieß *ließ*

in anständiger Tracht *in
guter Kleidung* der
Kummer *das Leid, Weh*
Spuren *Zeichen, Reste*

geriet in *kam in, bekam*
Erschütterung *Schock*

Weigerung *das Neinsagen*

eine eigene Spannung *ein
merkwürdiges Gefühl*

Abscheu *Ekel, die Aversion*
Angabe *Erklärung*

niederlassen *sich etablieren*
Schicksale *Unglücksfälle*

der Anspruch 'claim'

treffliche Arzneien *sehr
gute Medikamente*

Unterstützung *Hilfe*

kindisch *heute: kindlich*
Gemälde *Bild*

[3]Stadt in Südostfrankreich.
[4]Universitätsstadt in Südfrankreich.

an seinem Arme ohnmächtig werden; er brachte sie
schnell auf seine Stube, und sie ließ sich unter bittern
Tränen auf einen Stuhl nieder.

Der Bürgermeister wußte die Veranlassung
ihrer Gemütsbewegung nicht und fragte sie, was ihr 5
fehle. Sie sagte ihm: „Mein Herr, woher kennen Sie
mein Elend, wer hat das Bild an die Stubentür geheftet,
an welcher wir vorübergingen?" Da erinnerte sich der
Bürgermeister an das Bild und sagte ihr, daß es die
Spielerei seines jüngsten Sohnes sei, welcher eine Nei- 10
gung habe, alle Ereignisse, die ihn näher interessierten,
in solchen Malereien auf seine Art zu verewigen. Das
Bild aber bestand darin, daß der Knabe, welcher das
Jahr vorher den Alchimisten kniend und die Hände
ringend in dieser Stube: „Ah, mon Dieu, mon Dieu!" 15
hatte ausrufen hören, diesen in derselben Stellung und
über ihm drei Nüsse mit dem Spruche: Unica nux
prodest, nocet altera, tertia mors est! auf eine Pappe
gemalt und an die Stubentür, wo der Alchimist gewohnt,
befestigt hatte. 20

„Wie kann Ihr Sohn das schreckliche Un-
glück meines Mannes wissen?" sagte die Frau, „wie kann
er wissen, was ich ewig verbergen möchte und weswegen
ich mein Vaterland verlassen habe?"

„Ihres Mannes?" erwiderte der verwun- 25
derte Bürgermeister, „ist der Chemiker Todenus Ihr
Mann? Ich glaubte nach Ihrem Passe, daß Sie die
Witwe des Apothekers Pierre du Pont aus Lyon seien."

„Die bin ich", entgegnete die Fremde,
„und der Abgebildete ist mein Mann, du Pont, mir zeigt 30
es die Stellung, in welcher ich ihn zuletzt gesehen, mir
zeigt es der fatale Spruch und die Nüsse über ihm."

Nun erzählte ihr der Bürgermeister den
ganzen Vorfall mit dem Alchimisten in seinem Hause
und fragte sie, wie er sich befinde, wenn er wirklich ihr 35
Mann sei, der vielleicht unter fremdem Namen bei ihm
gewesen wäre.

„Mein Herr", erwiderte die Frau, „ich
sehe wohl, das Schicksal selbst will, daß meine Schmach
nicht soll verborgen bleiben; ich erwarte von Ihrer 40
Rechtschaffenheit, daß Sie mein Unglück nicht zu
meinem Nachteil bekannt machen werden. Hören Sie

mich an. Mein Mann, der Apotheker Pierre du Pont,
war wohlhabend, er würde reich gewesen sein, wenn er
nicht durch seine Neigung zur Alchimie vieles Geld
verschwendet hätte. Ich war jung und hatte das große
5 Unglück, sehr schön zu sein. Ach, mein Herr, es gibt
schier kein größeres Unglück als dieses, weil keine Ruhe,
kein Friede möglich ist, weil alles nach einem verlangt
und verzweifelt und man in solche Bedrängnisse und
Belagerungen kommt, daß man sich manchmal gar, nur
10 um des ekelhaften Götzendienstes los zu werden, dem
Verderben hingeben könnte.[5] Eitel war ich nicht, nur
unglücklich; denn ich mochte mich auch absichtlich
schlecht und entstellend kleiden, so wurde doch immer
eine neue Mode daraus und man fand es allerliebst. Wo
15 ich ging und stand, war ich von Verehrern umgeben,
ich konnte vor Serenaden nicht schlafen, mußte einen
Diener halten, die Geschenke und Liebesbriefe abzuwei-
sen und alle Augenblicke mein Gesinde abschaffen, weil
es bestochen war, mich zu verführen. Zwei Diener in
20 der Apotheke meines Mannes vergifteten sich einander,
weil ein jeder von ihnen entdeckt hatte, daß der andere
ein Edelmann sei, der aus Leidenschaft zu mir unter
fremdem Namen in unsere Dienste gegangen war. Alle
Leute, die in unserer Offizin Arznei holten, waren
25 dadurch schon im Verdacht, liebeskrank zu sein. Ich
hatte von allem diesem nichts als Unruhe und Elend,
und nur die Freude meines Mannes an meiner Gestalt
hielt mich ab, mich an meiner Larve zu vergreifen und
mich auf irgendeine Weise zu entstellen. Oft fragte ich
30 ihn, ob er denn an meinem Herzen und guten Willen
nicht genug habe, er möchte mir doch erlauben, mein
Gesicht, das so vieles Unheil stifte, durch irgendein
beizendes Mittel zu verderben, aber er erwiderte mir
immer: ‚Schöne Amelie! Ich würde verzweifeln, wenn
35 ich dich nicht mehr ansehen könnte; ich würde der
unglücklichste Mensch sein, wenn ich den ganzen Tag
in meinem rußigen Laboratorium vergebens geschwitzt

Neigung *Liebe*
verschwendet *ausgegeben und verloren*

schier *beinahe*

eitel *selbstgefällig*
absichtlich *demonstrativ*
entstellend *häßlich machend*
allerliebst *hübsch und nett*

abweisen *nicht akzeptieren*
Gesinde abschaffen *Personal entlassen* bestochen *gekauft*

Edelmann *zum Adel gehörend*
Leidenschaft *Passion*

Offizin *Apotheke*
im Verdacht *suspekt*

Gestalt *Figur*
Larve *Maske (ironisch)*
entstellen *deformieren*

Unheil stifte . . . *Unglück hervorbringt, durch ein chemisches Mittel häßlich zu machen* verzweifeln *alle Hoffnung verlieren*

rußig *schwarz von Rauch*
vergebens *ohne Resultat*

---

[5]Pronominale „man" — Konstruktion. (Weil alle Männer mich
haben wollen und ihren Kopf verlieren, und ich in solche
Konflikte komme, daß ich mich manchmal sogar der Sünde
hingeben könnte, nur um die verdammte Idolatrie loszuwerden).

erquicken *erfreuen*

finstere Bestimmung *dunkles Schicksal*

Rauchfang *Kamin*

zärtlich *herzlich*

mitteilte *zu verstehen gab*
ward *wurde*

gestand *eröffnete, sagte*
tief eingeweiht *viel wissend*

Anteil *das Interesse*

Johanniskäfer *Glühwürmchen, Leuchtkäfer*
Menge *große Zahl*

Schwur *Eid, 'oath'*
herrührten *kämen*
Eifersucht *Jalousie*
faßte . . . Wurzel *begann*
rührend *liebevoll*

begehrte *wollte*
Pult *Schreibtisch*

unmutig *zornig, böse*
begab sich *ging*

habe, und meine Augen abends nicht mehr an deinem Anblick erquicken könnte. Du bist der einzige klare Punkt in meiner finstern Bestimmung, und wenn ich alle meine Hoffnung habe nach schwerem Tagewerk zum Rauchfang hinausfliegen sehen, tritt mir alle meine 5 Hoffnung am Abend in deiner Schönheit wieder entgegen.' Er liebte mich zärtlich, aber Gott segnete unsere Liebe nicht, wir hatten keine Kinder. Als ich ihm meine Trauer hierüber einst sehr lebhaft mitteilte, ward er finster und sprach: ‚So Gott will und mir nicht alles 10 mißlingt, wir uns auch diese Freude werden.' An einem Abend kam er spät nach Hause, er war ungewöhnlich froh und gestand mir, daß er heute mit einem sehr tief eingeweihten Adepten sich unterhalten habe, der einen lebhaften Anteil an ihm und mir zu nehmen scheine, 15 und unsere Wünsche würden bald erfüllt werden. Ich verstand ihn nicht.

Nach Mitternacht erwachte ich durch ein Geräusch; ich sah meine Stube voll fliegender, leuchtender Johanniskäfer; ich konnte nicht begreifen, wie 20 die Menge dieser Insekten in meine Stube gekommen sei; ich weckte meinen Mann und fragte ihn, was das nur zu bedeuten habe. Zugleich sah ich auf meinem Nachttische ein prächtiges venetianisches Glas voll der schönsten Blumen stehen und daneben neue seidene 25 Strümpfe, Pariser Schuhe, wohlriechende Handschuhe, Bänder und dergleichen liegen. Mir fiel ein, daß morgen mein Geburtstag sei, und ich glaubte, mein Mann habe mir diese Galanterie gemacht, wofür ich ihm herzlich dankte. Er aber versicherte mir mit den heiligsten 30 Schwüren, daß diese Geschenke nicht von ihm herrührten, und die heftigste Eifersucht faßte zum erstenmal in ihm Wurzel. Er drang bald auf die rührendste und dann wieder heftigste Weise in mich, ihm zu erklären, wer diese Dinge hierher gebracht; ich weinte und konnte es 35 ihm nicht sagen. Er glaubte mir nicht, befahl mir aufzustehen, und ich mußte mit ihm das ganze Haus durchsuchen, aber wir fanden niemand. Er begehrte die Schlüssel meines Schreibepultes, er durchsuchte alle meine Papiere und Briefschaften, er entdeckte nichts. 40 Der Tag brach an, ich verzweifelte in Tränen. Mein Mann verließ mich sehr unmutig und begab sich nach

seinem Laboratorium. Ermüdet legte ich mich wieder
zu Bett und dachte unter bittern Tränen über den nächtlichen Vorfall nach; ich konnte mir auch gar nicht ein-
bilden, wer den Handel könne angestellt haben, und
5 verwünschte, indem ich mich selbst in dem Spiegel sah,
der meinem Bett gegenüber stand, meine unglückliche
Schönheit, ja, ich streckte gegen mich selbst, vor innerem
Ekel, die Zunge heraus; aber leider blieb ich schön, ich
mochte Gesichter schneiden wie ich wollte. Da sah ich
10 in dem Spiegel aus einem der neuen Schuhe, die auf dem
Nachttische standen, ein Papier hervorsehen. Ich griff
hastig danach und las unter heftiger Bestürzung folgendes Billett:

Geliebte Amelie! Mein Unglück ist
15 größer als je; Dich mußte ich meiden bis jetzt, und nun
muß ich auch das Land fliehen, in dem Du lebst; ich
habe in meiner Garnison einen Offizier im Duell er-
stochen, der sich Deiner Begünstigung rühmt, man
verfolgt mich, ich bin hier in verstellter Kleidung.
20 Morgen ist Dein Geburtstag, ich muß Dich sehen, zum
letztenmal sehen. Heute abend vor dem Tor findest Du
mich in dem kleinen Wäldchen unter den Nußbäumen,
etwa hundert Schritte vom Wege, bei der kleinen Kapelle
rechts. Wenn Du mir einiges Geld zu meiner Hilfe
25 mitbringen kannst, so wird Dir es Gott vergelten. Ich
Tor habe es nicht unterlassen können, die letzten wenigen
Louisdore meines Vermögens an das kleine Geburts-
tagsgeschenk zu verwenden, das Du vor Dir siehst. Wie
Du es erhalten und was ich dabei gelitten, sollst Du selbst
30 von mir hören. Schweigen mußt Du, kommen mußt Du,
oder meine Leiche wird morgen in Deine Wohnung
gebracht. Dein unglücklicher
Ludwig.

Ich las diese Zeilen mit der heftigsten
35 Trauer, ich mußte ihn sehen, denn ich liebte ihn unaussprechlich und sollte ihn auf ewig verlieren."

Hier schüttelte der Bürgermeister lächelnd
den Kopf und sprach: „So haben Sie also doch, meine
Dame, für einen fremden Mann Zärtlichkeit emp-
40 funden?"

Die Fremde erwiderte mit einem ruhigen
Selbstgefühl: „Ja, mein Herr; aber verdammen Sie mich
nicht zu früh und hören Sie meine Erzählung ruhig an.

Vorfall *das Geschehen*

sich einbilden *denken*
Handel *die Sache*
verwünschte *verdammte*

Ekel *die Aversion*

Gesichter schneiden
Grimassen machen

Billett *die Notiz*

meiden *fern bleiben*

der ... rühmt *der sagt, daß*
Du ihn liebst in verstellter
Kleidung *incognito*

einiges *etwas*

der Tor *verrückter Mensch*
Louisdor *franz. Goldstück*
das Vermögen *der Besitz*

Leiche *toter Körper*

Zärtlichkeit empfunden
geliebt

49

raffte *packte*
Geschmeide *Juwelen*

Auffallendes *Besonderes, Ungewöhnliches*

Auftrag *Befehl*

begab mich *ging*

Stufen 'steps'

mit verschlungenen Armen *Arm in Arm*
Liebkosungen 'caresses'
bisherig *bis zu dieser Zeit*
Abschied *Trennung*

entwaffnen *machtlos machen*
Rebengeländer 'vine trellis'

toll *phantastisch*

düster *dunkel*
hielt . . . für *dachte er, ich sei*
gerieten *kamen*
Anweisung *Instruktion*

Ich raffte den ganzen Tag alles, was ich an Geld und Geschmeide hatte, zusammen und packte es in ein Bündel, das ich mir gegen Abend von unserer Magd nach einem Badehause in der Gegend jenes Tores, vor welchem Ludwig mich erwarten sollte, tragen ließ. 5 Dieser Weg hatte nichts Auffallendes, ich war ihn oft gegangen. Als wir dort angekommen waren, sendete ich meine Magd mit dem Auftrage zurück, mir um neun Uhr einen Wagen an das Badehaus zu senden, der mich nach Hause bringen solle. Sie verließ mich, ich aber ging 10 nicht in das Badehaus, sondern begab mich mit meinem Bündelchen unter dem Arm vor das Tor nach dem Walde, wo ich erwartet wurde. Ich eilte nach dem bestimmten Orte, ich trat in die Kapelle, er flog in meine Arme, wir bedeckten uns mit Küssen, wir zer- 15 flossen in Tränen, auf den Stufen des Altares der kleinen Kapelle, die von Nußbäumen beschattet waren, saßen wir mit verschlungenen Armen und erzählten uns unter den zärtlichsten Liebkosungen unsere bisherigen Schicksale. Er verzweifelte schier, daß er mich nun nie, nie 20 wiedersehen sollte. Der Abschied nahte; es war halb neun Uhr geworden, der bestellte Wagen erwartete mich. Ich gab ihm das Geld und die Juwelen, und er sagte zu mir: ‚Oh, Amelie, hätte ich nur heute nacht vor deinem Bette mich erschossen, aber der Anblick deiner 25 Schönheit im Schlafe entwaffnete mich. An dem Rebengeländer deines offenen Fensters bin ich in deine Stube geklettert und habe die Johanniskäfer fliegen lassen, an denen ich auf meiner ganzen Reise gesammelt, weil ich mich erinnerte, daß du sie liebtest; dann legte 30 ich dir die neuen Schuhe und Strümpfe hin, und nahm mir die mit, welche du am Abend abgelegt hattest; dein trockener, ehrlicher Mann schien mir über seinen tollen Gedanken zu träumen, ich habe ihn gestern schon gesprochen, er begegnete mir hier im Walde botanisierend; 35 es war schon düster, und da ich selbst Waldblumen dir zum Strauße suchte, hielt er mich für seinesgleichen und wir gerieten in ein langes alchimistisches Gespräch. Ich teilte ihm die Anweisung eines Mönches mit, der mich auf meiner letzten Reise in der Provence,[6] als ich in 40

---

[6]Provinz in Südfrankreich.

einem Kloster übernachtete, lange von dem Geheimnis
unterhielt, einen lebendigen Menschen auf chemischem
Wege in einem Glase herauszudestillieren. Dein guter
Mann nahm alles für bare Münze, umarmte mich herzlich und bat mich, ihn bald zu besuchen, worauf er mich
verließ; ach, er wußte nicht, daß ich ihn in derselben
Nacht wirklich auf halsbrecherischem Wege besuchen
sollte. Wie muß ich dich bedauern, daß du kinderlos
und eines solchen Toren Gattin bist?'

Ich war noch unwillig auf meinen Mann
wegen seiner nächtlichen Eifersucht, und sagte: ‚Ja, ich
habe ihn als einen Toren kennen gelernt.' Aber da die
Zeit der Trennung fast verflossen war und ich meine
Arme um ihn schlang und ausrief: ‚Leb wohl, lieber, lie-
ber Ludwig! Sieh, wie diese heilige Stunde des Wieder-
sehens verflossen ist, so geht auch bald das ganze elende
Leben dahin; habe ein wenig Geduld, alles ist bald zu
Ende.' Da brach er drei Nüsse von einem Baume bei der
Kapelle und sprach: ‚Diese Nüsse wollen wir zum ewigen
Angedenken noch zusammen essen, und so oft wir Nüsse
essen, wollen wir einander gedenken.' Er biß die erste
Nuß auf, teilte sie mit mir und küßte mich zärtlich.
‚Ach', sagte er, ‚da fällt mir ein alter Reim von den
Nüssen ein, er fängt an: Unica nux prodest, eine einzige
Nuß ist nützlich, aber es ist nicht wahr, denn wir müssen
bald scheiden; die folgenden Worte sind wahrer: nocet
altera, die zweite schadet; jawohl, denn wir müssen bald
scheiden!' Da umarmte er mich unter heftigen Tränen
und teilte die dritte Nuß mit mir und sagte: ‚Bei dieser
sagte der Spruch wahr; o Amelie, vergiß mich nicht, bete
für mich! tertia mors est! die dritte Nuß ist der Tod!' —
Da fiel ein Schuß, Ludwig fiel zu meinen Füßen. ‚Tertia
mors est!' schrie eine Stimme durch das Fenster der
Kapelle; ich schrie: ‚O Jesus, mein Bruder, mein armer
Bruder Ludwig erschossen!' "

„Allmächtiger Gott! Ihr Bruder war es?"
rief der Bürgermeister aus.

„Ja, es war mein Bruder", erwiderte sie,
„und nun erwägen Sie mein Leid, da mein Mann als der
Mörder mit einer Pistole vor mich trat; er hatte noch
einen Schuß in dem Gewehr, er wollte sich selbst töten;
ich aber entriß ihm die Waffe und warf sie in das Ge-

nahm alles für bare Münze
glaubte, alles sei wahr

halsbrecherisch *gefährlich*

bedauern *leid tun*

Gattin *Frau*

unwillig *böse*

verflossen *vergangen*

das Angedenken *Erinnerung*

einfallen *sich erinnern*

scheiden *auseinander gehen*

erwägen *ermessen, bedenken*

Gerechtigkeit *Justiz, das Gesetz*

in Schmerzen versteinert *in Weh erstarrt*

Geschmeide *Juwelen*

wahnsinnig *geisteskrank, irr*

gräßliche Untersuchung *furchtbare Investigation*
ohne den Gebrauch meiner Sinne *ohnmächtig, bewußtlos* bereits *schon*

Verleumdung *Diffamierung*

greulich *fürchterlich*

beneiden *'to envy'*
Schandreden *böse Worte*
ärgern *irritieren*
Tugend *'virtue'*

schändlicher Verdacht *böses Mißtrauen*
Staub *Dreck, Schmutz*
gehässig *hassenswert*
die Teilnahme *das Mitgefühl*
und war... *Jammer und war so weit, durch all dies Unglück*

verstummen *still werden*

Zubereitung *das Machen*
verpflegen *Essen geben*
rührt mich ungemein *geht mir sehr nahe*

eher *mehr*

büsch. ‚Flieh, flieh!' rief ich aus, ‚die Gerechtigkeit verfolgt dich, du bist ein Mörder geworden.' Er war in Schmerzen versteinert, er wollte nicht von der Stelle, wir hörten Leute, die sich auf den Schuß von der Landstraße nahten. Ich gab ihm Geld und die Geschmeide, die ich meinem Bruder bestimmt hatte, und stieß ihn aus der Kapelle hinaus.

Nun ließ ich meinem Wehgeschrei vollen Lauf, und die Ankommenden, unter welchen Männer waren, die mich kannten, brachten mich wie eine halb Wahnsinnige nach Hause. Der Leichnam meines Bruders ward auf das Rathaus gebracht; es begann eine gräßliche Untersuchung. Glücklicherweise fiel ich in ein hitziges Fieber und war lange genug ohne den Gebrauch meiner Sinne, um meinen Gemahl nicht eher verraten zu können, als bis er bereits in völliger Sicherheit über der Grenze war. Die Verleumdung fiel nun mit ihren greulichsten Zungen über mich her; alles, was andere Frauen von mir sagten, die mich meines Elends, meiner Schönheit wegen beneideten, alle Schandreden der Männer, welche nichts an mir ärgern konnte, als meine Tugend, will ich hier nicht wiederholen; genug, wenn ich sage, daß man mir den Beweis: der Ermordete sei mein Bruder, durch den schändlichsten Verdacht zu erschweren suchte. Alles wollte mich in den Staub treten, um über meine gehässige Tugend zu triumphieren. Dabei genoß ich der ekelhaftesten Teilnahme aller jungen Advokaten und war im Begriff, vor Bedrängnis und Jammer wirklich den Verstand zu verlieren. Auf ein Testament meines Mannes zugunsten meiner[7] ließ ich die Apotheke unter Administration setzen und zog mich auf mehrere Jahre in ein Kloster zurück. So verstummte endlich das Gespräch, und ich beschäftigte mich während dieser Zeit mit der Zubereitung der Arzneien für die Armen, welche die Klosterfrauen verpflegten.'

„Ihr Unglück rührt mich ungemein", entgegnete der Bürgermeister; „aber die Art, wie Sie von dem Betragen Ihres Bruders sprachen, machte auch mir eher den Eindruck eines Geliebten, als eines Bruders."

---

[7] Der letzte Wille (Testament) meines Mannes machte mich zur Besitzerin, und ich ließ ...

„O mein Herr", erwiderte die Fremde, „dies eben war eine Hauptursache meines Leidens; er liebte mich mit größerer Leidenschaft, als er es sollte, und mit der kräftigsten Seele arbeitete er dieser bösen
5 Gewalt meiner Schönheit entgegen. Er sah mich manchmal in mehreren Jahren nicht, ja er durfte mir selbst nicht mehr schreiben, nur die Not hatte ihn bei dem letzten Vorfall zu mir getrieben, und so konnte ich ihm meinen Anblick doch nicht versagen. Mein Mann
10 kannte ihn nicht und ich hatte ihn deshalb geheiratet, um die Leidenschaft meines Bruders entschieden zu brechen. Ach, er hat sie selbst gebrochen mit seinem Leben! Mein Mann, von seiner Eifersucht beunruhigt, hatte sein Laboratorium früh verlassen; die Magd sagte ihm,
15 daß ich nach dem Badehause sei; es fuhr ihm der Gedanke an Verrat durch die Seele, er steckte eine doppelte Pistole zu sich und suchte mich in dem Badehause auf. Er fand mich nicht, hörte aber die Aussage der Bademeisterin, sie habe mich zum nahegelegenen Tor hinaus-
20 gehen sehen. Da erinnerte er sich des Fremden, der gestern mit ihm in dem Wäldchen geredet und ihn auch nach seiner Frau gefragt habe; er erinnerte sich, daß derselbe Johanniswürmer gefangen habe; sein Verdacht erhielt Gewißheit; er eilte nach dem Wäldchen, nahte
25 der Kapelle, hörte das Ende unserer Unterredung: tertia mors est, — er beging die schreckliche Tat."
„O, der unglückliche, arme Mann!" rief der Bürgermeister aus. „Aber wo ist er, was führt Sie hierher? Konnten Sie ihm verzeihen, werden wir ihn
30 hier wiedersehen?"
„Wir werden ihn nicht wiedersehen, ich habe ihm verziehen, Gott hat ihm verziehen!" entgegnete die Fremde; „aber Blut will Blut, er konnte sich nicht selbst verzeihen! Acht Jahre lebte er in Kopenhagen an
35 dem Hofe des Königs von Dänemark, Christians des Vierten, als Hoflaborant; denn dieser Fürst war den geheimen Künsten sehr zugetan. Nach dem Tode desselben zog er an manchen norddeutschen Höfen herum. Er war immer unstet und von seinem Gewissen gepeinigt,
40 und wenn er Nüsse sah und von Nüssen hörte, fiel er oft in die heftigste Trauer. So kam er endlich zu Ihnen, und als er hier den unglücklichen Vers hörte, floh er nach

Hauptursache *der Hauptgrund*

Gewalt *Kraft*

Not *das Unglück*

versagen *verbieten*

entschieden *größtenteils*

beunruhigt *geplagt*

der Verrat *die Untreue*

Verdacht *Mißtrauen*
nahte *kam zu*
Unterredung *Unterhaltung, das Gespräch* beging *tat*

verzeihen *vergeben*

zugetan *interessiert*

Gewissen *innere Stimme*

Basel.[8] Dort lebte er, bis die Nüsse wieder reiften, da ward seine Unruhe unaufhaltsam; seine Zeit war abgelaufen: er reiste nach Lyon und lieferte sich selbst den Gerichten aus. Er hatte vor drei Wochen ein rührendes Gespräch mit mir, er war gut wie ein Kind, er bat mich um Vergebung, ach! ich hatte ihm längst vergeben. Er sagte mir, ich solle nach seiner schimpflichen Todesstrafe Frankreich verlassen und nach Kolmar reisen, dort sei der Bürgermeister ein sehr redlicher Mann. Zwei Tage hierauf ward er unter unzähligem Volkszulauf bei der Kapelle, wo der Mord geschehen, enthauptet. Er kniete nieder in dem Kreise, brach drei Nüsse desselben Baumes, welcher meinem Bruder die Todesnuß getragen hatte, teilte sie alle drei mit mir und umarmte mich nochmals zärtlich; dann brachte man mich in die Kapelle, wo ich betend an den Altar niedersank. Er aber sprach draußen: Unica nux prodest, nocet altera, tertia mors est, und bei diesem letzten Worte machte der Schwertstreich seinem elenden Leben ein Ende. — Dieses ist meine Geschichte, Herr Bürgermeister.''

Mit diesen Worten endete die Dame ihre Erzählung, der Bürgermeister reichte ihr gerührt die Hand und sagte: ,,Unglückliche Frau! Nehmen Sie die Versicherung, daß ich von Ihrem Unglück tief gerührt bin und das Vertrauen Ihres armen Mannes auf meine Redlichkeit auf alle Weise zu Ihrer Beruhigung wahr machen will.''

Indem er dies sprach und seine Tränen unterdrückend auf ihre Hand niedersah, bemerkte er einen Siegelring an ihrem Finger, der einen lebhaften Eindruck auf ihn machte; er erkannte auf ihm ein Wappen, das ihn ungemein interessierte. Die Dame sagte ihm, es sei der Siegelring ihres Bruders. — ,,Und sein Familienname heißt?'' fragte der Bürgermeister lebhaft. ,,Piautaz'', erwiderte die Fremde; ,,unser Vater war ein Savoyarde[9] und hatte einen Kram in Montpellier.''

Da wurde der Bürgermeister sehr unruhig, er lief nach seinem Pulte, er holte mehrere Papiere hervor, er las, er fragte sie um das Alter ihres Bruders, und da

---

[8]Schweizer Universitätsstadt am Oberrhein.
[9]Mann aus Savoyen, einer Landschaft in Südfrankreich.

sie zu ihm sagte: „Heute würde er 46 Jahre alt sein, wenn er noch lebte", sagte er mit freudigem Ungestüm: „Recht, ganz recht! heute ist er so alt, denn er lebt noch. Amelie, ich bin dein Bruder! Ich bin von der Amme deiner Mutter gegen das Söhnlein des Mechanikus Maggi ausgewechselt worden; dein Bruder hat dich nicht geliebt; es war Maggis Sohn, der deines Bruders Namen trug und eines so unglücklichen Todes starb. Wohl mir, daß ich dich fand!"

Die gute Dame konnte sich in diese Rede gar nicht finden; aber der Bürgermeister überzeugte sie durch ein über diesen Austausch von der Amme auf ihrem Todesbett aufgenommenes Protokoll, und sie sank ihrem neugefundenen Bruder in die Arme.

Sie soll nachher dem Bürgermeister drei Jahre die Haushaltung geführt haben, und als er gestorben, in das Kloster zu St. Clara in Kolmar gegangen sein und demselben ihr ganzes Vermögen vermacht haben.

Ungestüm *Erregung, Aufregung*

Amme '*wet-nurse*'

Mechanikus *Physiker (im 17. Jahrhundert)*

überzeugte sie *machte ihr alles klar*

Vermögen *der Besitz* vermacht *geschenkt*

Ernst Theodor Amadeus Hoffmann

1776–1822

Selbstportrait

Ernst Theodor Amadeus Hoffmann.

Er kommt aus Königsberg in Ostpreußen, wo der große Immanuel Kant seine philosophischen Vorlesungen hielt. Die weiteren Stationen seines Lebens sind Warschau, Bamberg, Dresden und Berlin. Hoffmann, der sich aus Begeisterung für Mozart seinen dritten Vornamen selbst gab, ist das universalste Genie unter den Romantikern. Sein Hauptberuf ist Jurist, aber daneben ist er Schriftsteller, Komponist, Musikkritiker, Dirigent, Theaterregisseur und Maler, in einem Wort, der Künstler par excellence. Er glaubt, daß er sein poetisches Talent von der schwer hysterischen Mutter hat und die Musikalität vom Vater. Seine Phantasie ist unerreicht. Er schreibt nicht nur die schönsten Märchen, sondern auch die groteskesten Szenen, die er mit Spuk, Gespenstern und Automaten füllt. Wie kein anderer versteht er es, Realität und Illusion ineinander übergehen zu lassen. Damit verbunden ist auch das Problem der Ich-Spaltung (Schizophrenie), das in seinem eigenen Leben eine Rolle spielt. Seine Wirkung ist groß, auch außerhalb Deutschlands. Tschaikowskij wird vom „Nußknacker und dem Mausekönig" inspiriert, Jacques Offenbach komponiert „Les Contes d' Hoffmann" (Hoffmanns Erzählungen), die Dichter Poe, Wilde, Baudelaire und andere sind stark von ihm beeinflußt.

Die Geschichte vom verlorenen Spiegelbilde

Endlich war es doch so weit gekommen, daß Erasmus Spikher den Wunsch, den er sein Leben lang im Herzen genährt, erfüllen konnte. Mit frohem Herzen und wohlgefülltem Beutel setzte er sich in den Wagen, um die nördliche Heimat zu verlassen und nach dem schönen warmen Welschland zu reisen. Die liebe fromme Hausfrau vergoß tausend Tränen, sie hob den kleinen Rasmus, nachdem sie ihm Nase und Mund sorgfältig geputzt, in den Wagen hinein, damit der Vater zum Abschied ihn noch sehr küsse. „Lebe wohl, mein lieber Erasmus Spikher", sprach die Frau schluchzend, „das Haus will ich dir gut bewahren, denke fein fleißig an mich, bleibe mir treu und verliere nicht die schöne Reisemütze, wenn du, wie du wohl pflegst, schlafend zum Wagen herausnickst." — Spikher versprach das.

In dem schönen Florenz fand Erasmus einige Landsleute, die voll Lebenslust und jugendlichen Muts in den üppigen Genüssen, wie sie das herrliche Land reichlich darbot, schwelgten.[1] Er bewies sich ihnen als ein wackrer Kumpan, und es wurden allerlei ergötzliche Gelage veranstaltet, denen Spikhers besonders muntrer Geist und das Talent, dem tollen Ausgelassenen das Sinnige beizufügen, einen eignen Schwung gaben.[2] So kam es denn, daß die jungen Leute — Erasmus, erst siebenundzwanzig Jahre alt, war wohl dazu zu rechnen — einmal zur Nachtzeit in eines herrlichen, duftenden Gartens erleuchtetem Boskett ein gar fröhliches Fest begingen. Jeder, nur nicht Erasmus, hatte eine liebliche Donna mitgebracht. Die Männer gingen in zierlicher altdeutscher Tracht, die Frauen waren in bunten leuchtenden Gewändern, jede auf andere Art, ganz phantastisch gekleidet, so daß sie erschienen wie liebliche wandelnde Blumen. Hatte diese oder jene zu

---

Beutel *Geldbeutel*

Welschland *Italien*

schluchzend *weinend*

Mütze *Kappe*
pflegst *meistens tust*

Landsleute (*sing.* Landsmann)

darbot *anbot, offerierte* bewies *zeigte*
wackrer Kumpan *guter Kamerad* ergötzliche Gelage veranstaltet *lustige Parties gegeben*
munter *wach, hell*

rechnen *zählen*

duften *riechen*

begingen *feierten*

Donna (*ital.*) *Dame, Frau*

zierliche Tracht *hübsches Kostüm* das Gewand *Kleid*

---

[1] jugendlichen Muts . . . — voll jugendlicher Freude und Vitalität alles in Fülle genossen, was das wunderbare Land zu bieten hatte.
[2] denen Spikhers . . . — Spikher verstand es, Geist- und Gefühlvolles mit dem wilden Tun und Treiben zu verbinden. Dadurch bekamen diese Parties ihre eigene Note.

59

die Saite *'string'*
anstimmen *zu singen beginnen*
Syrakuser *Wein aus Syrakus*

sehnsüchtig *erwartungsvoll*
  durchwallten *durchzogen*
neckhaftes Spiel *Flirten*
  holde Frauenbilder *hübsche Frauen*
eigen *charakteristisch*
reger *stärker*
glühend *stürmisch*

perlen *schäumen*

Seligkeit *himmlische Freude*

Verabredung *der Plan* Sitte
  Tradition (ein)laden
  bitten zu kommen

tapfer *viel*

gestehen *sagen*
auf die Weise *so*
fromm *treu, religiös*

Verrat *die Untreue*
wählte *nähme*

sich bemühte *versuchte*
ernst *seriös*
  possierlich *komisch*

drohend *warnend*

---

dem Saitengelispel der Mandolinen ein italienisches Liebeslied gesungen, so stimmten die Männer unter dem lustigen Geklingel der mit Syrakuser gefüllten Gläser einen kräftigen deutschen Rundgesang an. — Ist ja doch Italien das Land der Liebe. Der Abendwind säuselte 5 wie in sehnsüchtigen Seufzern, wie Liebeslaute durchwallten die Orange- und Jasmindüfte das Boskett, sich mischend in das lose neckhafte Spiel, das die holden Frauenbilder, all die kleinen zarten Buffonerien, wie sie nur den italienischen Weibern eigen, aufbietend, be- 10 gonnen hatten. Immer reger und lauter wurde die Lust. Friedrich, der glühendste von allen, stand auf, mit einem Arm hatte er seine Donna umschlungen und das mit perlendem Syrakuser gefüllte Glas mit der andern Hand hoch schwingend, rief er: „Wo ist denn Himmelslust und 15 Seligkeit zu finden als bei euch, ihr holden, herrlichen italienischen Frauen, ihr seid ja die Liebe selbst. — Aber du, Erasmus“, fuhr er fort, sich zu Spikher wendend, „scheinst das nicht sonderlich zu fühlen, denn nicht allein, daß du, aller Verabredung, Ordnung und Sitte 20 entgegen, keine Donna zu unserm Feste geladen hast, so bist du auch heute so trübe und in dich gekehrt, daß, hättest du nicht wenigstens tapfer getrunken und gesungen, ich glauben würde, du seist mit einem Male ein langweiliger Melancholikus geworden.“ — „Ich muß dir 25 gestehen, Friedrich“, erwiderte Erasmus, „daß ich mich auf d i e Weise nun einmal nicht freuen kann. Du weißt ja, daß ich eine liebe, fromme Hausfrau zurückgelassen habe, die ich recht aus tiefer Seele liebe, und an der ich ja offenbar einen Verrat beginge, wenn ich im losen 30 Spiel auch nur für einen Abend mir eine Donna wählte. Mit euch unbeweibten Jünglingen ist das ein andres, aber ich als Familienvater“ — Die Jünglinge lachten hell auf, da Erasmus bei dem Worte „Familienvater“ sich bemühte, das jugendliche gemütliche Gesicht in 35 ernste Falten zu ziehen, welches denn eben sehr possierlich herauskam. Friedrichs Donna ließ sich das, was Erasmus deutsch gesprochen, in das Italienische übersetzen, dann wandte sie sich ernsten Blickes zum Erasmus und sprach, mit aufgehobenem Finger leise drohend: 40 „Du kalter, kalter Teutscher! Verwahre dich wohl, noch hast du Giulietta nicht gesehen!“

In dem Augenblick rauschte es beim Eingange des Bosketts, und aus dunkler Nacht trat in den lichten Kerzenschimmer hinein ein wunderherrliches Frauenbild. Das weiße, Busen, Schultern und Nacken
5 nur halb verhüllende Gewand, mit bauschigen, bis an die Ellbogen streifenden Ärmeln, floß in reichen breiten Falten herab, die Haare vorn an der Stirn gescheitelt, hinten in vielen Flechten heraufgenestelt. — Goldene Ketten um den Hals, reiche Armbänder, um die Handge-
10 lenke geschlungen, vollendeten den altertümlichen Putz der Jungfrau, die anzusehen war, als wandle ein Frauenbild von Rubens oder dem zierlichen Mieris[3] daher. „Giulietta!" riefen die Mädchen voll Erstaunen. Giulietta, deren Engelsschönheit alle überstrahlte, sprach mit
15 süßer, lieblicher Stimme: „Laßt mich doch teilnehmen an eurem schönen Fest, ihr wackern teutschen Jünglinge. Ich will hin zu jenem dort, der unter euch ist so ohne Lust und ohne Liebe." Damit wandelte sie in hoher Anmut zum Erasmus und setzte sich auf den Sessel, der
20 neben ihm leer geblieben, da man vorausgesetzt hatte, daß auch er eine Donna mitbringen werde. Die Mädchen lispelten untereinander: „Seht, o seht, wie Giulietta heute wieder so schön ist!" Und die Jünglinge sprachen: „Was ist denn das mit dem Erasmus, er hat ja die
25 Schönste gewonnen und uns nur wohl verhöhnt?"

Dem Erasmus war bei dem ersten Blick, den er auf Giulietta warf, so ganz besonders zumute geworden, daß er selbst nicht wußte, was sich denn so gewaltsam in seinem Innern rege. Als sie sich ihm
30 näherte, faßte ihn eine fremde Gewalt und drückte seine Brust zusammen, daß sein Atem stockte. Das Auge fest geheftet auf Giulietta, mit erstarrten Lippen saß er da und konnte kein Wort hervorbringen, als die Jünglinge laut Giuliettas Anmut und Schönheit priesen.
35 Giulietta nahm einen vollgeschenkten Pokal und stand auf, ihn dem Erasmus freundlich darreichend; der ergriff den Pokal, Giuliettas zarte Finger leise berührend. Er trank, Glut strömte durch seine Adern. Da fragte Giulietta scherzend: „Soll ich denn Eure Donna sein?"

---

[3]Rubens (1577–1640), Mieris (1635–1681), niederländische Maler der Barockperiode.

rauschen *rustle*

die Kerze *das Wachslicht*

verhüllen *bedecken*
bauschige Ärmel *Puffärmel*

Flechten *'braids'*

altertümlicher Putz
archaische Aufmachung

strahlen *scheinen, leuchten*
teilnehmen *mitmachen*
wacker *gut* teutsch *(alte Form für: deutsch)*

Anmut *Grazie*
vorausgesetzt *sich gedacht*

uns verhöhnt *nur einen Spaß gemacht*

besonders zumute geworden *ein komisches Gefühl bekommen* gewaltsam *stark und mächtig* sich rege *erwache* Gewalt *Macht* sein Atem stockte *er keine Luft mehr bekam*

Pokal *Trinkgefäß aus Metall*

leise *leicht*

Glut *Feuer* Adern *Venen*
scherzend *spaßig*

wie im Wahnsinn *wie verrückt*

immerdar *schon immer*

Seligkeit *Himmel auf Erden*

worden *geworden zu sein*
verzehrend *zerstörend, vernichtend*
untergehen *sterben*

sanft *weich, zart*
  ruhiger geworden *nachdem er ruhiger geworden war*
  heiter *freundlich, lustig, munter*
  der Scherz *Spaß, Fröhlichkeit*

geahnt *gefühlt*
entzünden *entflammen*
geheimnisvoll *magisch*
Gemüt *das Innere des Menschen*

verkündete *zeigte*
riet *gab den Rat*
schickte sich an *wollte*
sie schlug das ab *sie sagte nein dazu* bezeichnen *beschreiben* künftig *in Zukunft, von jetzt an*

verschwunden *weggegangen*
  Bedienter *Lakai* Fackeln *'torches'* schreiten *gehen* Laubgang *Weg zwischen Büschen (Hecken)*

von dannen *davon*
verstört *konfus* Sehnsucht *Erwartung* Qual *Tortur*

entlegen *wenig bekannt*

stieß *machte*

... Funken *auffliegenden Feuerteilchen* dürr *hager, mager* Habicht *'hawk'*

Aber Erasmus warf sich wie im Wahnsinn vor Giulietta nieder, drückte ihre beiden Hände an seine Brust und rief: „Ja, du bist es, dich habe ich geliebt immerdar, dich, du Engelsbild! — Dich habe ich geschaut in meinen Träumen, du bist mein Glück, meine Seligkeit, mein höheres Leben." — Alle glaubten, der Wein sei dem Erasmus zu Kopf gestiegen, denn so hatten sie ihn nie gesehen, er schien ein anderer worden. „Ja, du — du bist mein Leben, du flammst in mir mit verzehrender Glut. Laß mich untergehen — untergehen, nur in dir, nur du will ich sein", — so schrie Erasmus, aber Giulietta nahm ihn sanft in die Arme; ruhiger geworden, setzte er sich an ihre Seite, und bald begann wieder das heitre Liebesspiel in muntern Scherzen und Liedern, das durch Giulietta und Erasmus unterbrochen worden. Wenn Giulietta sang, war es, als gingen aus tiefster Brust Himmelstöne hervor, nie gekannte, nur geahnte Lust in allen entzündend. Ihre volle wunderbare Kristallstimme trug eine geheimnisvolle Glut in sich, die jedes Gemüt ganz und gar befing. Fester hielt jeder Jüngling seine Donna umschlungen und feuriger strahlte Aug' in Auge. Schon verkündete ein roter Schimmer den Anbruch der Morgenröte, da riet Giulietta das Fest zu enden. Es geschah. Erasmus schickte sich an, Giulietta zu begleiten, sie schlug das ab und bezeichnete ihm das Haus, wo er sie künftig finden könne. Während des deutschen Rundgesanges, den die Jünglinge noch zum Beschluß des Festes anstimmten, war Giulietta aus dem Boskett verschwunden; man sah sie hinter zwei Bedienten, die mit Fackeln voranschritten, durch einen fernen Laubgang wandeln. Erasmus wagte nicht, ihr zu folgen. Die Jünglinge nahmen nun jeder seine Donna unter den Arm und schritten in voller heller Lust von dannen. Ganz verstört und im Innern zerrissen von Sehnsucht und Liebesqual, folgte ihnen endlich Erasmus, dem sein kleiner Diener mit der Fackel vorleuchtete. So ging er, da die Freunde ihn verlassen, durch eine entlegene Straße, die nach seiner Wohnung führte. Die Morgenröte war hoch aufgestiegen, der Diener stieß die Fackel auf dem Steinpflaster aus, aber in den aufsprühenden Funken stand plötzlich eine seltsame Figur vor Erasmus, ein langer dürrer Mann mit spitzer Habichtsnase, fun-

kelnden Augen, hämisch verzogenem Munde, im feuer-
roten Rock mit strahlenden Stahlknöpfen. Der lachte
und rief mit unangenehm gellender Stimme: „Ho, ho!
— Ihr seid wohl aus einem alten Bilderbuch herausge-
5 stiegen mit Eurem Mantel, Eurem geschlitzten Wams
und Eurem Federnbarett. — Ihr seht recht schnackisch
aus, Herr Erasmus, aber wollt Ihr denn auf der Straße
der Leute Spott werden? Kehrt doch nur ruhig zurück
in Euern Pergamentband." — „Was geht Euch meine
10 Kleidung an", sprach Erasmus verdrießlich und wollte,
den roten Kerl beiseite schiebend, vorübergehen, der
schrie ihm nach: „Nun, nun — eilt nur nicht so, zur
Giulietta könnt Ihr doch jetzt gleich nicht hin." Erasmus drehte sich rasch um. „Was sprecht Ihr von Giuli-
15 etta", rief er mit wilder Stimme, den roten Kerl bei der
Brust packend. Der wandte sich aber pfeilschnell und
war, ehe sich's Erasmus versah, verschwunden. Erasmus
blieb ganz verblüfft stehen mit dem Stahlknopf in der
Hand, den er dem Roten abgerissen. „Das war der
20 Wunderdoktor, Signor Dapertutto; was der nur von
Euch wollte?" sprach der Diener, aber dem Erasmus
wandelte ein Grauen an, er eilte, sein Haus zu erreichen. —
        Giulietta empfing den Erasmus mit all der
25 wunderbaren Anmut und Freundlichkeit, die ihr eigen.
Der wahnsinnigen Leidenschaft, die den Erasmus ent-
flammt, setzte sie ein mildes, gleichmütiges Betragen
entgegen. Nur dann und wann funkelten ihre Augen
höher auf, und Erasmus fühlte, wie leise Schauer aus
30 dem Innersten heraus ihn durchbebten, wenn sie manchmal ihn mit einem recht seltsamen Blicke traf. Nie sagte
sie ihm, daß sie ihn liebe, aber ihre ganze Art und Weise
mit ihm umzugehen, ließ es ihn deutlich ahnen, und so
kam es, daß immer festere und festere Bande ihn um-
35 strickten. Ein wahres Sonnenleben ging ihm auf; die
Freunde sah er selten, da Giulietta ihn in andere fremde
Gesellschaft eingeführt. —
        Einst begegnete ihm Friedrich, der ließ
ihn nicht los, und als der Erasmus durch manche Erin-
40 nerung an sein Vaterland und an sein Haus recht mild
und weich geworden, da sagte Friedrich: „Weißt du
wohl, Spikher, daß du in recht gefährliche Bekanntschaft

hämisch... *zynisch grinsend*

Rock *die Jacke*

gellen '*yell*'

Wams *Kleidung*

schnackisch *komisch*

der Leute Spott werden *von
den Leuten ausgelacht werden*
kehrt *geht*
Pergamentband *altes
Pergamentbuch, 'parchment'*
was geht Euch... *an
meine Kleidung ist meine
Sache*
verdrießlich *unfreundlich* eilt nicht so
nicht so schnell
rasch *schnell*

wandte sich pfeilschnell
*drehte (kehrte) sich blitz-
schnell um* ehe sich's
Erasmus versah *bevor
Erasmus es wußte*

Dapertutto (*ital.*) „*überall*"

dem Erasmus wandelte ein
Grauen an *Angst und
Furcht überfiel Erasmus*

empfing *begrüßte*

Anmut *Grazie, der Charme*

gleichmütiges Betragen *innere Balance*

Schauer *Gefühlsströme*

durchbebten *vibrieren (zittern)
machten*

ahnen *fühlen*

umstricken *umschlingen*

ging ihm auf *begann für ihn*

Gesellschaft *Zirkel, Kreise*

einst *einmal*

recht *sehr*

schlau *klug*

Courtisane (Kurtisane)
Halbweltdame man trägt
... *man hört*

unwiderstehlich *magnetisch*
... verstrickt *für immer an
sich bindet*
verändert *anders geworden*

schluchzte *weinte*

Kampf *Konflikt*

gräßliche Ahnungen *böse
Gefühle des Kommenden*

schritt quer *kreuzte ihren Weg*

Sehnsucht *Erwartung*

Ciarlatano *(ital.) Scharlatan*
zuwider *im Innersten verhaßt*

abscheulicher Kerl
Schweinehund

sanft *weich*

hin *verloren*

Anmut *der Charme*
riß *zog*
Wonne *Entzücken, höchstes
Glück*

geraten bist? Du mußt es doch wohl schon gemerkt
haben, daß die schöne Giulietta eine der schlauesten
Courtisanen ist, die es je gab. Man trägt sich dabei mit
allerlei geheimnisvollen, seltsamen Geschichten, die sie
in gar besonderem Lichte erscheinen lassen. Daß sie 5
über die Menschen, wenn sie will, eine unwiderstehliche
Macht übt und sie in unauflösliche Bande verstrickt,
seh' ich an dir, du bist ganz und gar verändert, du bist
ganz der verführerischen Giulietta hingegeben, du denkst
nicht mehr an deine liebe fromme Hausfrau." — Da 10
hielt Erasmus beide Hände vors Gesicht, er schluchzte
laut, er rief den Namen seiner Frau. Friedrich merkte
wohl, wie ein innerer harter Kampf begonnen. „Spikher", fuhr er fort, „laß uns schnell abreisen." „Ja,
Friedrich", rief Spikher heftig, „du hast recht. Ich weiß 15
nicht, wie mich so finstre gräßliche Ahnungen plötzlich
ergreifen, — ich muß fort, noch heute fort." — Beide
Freunde eilten über die Straße, quer vorüber schritt
Signor Dapertutto, der lachte dem Erasmus ins Gesicht
und rief: „Ach, eilt doch, eilt doch nur schnell, Giulietta 20
wartet schon, das Herz voll Sehnsucht, die Augen voll
Tränen. — Ach, eilt doch, eilt doch!" Erasmus wurde
wie vom Blitz getroffen. „Dieser Kerl", sprach Friedrich, „dieser Ciarlatano ist mir im Grunde der Seele
zuwider, und daß der bei Giulietta aus- und eingeht und 25
ihr seine Wunderessenzen verkauft" — „Was!" rief
Erasmus, „dieser abscheuliche Kerl bei Giulietta — bei
Giulietta?" — „Wo bleibt Ihr aber auch so lange, alles
wartet auf Euch, habt Ihr denn gar nicht an mich
gedacht?" so rief eine sanfte Stimme vom Balkon herab. 30
Es war Giulietta, vor deren Hause die Freunde, ohne es
bemerkt zu haben, standen. Mit einem Sprunge war
Erasmus im Hause. „Der ist nun einmal hin und nicht
mehr zu retten", sprach Friedrich leise und schlich über
die Straße fort. — 35
Nie war Giulietta liebenswürdiger gewe-
sen, sie trug dieselbe Kleidung als damals in dem
Garten, sie strahlte in voller Schönheit und jugendlicher
Anmut. Erasmus hatte alles vergessen, was er mit
Friedrich gesprochen, mehr als je riß ihn die höchste 40
Wonne, das höchste Entzücken unwiderstehlich hin,
aber auch noch niemals hatte Giulietta so ohne allen

Rückhalt ihn ihre innigste Liebe merken lassen. Nur
ihn schien sie zu beachten, nur für ihn zu sein. — Auf
einer Villa, die Giulietta für den Sommer gemietet, sollte
ein Fest gefeiert werden. Man begab sich dahin. In der
5 Gesellschaft befand sich ein junger Italiener von recht
häßlicher Gestalt und noch häßlicheren Sitten, der
bemühte sich viel um Giulietta und erregte die Eifersucht
des Erasmus, der voll Ingrimm sich von den andern
entfernte und einsam in einer Seitenallee des Gartens
10 auf- und abschlich. Giulietta suchte ihn auf. „Was ist
dir? — Bist du denn nicht ganz mein?" Damit umfing
sie ihn mit den zarten Armen und drückte einen Kuß
auf seine Lippen. Feuerstrahlen durchblitzten ihn, in
rasender Liebeswut drückte er die Geliebte an sich und
15 rief: „Nein, ich lasse dich nicht, und sollte ich untergehen im schmachvollsten Verderben!" Giulietta lä-
chelte seltsam bei diesen Worten, und ihn traf jener
sonderbare Blick, der ihm jederzeit innern Schauer erregte. Sie gingen wieder zur Gesellschaft. Der widrige
20 junge Italiener trat jetzt in die Rolle des Erasmus; von
Eifersucht getrieben, stieß er allerlei spitze beleidigende
Reden gegen Deutsche und insbesondere gegen Spikher
aus. Der konnte es endlich nicht länger ertragen; rasch
schritt er auf den Italiener los. „Haltet ein", sprach er,
25 „mit Euern nichtswürdigen Sticheleien auf Deutsche
und auf mich, sonst werfe ich Euch in jenen Teich, und
Ihr könnt Euch im Schwimmen versuchen." In dem
Augenblicke blitzte ein Dolch in des Italieners Hand,
da packte Erasmus ihn wütend bei der Kehle und warf
30 ihn nieder, ein kräftiger Fußtritt ins Genick, und der
Italiener gab röchelnd seinen Geist auf. — Alles stürzte
auf den Erasmus los, er war ohne Besinnung — er fühlte
sich ergriffen, fortgerissen. Als er wie aus tiefer Betäubung erwachte, lag er in einem kleinen Kabinett zu
35 Giuliettas Füßen, die, das Haupt über ihn herabgebeugt,
ihn mit beiden Armen umfaßt hielt. „Du böser, böser
Teutscher", sprach sie unendlich sanft und mild, „welche
Angst hast du mir verursacht! Aus der nächsten Gefahr
habe ich dich errettet, aber nicht sicher bist du mehr in
40 Florenz, in Italien. Du mußt fort, du mußt mich, die
dich so sehr liebt, verlassen." Der Gedanke der Trennung zerriß den Erasmus in namenlosem Schmerz und

Rückhalt *die Reserve*
merken *spüren*
beachten *wichtig nehmen*
mieten *'rent'*
begab sich *ging*
befand sich *war*
Sitten *Manieren*

bemühte sich viel um *war
sehr interessiert an* erregte
die Eifersucht *erweckte
den Neid* Ingrimm *Ärger,
Bitterkeit* sich entfernte
wegging schlich *ging*

in rasender Liebeswut *in
wilder Leidenschaft*

schmachvoll *ehrlos* Verderben *der Ruin, Selbstzer-
störung* Schauer *Angst und
Unsicherheitsgefühl*
Gesellschaft *Party*
widrig *unsympathisch*

stieß aus *drückte aus* beleidigen *kränken, verletzen*

nichtswürdigen ... *bösen
Reden*
Teich *kleiner See*

Dolch *das Messer*

wütend *wild* Kehle *Gurgel,
der Hals* Genick *der
Nacken* röchelnd (*wie
Sterbende atmen*)
ohne Besinnung *nicht bei
Sinnen*
ergriffen *gepackt* Betäubung
*Besinnungslosigkeit, das
Koma* Kabinett *Zimmer*

unendlich (*adv.*) *unglaublich*

verursacht *gemacht*
nächsten *ersten*

Trennung *das Verlassen, der
Abschied* in namenlosem
Schmerz *in unsagbarer Pein*

heißt *bedeutet, ist*

verstummte *wurde still*

ewig und immerdar *auf alle Zeit*

angebracht *eingebaut*
Kerzen *Wachskerzen*

zurückwarf *reflektierte*

geschliffen *poliert* Fläche *'surface'*

gönnst du mir *willst du mir lassen* mit Leib und Leben (*alliterativ*) *ganz, total*

wahnsinnig *total verrückt*

entreißen *wegnehmen*

unabhängig von *ohne Verbindung mit*

der Duft *Geruch, das Aroma* häßlich *bös, wüst* meckern *quieken und quaken* Hohn *Sarkasmus* erfaßt *gepackt*

Jammer. „Laß mich bleiben", schrie er, „ich will ja gern den Tod leiden, heißt denn sterben mehr als leben ohne dich?" Da war es ihm, als rufe eine leise ferne Stimme schmerzlich seinen Namen. Ach! es war die Stimme der frommen deutschen Hausfrau. Erasmus verstummte, und auf ganz seltsame Weise fragte Giulietta: „Du denkst wohl an dein Weib? — Ach Erasmus, du wirst mich nur zu bald vergessen." — „Könnte ich nur ewig und immerdar ganz dein sein", sprach Erasmus. Sie standen gerade vor dem schönen breiten Spiegel, der in der Wand des Kabinetts angebracht war und an dessen beiden Seiten helle Kerzen brannten. Fester, inniger drückte Giulietta den Erasmus an sich, indem sie leise lispelte: „Laß mir dein Spiegelbild, du innig Geliebter, es soll mein sein und bei mir bleiben immerdar." — „Giulietta", rief Erasmus ganz verwundert, „was meinst du denn? — mein Spiegelbild?" — Er sah dabei in den Spiegel, der ihn und Giulietta in süßer Liebesumarmung zurückwarf. „Wie kannst du denn mein Spiegelbild behalten", fuhr er fort, „das mit mir wandelt überall und aus jedem klaren Wasser, aus jeder hellgeschliffenen Fläche mir entgegentritt?" — „Nicht einmal", sprach Giulietta, „nicht einmal diesen Traum deines Ichs, wie er aus dem Spiegel hervorschimmert, gönnst du mir, der du sonst mein mit Leib und Leben sein wolltest? Nicht einmal dein unstetes Bild soll bei mir bleiben und mit mir wandeln durch das arme Leben, das nun wohl, da du fliehst, ohne Lust und Liebe bleiben wird?" Die heißen Tränen stürzten der Giulietta aus den schönen dunklen Augen. Da rief Erasmus wahnsinnig vor tötendem Liebesschmerz: „Muß ich denn fort von dir? — muß ich fort, so soll mein Spiegelbild dein bleiben auf ewig und immerdar. Keine Macht — der Teufel soll es dir nicht entreißen, bis du mich selbst hast mit Seele und Leib." — Giuliettas Küsse brannten wie Feuer auf seinem Munde, als er dies gesprochen, dann ließ sie ihn los und streckte sehnsuchtsvoll die Arme aus nach dem Spiegel. Erasmus sah, wie sein Bild unabhängig von seinen Bewegungen hervortrat, wie es in Giuliettas Arme glitt, wie es mit ihr im seltsamen Duft verschwand. Allerlei häßliche Stimmen meckerten und lachten in teuflischem Hohn; erfaßt von dem Todes-

kampf des tiefsten Entsetzens, sank er bewußtlos zu
Boden, aber die fürchterliche Angst — das Grausen riß
ihn auf aus der Betäubung, in dicker, dichter Finsternis
taumelte er zur Tür hinaus, die Treppe hinab. Vor dem
5 Hause ergriff man ihn und hob ihn in einen Wagen, der
schnell fortrollte. „Dieselben haben sich etwas alteriert,
wie es scheint", sprach der Mann, der sich neben ihn
gesetzt hatte, in deutscher Sprache, „Dieselben haben
sich etwas alteriert, indessen wird jetzt alles ganz vor-
10 trefflich gehen, wenn Sie sich nur mir ganz überlassen
wollen. Giuliettchen hat schon das ihrige getan und
mir Sie empfohlen. Sie sind auch ein recht lieber junger
Mann und inklinieren erstaunlich zu angenehmen
Späßen, wie sie uns, mir und Giuliettchen, sehr behagen.
15 Das war mir ein recht tüchtiger deutscher Tritt in den
Nacken. Wie dem Amoroso die Zunge kirschblau zum
Halse heraushing — es sah recht possierlich aus, und
wie er so krächzte und ächzte und nicht gleich abfahren
konnte — ha — ha — ha —" Die Stimme des Mannes
20 war so widrig höhnend, sein Schnickschnack so gräßlich,
daß die Worte Dolchstichen gleich in des Erasmus Brust
fuhren. „Wer Ihr auch sein mögt", sprach Erasmus,
„schweigt, schweigt von der entsetzlichen Tat, die ich
bereue!" — „Bereuen, bereuen!" erwiderte der Mann,
25 „so bereut Ihr auch wohl, daß Ihr Giulietta kennen-
gelernt und ihre süße Liebe erworben habt?" — „Ach,
Giulietta, Giulietta!" seufzte Erasmus. „Nun ja", fuhr
der Mann fort, „so seid Ihr nur kindisch, Ihr wünscht
und wollt, aber alles soll auf gleichem glatten Wege
30 bleiben. Fatal ist es zwar, daß Ihr Giulietta habt verlassen müssen, aber doch könnte ich wohl, bliebet Ihr
hier, Euch allen Dolchen Eurer Verfolger und auch der
lieben Justiz entziehen." Der Gedanke, bei Giulietta
bleiben zu können, ergriff den Erasmus gar mächtig.
35 „Wie wäre das möglich?" fragte er. — „Ich kenne",
fuhr der Mann fort, „ein sympathetisches Mittel, das
Eure Verfolger mit Blindheit schlägt, kurz, welches bewirkt, daß Ihr ihnen immer mit einem andern Gesichte
erscheint und sie Euch niemals wieder erkennen. Sowie
40 es Tag ist, werdet Ihr so gut sein, recht lange und aufmerksam in irgend einen Spiegel zu schauen, mit Eurem
Spiegelbilde nehme ich dann, ohne es im mindesten zu

Entsetzen *Grausen, die Angst*

Finsternis *Dunkelheit*
taumeln *torkeln, stolpern*

Dieselben (*alte preziöse Form*)
Sie alteriert *erschreckt,
erregt*

indessen *jedoch* ganz vortrefflich *sehr gut* sich *mir*
überlassen wollen *mir
folgen wollen* das ihrige
ihr Teil empfohlen
rekommandiert recht *sehr*

behagen *gefallen*
tüchtig *kräftig*
Amoroso (*ital.*) Liebhaber
die Kirsche 'cherry'
possierlich *komisch*
ächzte *röchelte* abfahren
(*ironisch*) sterben

höhnend *höllisch, sarkastisch*
Schnickschnack *Humor*
gräßlich *häßlich* Dolch-
stichen gleich *wie Messer*
entsetzlich *furchtbar* bereue
mir leid tut

erworben *gewonnen*

glatt *eben*

Euch entziehen *Euch schützen*
(*sichern*) vor

Mittel *Rezept, Medikament*
bewirkt *macht*

aufmerksam *konzentriert*

nehme vor *mache*

versehren *verletzen, beschädigen*
gewisse *spezielle* geborgen
sicher

Wertester *Bester, mein Herr*
höhnisch *sarkastisch*

Fluren *Wiesen und Felder*

wiewohl *obwohl, obgleich*
darauf ankommen *eine Rolle
spielen* leiblich *körperlich,
in Person* schimmernd
scheinend, leuchtend

Zug *die Prozession*

ländliches Mahl *Picknick*
unterrichtete *erzählte*
verschwieg *sagte nichts*

veranstaltet *arrangiert*

am ... *am interessantesten*
Vorfall *was passiert, das
Erlebnis*

Erholung bedurfte *Ruhe
brauchte* ohne Arg *ohne an
etwas Böses zu denken*
Wirtstafel *Tisch im Wirts-
haus* achtend *sehend*
Kellner *Ober*
... gewahr *sah*

---

versehren, gewisse Operationen vor, und Ihr seid geborgen, Ihr könnt dann leben mit Giulietta ohne alle
Gefahr in aller Lust und Freudigkeit." — „Fürchterlich,
fürchterlich!" schrie Erasmus auf. „Was ist denn fürchterlich, mein Wertester?" fragte der Mann höhnisch. 5
„Ach, ich — habe, ich — habe", fing Erasmus an —
„Euer Spiegelbild sitzen lassen", fiel der Mann schnell
ein, „sitzen lassen bei Giulietta? — Ha ha ha! Bravis-
simo, mein Bester! Nun könnt Ihr durch Fluren und
Wälder, Städte und Dörfer laufen, bis Ihr Euer Weib 10
gefunden, nebst dem kleinen Rasmus, und wieder ein
Familienvater seid, wiewohl ohne Spiegelbild, worauf
es Eurer Frau auch weiter wohl nicht ankommen wird,
da sie Euch leiblich hat, Giulietta aber immer nur Euer
schimmerndes Traum-Ich." — „Schweige, du entsetz- 15
licher Mensch", schrie Erasmus. In dem Augenblick
nahte sich ein fröhlich singender Zug mit Fackeln, die
ihren Glanz in den Wagen warfen. Erasmus sah seinem
Begleiter ins Gesicht und erkannte den häßlichen Doktor Dapertutto. Mit einem Satz sprang er aus dem 20
Wagen und lief dem Zuge entgegen, da er schon in der
Ferne Friedrichs wohltönenden Baß erkannt hatte. Die
Freunde kehrten von einem ländlichen Mahle zurück.
Schnell unterrichtete Erasmus Friedrichen[4] von allem,
was geschehen, und verschwieg nur den Verlust seines 25
Spiegelbildes. Friedrich eilte mit ihm voran nach der
Stadt, und so schnell wurde alles Nötige veranstaltet,
daß, als die Morgenröte aufgegangen, Erasmus auf
einem raschen Pferde sich schon weit von Florenz entfernt hatte. — Spikher hat manches Abenteuer auf- 30
geschrieben, das ihm auf seiner Reise begegnete. Am
merkwüdigsten ist der Vorfall, welcher zuerst den
Verlust seines Spiegelbildes ihn recht seltsam fühlen
ließ. Er war nämlich gerade, weil sein müdes Pferd
Erholung bedurfte, in einer großen Stadt geblieben und 35
setzte sich ohne Arg an die stark besetzte Wirtstafel, nicht
achtend, daß ihm gegenüber ein schöner, klarer Spiegel
hing. Ein Satan von Kellner, der hinter seinem Stuhle
stand, wurde gewahr, daß drüben im Spiegel der Stuhl
leer geblieben und sich nichts von der darauf sitzenden 40

---

[4]Friedrich*en* — obsolete Akkusativ- und Dativform von Friedrich

Person reflektiere. Er teilte seine Bemerkung dem Nachbar des Erasmus mit, der seinem Nebenmann, es lief durch die ganze Tischreihe ein Gemurmel und Geflüster, man sah den Erasmus an, dann in den Spiegel. Noch
5 hatte Erasmus gar nicht bemerkt, daß ihm das alles galt, als ein ernsthafter Mann vom Tische aufstand, ihn vor den Spiegel führte, hineinsah und, dann sich zur Gesellschaft wendend, laut rief: „Wahrhaftig, er hat kein Spiegelbild!" „Er hat kein Spiegelbild — er hat kein Spiegel-
10 bild!" schrie alles durcheinander; „ein mauvais sujet, ein homo nefas,[5] werft ihn zur Tür hinaus!" — Voll Wut und Scham flüchtete Erasmus auf sein Zimmer; aber kaum war er dort, als ihm von Polizei wegen angekündigt wurde, daß er binnen einer Stunde mit
15 seinem vollständigen, völlig ähnlichen Spiegelbilde vor der Obrigkeit erscheinen oder die Stadt verlassen müsse. Er eilte von dannen, vom müßigen Pöbel, von den Straßenjungen verfolgt, die ihm nachschrien: „Da reitet er hin, der dem Teufel sein Spiegelbild verkauft hat, da
20 reitet er hin!" — Endlich war er im Freien. Nun ließ er überall, wo er hinkam, unter dem Vorwande eines natürlichen Abscheus gegen jede Abspiegelung, alle Spiegel schnell verhängen, und man nannte ihn daher spottweise den General Suwarow, der ein gleiches tat. —
25 Freudig empfing ihn, als er seine Vaterstadt und sein Haus erreicht, die liebe Frau mit dem kleinen Rasmus, und bald schien es ihm, als sei in ruhiger, friedlicher Häuslichkeit der Verlust des Spiegelbildes wohl zu verschmerzen. Es begab sich eines Tages,
30 daß Spikher, der die schöne Giulietta ganz aus Sinn und Gedanken verloren, mit dem kleinen Rasmus spielte; der hatte die Händchen voll Ofenruß und fuhr damit dem Papa ins Angesicht. „Ach, Vater, Vater, wie hab' ich dich schwarz gemacht, schau' mal her!" So rief der
35 Kleine und holte, ehe Spikher es hindern konnte, einen Spiegel herbei, den er, ebenfalls hineinschauend, dem Vater vorhielt. — Aber gleich ließ er den Spiegel weinend fallen und lief schnell zum Zimmer hinaus. Bald darauf trat die Frau herein, Staunen und Schreck in den

teilte mit *sagte* Bemerkung *was er sah*

Gemurmel und Geflüster *leises unklares Reden*

daß . . . *daß das wegen ihm war*

voll Wut und Scham *ärgerlich und errötend*

von Polizei wegen angekündigt *durch die Polizei gesagt* binnen *innerhalb, in* vollständige *komplette,* identische Obrigkeit *Bürgermeister und Stadtrat* von dannen *davon* müßiger Pöbel *schaulustiges Volk*

im Freien *weg von der Stadt* Vorwand *falscher Grund* Abscheu *die Aversion* spottweise *ironischerweise*

Häuslichkeit *das Leben zu Hause* verschmerzen *vergessen* es begab sich *es geschah*

Ofenruß *das Schwarze im Ofen*

ehe *bevor* ebenfalls *auch*

Staunen . . . *Erstaunen und Furcht im Gesicht*

---

[5]mauvais sujet, franz. — böser Kerl, Libertin; homo nefas, lat. — Monstrum

fiel ein *antwortete* erzwungen *unnatürlich* bemühte sich zu beweisen *versuchte klar zu machen*

Selbstbetrachtung *sich selbst ansehen* Eitelkeit *Selbstgefälligkeit*

Tuch *ein Stück Stoff*

hatte die Frau das Bewußtsein wieder *war sie wieder bei Sinnen*

bringen um *wegnehmen* verderben *in die Hölle bringen*

gellte *tönte hell und laut*

entsetzt *in Furcht*

stürzte *rannte*

Raserei *der Wahnsinn*

Gänge *Wege* sich befand *war*

rächst du dich *strafst du mich*

verstoßen *hinausgeworfen*

... ganz füglich *das läßt sich leicht machen*

der Scharlach 'scarlet'

Trostesworte *kraftspendende Worte* achtete *sah*

kläglich *jämmerlich, niedergedrückt*

mit nichten *das ist ja gar nicht so*
sehnt sich *wartet voll Liebe* Verehrter *mein Herr*

Mienen. „Was hat mir der Rasmus von dir erzählt", sprach sie. „Daß ich kein Spiegelbild hätte, nicht wahr, mein Liebchen?" fiel Spikher mit erzwungenem Lächeln ein und bemühte sich zu beweisen, daß es zwar unsinnig sei zu glauben, man könne überhaupt sein Spiegelbild ⁵ verlieren, im ganzen sei aber nicht viel daran verloren, da jedes Spiegelbild doch nur eine Illusion sei, Selbstbetrachtung zur Eitelkeit führe, und noch dazu ein solches Bild das eigne Ich spalte in Wahrheit und Traum. Indem er so sprach, hatte die Frau von einem verhängten ¹⁰ Spiegel, der sich in dem Wohnzimmer befand, schnell das Tuch herabgezogen. Sie schaute hinein, und als träfe sie ein Blitzstrahl, sank sie zu Boden. Spikher hob sie auf, aber kaum hatte die Frau das Bewußtsein wieder, als sie ihn mit Abscheu von sich stieß. „Verlasse ¹⁵ mich", schrie sie, „verlasse mich, fürchterlicher Mensch! Du bist es nicht, du bist nicht mein Mann, nein — ein höllischer Geist bist du, der mich um meine Seligkeit bringen, der mich verderben will. — Fort, verlasse mich, du hast keine Macht über mich, Verdammter!" Ihre ²⁰ Stimme gellte durch das Zimmer, durch den Saal, die Hausleute liefen entsetzt herbei, in voller Wut und Verzweiflung stürzte Erasmus zum Hause hinaus. Wie von wilder Raserei getrieben, rannte er durch die einsamen Gänge des Parks, der sich bei der Stadt befand. Giuliettas ²⁵ Gestalt stieg vor ihm auf in Engelsschönheit, da rief er laut: „Rächst du dich so, Giulietta, dafür, daß ich dich verließ und dir statt meines Selbst nur mein Spiegelbild gab? Ha, Giulietta, ich will ja dein sein mit Leib und Seele, sie hat mich verstoßen, sie, der ich dich opferte. ³⁰ Giulietta, Giulietta, ich will ja dein sein mit Leib und Leben und Seele." — „Das können Sie ganz füglich, mein Wertester", sprach Signor Dapertutto, der auf einmal in seinem scharlachroten Rocke mit den blitzenden Stahlknöpfen dicht neben ihm stand. Es waren ³⁵ Trostesworte für den unglücklichen Erasmus, deshalb achtete er nicht Dapertuttos hämisches, häßliches Gesicht, er blieb stehen und fragte mit recht kläglichem Ton: „Wie soll ich sie denn wieder finden, sie, die wohl auf immer für mich verloren ist!" — „Mit nichten", er- ⁴⁰ widerte Dapertutto, „sie ist gar nicht weit von hier und sehnt sich erstaunlich nach Ihrem werten Selbst, Ver-

ehrter, da doch, wie Sie einsehen, ein Spiegelbild nur
eine schnöde Illusion ist. Übrigens gibt sie Ihnen, sobald
sie sich Ihrer werten Person, nämlich mit Leib, Leben
und Seele, sicher weiß, Ihr angenehmes Spiegelbild glatt
5 und unversehrt dankbarlichst zurück." „Führe mich zu
ihr — zu ihr hin!" rief Erasmus, „wo ist sie?" „Noch
einer Kleinigkeit bedarf es", fiel Dapertutto ein, „bevor
Sie Giulietta sehen und sich ihr gegen Erstattung des
Spiegelbildes ganz ergeben können. Dieselben vermögen
10 nicht so ganz über Dero werte Person zu disponieren,
da Sie noch durch gewisse Bande gefesselt sind, die erst
gelöst werden müssen. — Dero liebe Frau nebst dem
hoffnungsvollen Söhnlein" — „Was soll das?" fuhr Erasmus wild auf. „Eine unmaßgebliche Trennung dieser
15 Bande", fuhr Dapertutto fort, „könnte auf ganz leicht
menschliche Weise bewirkt werden. Sie wissen ja von
Florenz aus, daß ich wundersame Medikamente geschickt zu bereiten weiß, da hab' ich denn hier so ein
Hausmittelchen in der Hand. Nur ein paar Tropfen
20 dürfen die genießen, welche Ihnen und der lieben Giulietta im Wege sind, und sie sinken ohne schmerzliche
Gebärde lautlos zusammen. Man nennt das zwar sterben, und der Tod soll bitter sein; aber ist denn der
Geschmack bitterer Mandeln nicht lieblich, und nur diese
25 Bitterkeit hat der Tod, den dieses Fläschchen verschließt.
Sogleich nach dem fröhlichen Hinsinken wird die werte
Familie einen angenehmen Geruch von bittern Mandeln
verbreiten. — Nehmen Sie, Geehrtester." — Er reichte
dem Erasmus eine kleine Phiole hin. „Entsetzlicher
30 Mensch", schrie dieser, „vergiften soll ich Weib und
Kind?" „Wer spricht denn von Gift", fiel der Rote ein,
„nur ein wohlschmeckendes Hausmittel ist in der Phiole
enthalten. Mir stünden andere Mittel, Ihnen Freiheit
zu schaffen, zu Gebote, aber durch Sie selbst möcht' ich
35 so ganz natürlich, so ganz menschlich wirken, das ist
nun einmal meine Liebhaberei. Nehmen Sie getrost,
mein Bester!" Erasmus hatte die Phiole in der Hand, er
wußte selbst nicht wie. Gedankenlos rannte er nach
Hause in sein Zimmer. Die ganze Nacht hatte die Frau
40 unter tausend Ängsten und Qualen zugebracht, sie behauptete fortwährend, der Zurückgekommene sei nicht
ihr Mann, sondern ein höllischer Geist, der ihres Mannes

---

einsehen *wissen*

schnöd *schlecht, billig*
übrigens *zudem, dazu*

angenehm *nett, hübsch* glatt
und unversehrt *völlig und
ganz*
noch ... *zuerst noch eine
kleine Formalität*
fiel ein *unterbrach*
Erstattung *Rückgabe*
Dieselben, Dero (*preziöse
Formen*) *Sie, Ihr(e)*
vermögen *können*
gefesselt *gebunden*
nebst dem *und das*

unmaßgebliche Trennung *ganz
insignifikante Lösung*

bewirkt *gemacht*

geschickt zu bereiten weiß
schnell machen kann

genießen *davon nehmen*

Gebärde *Geste, Bewegung*

Geschmack *das Aroma*
Mandeln 'almonds'
verschließt *enthält*
Hinsinken *Sterben*

Geehrtester *vgl. Verehrter,
mein Herr* Phiole
Giftfläschchen

Gift *tödliche Substanz*

zu Gebote stehen *haben*
schaffen *geben*

Liebhaberei *das Hobby*
getrost *ruhig, ohne Angst*

die Qual *Tortur* sie behauptete fortwährend
sie erklärte immer wieder

71

<table>
<tr><td>

sowie *sobald*

kindisch (*heute: kindlich*)

sich darüber . . . *darüber verzweifeln*

Lieblingstaube *liebste Taube,
'dove'* Schnabel *Mund des
Vogels*
der Pfropf *Kork*

Verräter *falscher Freund,
Hund* schleuderte *warf*

das Steinpflaster *der Steinboden*

brachte zu *durchlebte*

reger . . . *stärker und deutlicher*
in seiner Gegenwart *als er
auch da war* Halsschnur
'necklace' von . . . aufgezogen *aus . . . Beeren*
auflesend *zusammensuchend*
verbarg eine *steckte eine weg*
bewahrte *behielt*
richtete *fixierte*

Verderben und Schmach
Unglück und Unehre

vernahm *hörte*
Atem *die Luft* ahnen
antizipieren

mit Entzücken *mit größter
Freude* anschmiegend
zart anlehnend

</td><td>

Gestalt angenommen. Sowie Spikher ins Haus trat, floh
alles scheu zurück, nur der kleine Rasmus wagte es, ihm
nahe zu treten und kindisch zu fragen, warum er denn
sein Spiegelbild nicht mitgebracht habe, die Mutter
würde sich darüber zu Tode grämen. Erasmus starrte 5
den Kleinen wild an, er hatte noch Dapertuttos Phiole
in der Hand. Der Kleine trug seine Lieblingstaube auf
dem Arm, und so kam es, daß diese mit dem Schnabel
sich der Phiole näherte und an dem Pfropfe pickte;
sogleich ließ sie den Kopf sinken, sie war tot. Entsetzt 10
sprang Erasmus auf. „Verräter", schrie er, „du sollst
mich nicht verführen zur Höllentat!" — Er schleuderte
die Phiole durch das offene Fenster, daß sie auf dem
Steinpflaster des Hofes in tausend Stücke zersprang.
Ein lieblicher Mandelgeruch stieg auf und verbreitete 15
sich bis ins Zimmer. Der kleine Rasmus war erschrocken
davongelaufen. Spikher brachte den ganzen Tag, von
tausend Qualen gefoltert, zu, bis die Mitternacht eingebrochen. Da wurde immer reger und reger in seinem
Innern Giuliettas Bild. Einst zersprang ihr in seiner 20
Gegenwart eine Halsschnur, von jenen kleinen roten
Beeren aufgezogen, die die Frauen wie Perlen tragen.
Die Beeren auflesend, verbarg er schnell eine, weil sie
an Giuliettas Halse gelegen, und bewahrte sie treulich.
Die zog er jetzt hervor, und, sie anstarrend, richtete er 25
Sinn und Gedanken auf die verlorene Geliebte. Da war
es, als ginge aus der Perle der magische Duft hervor, der
ihn sonst umfloß in Giuliettas Nähe. „Ach, Giulietta,
dich nur noch ein einziges Mal sehen und dann untergehen in Verderben und Schmach." — Kaum hatte 30
er diese Worte gesprochen, als es auf dem Gange vor
der Tür leise zu rischeln und zu rascheln begann. Er
vernahm Fußtritte — es klopfte an die Tür des Zimmers.
Der Atem stockte dem Erasmus vor ahnender Angst und
Hoffnung. Er öffnete, Giulietta trat herein in hoher 35
Schönheit und Anmut. Wahnsinnig vor Liebe und Lust,
schloß er sie in seine Arme. „Nun bin ich da, mein
Geliebter", sprach sie leise und sanft, „aber sieh, wie
getreu ich dein Spiegelbild bewahrt!" Sie zog das Tuch
vom Spiegel herab, Erasmus sah mit Entzücken sein 40
Bild, der Giulietta sich anschmiegend; unabhängig von
ihm selbst warf es aber keine seiner Bewegungen zurück.

</td></tr>
</table>

Schauer durchbebten den Erasmus. „Giulietta", rief er, „soll ich denn rasend werden in der Liebe zu dir? — Gib mir das Spiegelbild, nimm mich selbst mit Leib, Leben und Seele." — „Es ist noch etwas zwischen uns, lieber
5 Erasmus", sprach Giulietta, „du weißt es — hat Dapertutto dir nicht gesagt" — „Um Gott, Giulietta", fiel Erasmus ein, „kann ich nur auf diese Weise dein werden, so will ich lieber sterben." — „Auch soll dich", fuhr Giulietta fort, „Dapertutto keineswegs verleiten zu solcher
10 Tat. Schlimm ist es freilich, daß ein Gelübde und ein Priestersegen nun einmal so viel vermag, aber lösen mußt du das Band, das dich bindet, denn sonst wirst du niemals gänzlich mein, und dazu gibt es ein anderes, besseres Mittel, als Dapertutto vorgeschlagen." — „Wo-
15 rin besteht das?" fragte Erasmus heftig. Da schlang Giulietta den Arm um seinen Nacken, und, den Kopf an seine Brust gelehnt, lispelte sie leise: „Du schreibst auf ein kleines Blättchen deinen Namen Erasmus Spikher unter die wenigen Worte: Ich gebe meinem guten
20 Freunde Dapertutto Macht über meine Frau und über mein Kind, daß er mit ihnen schalte und walte nach Willkür, und löse das Band, das mich bindet, weil ich fortan mit meinem Leibe und mit meiner unsterblichen Seele angehören will der Giulietta, die ich mir zum
25 Weibe erkoren, und der ich mich noch durch ein besonderes Gelübde auf immerdar verbinden werde." Es rieselte und zuckte dem Erasmus durch alle Nerven. Feuerküße brannten auf seinen Lippen, er hatte das Blättchen, das ihm Giulietta gegeben, in der Hand.
30 Riesengroß stand plötzlich Dapertutto hinter Giulietta und reichte ihm eine metallene Feder. In dem Augenblick sprang dem Erasmus ein Äderchen an der linken Hand und das Blut spritzte heraus. „Tunke ein, tunke ein — schreib, schreib", krächzte der Rote. „Schreib,
35 schreib, mein ewig, einzig Geliebter", lispelte Giulietta. Schon hatte er die Feder mit Blut gefüllt, er setzte zum Schreiben an — da ging die Tür auf, eine weiße Gestalt trat herein, die gespenstisch starren Augen auf Erasmus gerichtet, rief sie schmerzvoll und dumpf: „Erasmus,
40 Erasmus, was beginnst du — um des Heilands willen, laß ab von gräßlicher Tat!" — Erasmus, in der warnenden Gestalt sein Weib erkennend, warf Blatt und Feder

Schauer durchbebten *Angst- und Lustgefühle packten*
rasend *verrückt*

um Gott (*mein Gott*)

keineswegs verleiten *auf keinen Fall verführen*
freilich *leider* Gelübde *Versprechen* Segen '*blessing*' vermag *tun kann*

vorgeschlagen *empfohlen hat*

schalte . . . *tun und lassen kann, was er will*
fortan *von jetzt an*
erkoren *erwählt*
es rieselte *es glühte*

riesengroß *gigantisch*

Äderchen *kleine Vene*

gespenstisch *geisterhaft*
dumpf *dunkel*
um . . . *um Christi willen*
das Blatt *Stück Papier*

funkeln *glühen*

verzerrt *wie eine Grimasse*

Glut *das Feuer*
  das Gesindel *Pack, die
  Bande*
Schlange *Viper*

gellte *klang* schneidend
  schrill

der Fittich *Flügel*

quoll *strömte* verlöschen
  ausmachen

begab sich *ging*

sanftmütig *ruhig und freundlich*

munter *wach und fröhlich*
  erschöpft *geschwächt*

Schlimmes *Böses* ich be-
  daure dich *du tust mir leid*
  Gewalt . . . *Macht des
  Teufels* Lastern ergeben
  Sünden Freund Gelüst
  (animalische) Lust

hämisch *sarkastisch* entwenden *stehlen*

zittern *beben*

. . . Miene *mit ängstlichem
  Gesichtsausdruck*

albern *dumm*
begreifen *verstehen*

einflößt *lehrt*

gelegentlich *mit der Zeit*

abjagen *zurückgewinnen
  (vom Teufel)*

weit von sich. — Funkelnde Blitze schossen aus Giuliettas Augen, gräßlich verzerrt war das Gesicht, brennende Glut ihr Körper. „Laß ab von mir, Höllengesindel, du sollst keinen Teil haben an meiner Seele. In des Heilandes Namen, hebe dich von mir hinweg, Schlange[6] — die Hölle glüht aus dir." — So schrie Erasmus und stieß mit kräftiger Faust Giulietta, die ihn noch immer umschlungen hielt, zurück. Da gellte und heulte es in schneidenden Mißtönen, und es rauschte wie mit schwarzen Rabenfittichen im Zimmer umher. — Giulietta — Dapertutto verschwanden im dicken stinkenden Dampf, der wie aus den Wänden quoll, die Lichter verlöschend. Endlich brachen die Strahlen des Morgenrots durch die Fenster. Erasmus begab sich gleich zu seiner Frau. Er fand sie ganz milde und sanftmütig. Der kleine Rasmus saß schon ganz munter auf ihrem Bette; sie reichte dem erschöpften Manne die Hand, sprechend: „Ich weiß nun alles, was dir in Italien Schlimmes begegnet, und bedaure dich von ganzem Herzen. Die Gewalt des Feindes ist sehr groß, und wie er denn nun allen möglichen Lastern ergeben ist, so stiehlt er auch sehr und hat dem Gelüst nicht widerstehen können, dir dein schönes, vollkommen ähnliches Spiegelbild auf recht hämische Weise zu entwenden. — Sieh doch einmal in jenen Spiegel dort, lieber, guter Mann!" — Spikher tat es, am ganzen Leibe zitternd, mit recht kläglicher Miene. Blank und klar blieb der Spiegel, kein Erasmus Spikher schaute heraus. „Diesmal", fuhr die Frau fort, „ist es recht gut, daß der Spiegel dein Bild nicht zurückwirft, denn du siehst sehr albern aus, lieber Erasmus. Begreifen wirst du aber übrigens wohl selbst, daß du ohne Spiegelbild ein Spott der Leute bist und kein ordentlicher, vollständiger Familienvater sein kannst, der Respekt einflößt der Frau und den Kindern. Rasmuschen lacht dich auch schon aus und will dir nächstens einen Schnauzbart malen mit Kohle, weil du das nicht bemerken kannst. Wandre also nur noch ein bißchen in der Welt herum und suche gelegentlich dem Teufel dein Spiegelbild abzujagen. Hast du's wieder, so sollst du mir recht herzlich willkommen sein. Küsse mich (Spikher tat es), und nun — glückliche Reise! Schicke dem Rasmus

[6]vgl. die biblische Stelle: „Hebe dich weg von mir, Satan!" (Matthäus 4.10)

74

Carl Spitzweg: Der Abschied

dann und wann ein paar neue Höschen, denn er rutscht
sehr auf den Knien und braucht dergleichen viel.
Kommst du aber nach Nürnberg,[7] so füge einen bunten
Husaren hinzu und einen Pfefferkuchen als liebender
Vater. Lebe recht wohl, lieber Erasmus!" — Die Frau 5
drehte sich auf die andere Seite und schlief ein. Spikher
hob den kleinen Rasmus in die Höhe und drückte ihn ans
Herz; der schrie aber sehr, da setzte Spikher ihn wieder
auf die Erde und ging in die weite Welt. Er traf einmal
auf einen gewissen Peter Schlemihl, der hatte seine 10
Schlagschatten verkauft; beide wollten Kompagnie
gehen, so daß Erasmus Spikher den nötigen Schlagschatten werfen, Peter Schlemihl dagegen das gehörige
Spiegelbild reflektieren sollte; es wurde aber nichts
daraus.[8]   15

Postskript:
— Was schaut denn dort aus jenem Spiegel heraus? — Bin
ich es auch wirklich? — O Julie — Giulietta — Himmels-
bild — Höllengeist — Entzücken und Qual — Sehnsucht
und Verzweiflung. — Du siehst, mein lieber Theodor 20
Amadeus Hoffmann, daß nur zu oft eine fremde dunkle
Macht sichtbarlich in mein Leben tritt und, den Schlaf
um die besten Träume betrügend, mir gar seltsame
Gestalten in den Weg schiebt . . .[9]

---

[7]Nürnberg ist schon seit alter Zeit weltbekannt für seine Spielzeug-
fabrikation und seine Lebkuchen, hier Pfefferkuchen, englisch
gingerbread genannt.
[8]Die Märchennovelle „Peter Schlemihl" von Adalbert von
Chamisso (1781–1838) inspirierte E. T. A. Hoffmann zu seinen
„Abenteuern in der Sylvesternacht". Die Erasmus-Spikher-
Geschichte ist darin das Hauptstück.
[9]Das Postskript ist fiktiv; es „stammt" von einem Herrn, der diese
Nacht im Hotel „mit mir in meinem Zimmer geschlafen" und
„am frühen Morgen abgereist".

Achim von Arnim

1781–1831

Arnim entstammt einer alten preußischen Adelsfamilie aus der Mark Brandenburg bei Berlin. Er studiert zuerst Naturwissenschaften auf den Universitäten Halle, Jena und Göttingen. Aber starke Freundesbande mit Brentano, dessen Schwester Bettina er heiratet, und große Begeisterung für Goethe und Herder ändern sein Leben. Er wird mit den Brüdern Grimm befreundet und arbeitet wie sie an der romantischen Wiedererweckung deutscher Kultur und deutscher Vergangenheit. Mit Brentano gibt er die schöne Volksliedersammlung „Des Knaben Wunderhorn" (1806/08) heraus. Ein großkonzipierter historischer Roman Arnims bleibt Fragment. Sein „toller Invalide" ist eines der Meisterwerke romantischer Erzählkunst.

Der tolle Invalide auf dem Fort Ratonneau

Graf Dürande, der gute, alte Kommandant
von Marseille,[1] saß einsam frierend an einem kaltstür-
menden Oktoberabende bei dem schlecht eingerichteten
Kamine seiner prachtvollen Kommandantenwohnung
5 und rückte immer näher und näher zum Feuer, während
die Kutschen zu einem großen Balle in der Straße vor-
überrollten und sein Kammerdiener Basset, der zugleich
sein liebster Gesellschafter war, im Vorzimmer heftig
schnarchte. Auch im südlichen Frankreich ist es nicht
10 immer warm, dachte der alte Herr und schüttelte mit
dem Kopfe, die Menschen bleiben auch da nicht immer
jung, aber die lebhafte gesellige Bewegung nimmt so
wenig Rücksicht auf das Alter wie die Baukunst auf den
Winter. Was sollte er, der Chef aller Invaliden, die
15 damals (während des Siebenjährigen Krieges)[2] die Besatzung von Marseille und seiner Forts ausmachten, mit
seinem hölzernen Beine auf dem Balle, nicht einmal die
Leutnants seines Regiments waren zum Tanze zu
brauchen. Hier am Kamine schien ihm dagegen sein
20 hölzernes Bein höchst brauchbar, weil er den Basset
nicht wecken mochte, um den Vorrat grüner Olivenäste,
den er sich zur Seite hatte hinlegen lassen, allmählich in
die Flamme zu schieben. Ein solches Feuer hat großen
Reiz; die knisternde Flamme ist mit dem grünen Laube
25 wie durchflochten, halb brennend, halb grünend erscheinen die Blätter wie verliebte Herzen. Auch der
alte Herr dachte dabei an Jugendglanz und vertiefte
sich in den Konstruktionen jener Feuerwerke, die er
sonst schon für den Hof angeordnet hatte, und speku-
30 lierte auf neue, noch mannigfachere Farbenstrahlen und
Drehungen, durch welche er am Geburtstage des Königs
die Marseiller überraschen wollte. Es sah nun leerer in
seinem Kopfe als auf dem Balle aus. Aber in der Freude

eingerichtet *arrangiert*
prachtvoll *luxuriös*

Kutsche '*coach*'
Kammerdiener *persönlicher Diener, Butler*
Gesellschafter *Kompagnon*

gesellige Bewegung *das gesellschaftliche Leben; Belustigungen*
Baukunst *Architektur, das Bauen* Besatzung *Mannschaft eines Forts*

Vorrat *Stapel, Haufen*

Reiz *Charme* knistern '*crackle*' durchflochten *durchwoben*

der Glanz *Schönheit, Freude*

Hof *König und sein Gefolge*

Drehungen *Rotationen*

---

[1]franz. Hafenstadt am Mittelmeer
[2]Der Siebenjährige Krieg (1756–1763) zwischen dem Preußen-
könig Friedrich dem Großen und den europäischen Kontinental-
mächten.

das Gelingen *der Erfolg*

Einbildungskraft *Phantasie,*
Imagination

Polsterstuhl *bequemer Sessel*

besorglich *gefährlich*

mit eifrigem Bemühen *voll*
guten Willens

bescheidenes Husten *leichtes,*
künstliches Husten

Schürze '*apron*'

Gasse *Straße*

sich empfehlen *sich*
verabschieden, weggehen
triefen *vgl. tropfen*
erholen *beruhigen*
Rockelor (*franz.*) *roquelaure,*
Mantel

schluchzte *weinte*

insgeheim *privat*

nachlässig *pflichtvergessen*
sorgsam *hilfsbereit, mit-*
fühlend

kommt von Sinnen *wird*
verrückt

Streich *Dummheit*

Oberst *Regimentskommandeur*

des Gelingens, wie er schon alles strahlen, sausen, prasseln, dann wieder alles in stiller Größe leuchten sah, hatte er immer mehr Olivenäste ins Feuer geschoben und nicht bemerkt, daß sein hölzernes Bein Feuer gefangen hatte und schon um ein Drittel abgebrannt war. ₅ Erst jetzt, als er aufspringen wollte, weil der große Schluß, das Aufsteigen von tausend Raketen seine Einbildungskraft beflügelte und entflammte, bemerkte er, indem er auf seinen Polsterstuhl zurücksank, daß sein hölzernes Bein verkürzt sei und daß der Rest auch noch ₁₀ in besorglichen Flammen stehe. In der Not, nicht gleich aufkommen zu können, rückte er seinen Stuhl wie einen Piekschlitten mit dem flammenden Beine bis in die Mitte des Zimmers, rief seinen Diener und dann nach Wasser. Mit eifrigem Bemühen sprang ihm in diesem ₁₅ Augenblicke eine Frau zu Hilfe, die, in das Zimmer eingelassen, lange durch ein bescheidenes Husten die Aufmerksamkeit des Kommandanten auf sich zu ziehen gesucht hatte, doch ohne Erfolg. Sie suchte das Feuer mit ihrer Schürze zu löschen, aber die glühende Kohle ₂₀ des Beins setzte die Schürze in Flammen und der Kommandant schrie nun in wirklicher Not nach Hilfe, nach Leuten. Bald drangen diese von der Gasse herein, auch Basset war erwacht; der brennende Fuß, die brennende Schürze brachten alle ins Lachen, doch mit dem ersten ₂₅ Wassereimer, den Basset aus der Küche holte, war alles gelöscht, und die Leute empfahlen sich. Die arme Frau triefte von Wasser, sie konnte sich nicht gleich vom Schrecken erholen, der Kommandant ließ ihr seinen warmen Rockelor umhängen und ein Glas starken Wein ₃₀ reichen. Die Frau wollte aber nichts nehmen und schluchzte nur über ihr Unglück und bat den Kommandanten, mit ihm einige Worte insgeheim zu sprechen. So schickte er seinen nachlässigen Diener fort und setzte sich sorgsam in ihre Nähe. Ach, mein Mann, sagte sie in ₃₅ einem fremden, deutschen Dialekte des Französischen, mein Mann kommt von Sinnen, wenn er die Geschichte hört; ach mein armer Mann, da spielte ihm der Teufel sicher wieder einen Streich! Der Kommandant fragte nach dem Manne, und die Frau sagte ihm, daß sie eben ₄₀ wegen dieses ihres lieben Mannes zu ihm gekommen, ihm einen Brief des Obersten vom Regiment Pikar-

80

die[3] zu überbringen. Der Oberst setzte die Brille auf, erkannte das Wappen seines Freundes und durchlief das
Schreiben, dann sagte er: Also Sie sind jene Rosalie,
eine geborene Demoiselle Lilie aus Leipzig, die den
5 Sergeanten Francoeur geheiratet hat, als er am Kopf
verwundet in Leipzig gefangen lag? Erzählen Sie, das
ist eine seltne Liebe! Was waren Ihre Eltern, legten die
Ihnen kein Hindernis in den Weg? Und was hat denn
Ihr Mann für scherzhafte Grillen als Folge seiner Kopf-
10 wunde behalten, die ihn zum Felddienste untauglich
machen, obgleich er als der bravste und geschickteste
Sergeant, als die Seele des Regiments geachtet wurde?
Gnädiger Herr, antwortete die Frau mit neuer Betrübnis,
meine Liebe trägt die Schuld von allem dem Unglück,
15 ich habe meinen Mann unglücklich gemacht und nicht
jene Wunde; meine Liebe hat den Teufel in ihn gebracht
und plagt ihn und verwirrt seine Sinne. Statt mit den
Soldaten zu exerzieren, fängt er zuweilen an, ihnen
ungeheure, ihm vom Teufel eingegebene Sprünge vor-
20 zumachen, und verlangt, daß sie ihm diese nachmachen;
oder er schneidet ihnen Gesichter, daß ihnen der Schreck
in alle Glieder fährt,[4] und verlangt, daß sie sich dabei
nicht rühren noch regen, und neulich, was endlich dem
Fasse den Boden ausschlug, warf er den Kommandieren-
25 den General, der in einer Affäre den Rückzug des Regiments befahl, vom Pferde, setzte sich darauf und nahm
mit dem Regimente die Batterie fort. — Ein Teufelskerl,
rief der Kommandant, wenn doch so ein Teufel in alle
unsre Kommandierenden Generale führe, so hätten wir
30 kein zweites Roßbach[5] zu fürchten; ist Ihre Liebe solche
Teufelsfabrik, so wünschte ich, Sie liebten unsre ganze
Armee. — Leider im Fluche meiner Mutter, seufzte die
Frau. Meinen Vater habe ich nicht gekannt. Meine
Mutter sah viele Männer bei sich, denen ich aufwarten
35 mußte, das war meine einzige Arbeit. Ich war träumerisch und achtete gar nicht der freundlichen Reden

Wappen *Emblem*

Demoiselle (*franz.*) *Fräulein*

Grillen *komische, fixe Ideen*
zum Felddienste untauglich
machen *für den Frontdienst
disqualifizieren*
geachtet *respektiert* gnädiger
Herr '*gracious Sir*' Be-
trübnis *Sorge*

verwirrt *stört*
zuweilen *manchmal*
ungeheure *tolle* eingeben
inspirieren

verlangt *fordert*
rühren, regen *bewegen*
was dem Fasse den Boden
ausschlug *das Verrückteste*
Affäre *Gefecht, der Kampf*

Batterie *Artillerie*

Reden *Worte*

---

[3]Pikardie (Picardie), Landschaft in Nordfrankreich
[4]er schneidet ... fährt — er macht Grimassen, daß sie die Angst
packt.
[5]Bei Roßbach in Sachsen schlug Friedrich der Große die franz.
Armee (und die Reichsarmee) im November 1757.

dieser Männer, meine Mutter schützte mich gegen ihre Zudringlichkeit. Der Krieg hat diese Herren meist zerstreut, die meine Mutter besuchten und bei ihr Hasardspiele heimlich spielten; wir lebten zu ihrem Ärger sehr einsam. Freund und Feind waren ihr darum gleich verhaßt, ich durfte keinem eine Gabe bringen, der verwundet oder hungrig vor dem Hause vorüberging. Das tat mir sehr leid, und einstmals war ich ganz allein und besorgte unser Mittagessen, als viele Wagen mit Verwundeten vorüberzogen, die ich an der Sprache für Franzosen erkannte, die von den Preußen gefangen worden. Immer wollte ich mit dem fertigen Essen zu jenen hinunter, doch ich fürchtete die Mutter, als ich aber Francoeur mit verbundenem Kopfe auf dem letzten Wagen liegen gesehen, da weiß ich nicht, wie mir geschah; die Mutter war vergessen, ich nahm Suppe und Löffel, und ohne unsre Wohnung abzuschließen, eilte ich dem Wagen nach in die Pleißenburg.[6] Ich fand ihn; er war schon abgestiegen, dreist redete ich die Aufseher an und wußte dem Verwundeten gleich das beste Strohlager zu erflehen. Und als er daraufgelegt, welche Seligkeit, dem Notleidenden die warme Suppe zu reichen! Er wurde munter in den Augen und schwor mir, daß ich einen Heiligenschein um meinen Kopf trage. Ich antwortete ihm, das sei meine Haube, die sich im eiligen Bemühen um ihn aufgeschlagen. Er sagte, der Heiligenschein komme aus meinen Augen. Ach, das Wort konnte ich gar nicht vergessen, und hätte er mein Herz nicht schon gehabt, ich hätte es ihm dafür schenken müssen. Ein wahres, ein schönes Wort! sagte der Kommandant, und Rosalie fuhr fort: Das war die schönste Stunde meines Lebens, ich sah ihn immer eifriger an, weil er behauptete, daß es ihm wohltue, und als er mir endlich einen kleinen Ring an den Finger steckte, fühlte ich mich so reich, wie ich noch niemals gewesen. In diese glückliche Stille trat meine Mutter scheltend und fluchend ein, ich kann nicht nachsagen, wie sie mich nannte, ich schämte mich auch nicht, denn ich wußte, daß ich schuldlos war und daß er Böses nicht glauben würde. Sie wollte mich fortreißen, aber er hielt mich

---

[6]eine Burg in der Stadt Leipzig

fest und sagte ihr, daß wir verlobt wären, ich trüge schon
seinen Ring. Wie verzog sich das Gesicht meiner Mutter;
mir war's, als ob eine Flamme aus ihrem Halse brenne,
und ihre Augen kehrte sie in sich, sie sahen ganz weiß
5 aus; sie verfluchte mich und übergab mich mit feierlicher
Rede dem Teufel. Und wie so ein heller Schein durch
meine Augen am Morgen gelaufen, als ich Francoeur
gesehen, so war mir jetzt, als ob eine schwarze Fledermaus ihre durchsichtigen Flügeldecken über meine Au-
10 gen legte; die Welt war mir halb verschlossen, und ich
gehörte mir nicht mehr ganz. Mein Herz verzweifelte,
und ich mußte lachen. Hörst du, der Teufel lacht schon
aus dir! sagte die Mutter und ging triumphierend fort,
während ich ohnmächtig niederstürzte. Als ich wieder
15 zu mir gekommen, wagte ich nicht, zu ihr zu gehen und
den Verwundeten zu verlassen, auf den der Vorfall
schlimm gewirkt hatte; ja ich trotzte heimlich der Mutter wegen des Schadens, den sie dem Unglücklichen
getan. Erst am dritten Tage schlich ich, ohne es Fran-
20 coeur zu sagen, abends nach dem Hause, wagte nicht
anzuklopfen, endlich trat eine Frau, die uns bedient
hatte, heraus und berichtete, die Mutter habe ihre
Sachen schnell verkauft und sei mit einem fremden
Herrn, der ein Spieler sein sollte, fortgefahren und
25 niemand wisse wohin. So war ich nun von aller Welt
ausgestoßen, und es tat mir wohl, so entfesselt von jeder
Rücksicht in die Arme meines Francoeur zu fallen. Auch
meine jugendlichen Bekanntinnen in der Stadt wollten
mich nicht mehr kennen, so konnte ich ganz ihm und
30 seiner Pflege leben. Für ihn arbeitete ich; bisher hatte
ich nur mit dem Spitzenklöppeln zu meinem Putze
gespielt, ich schämte mich nicht, diese meine Hand-
arbeiten zu verkaufen, ihm brachte es Bequemlichkeit
und Erquickung. Aber immer mußte ich der Mutter
35 gedenken, wenn seine Lebendigkeit im Erzählen mich
nicht zerstreute; die Mutter erschien mir schwarz mit
flammenden Augen, immer fluchend vor meinen inneren
Augen, und ich konnte sie nicht loswerden. Meinem
Francoeur wollte ich nichts sagen, um ihm nicht das
40 Herz schwer zu machen; ich klagte über Kopfweh, das
ich nicht hatte, über Zahnweh, das ich nicht fühlte, um
weinen zu können, wie ich mußte. Ach, hätte ich damals

mit feierlicher Rede *mit großen Worten*

Fledermaus 'bat'
durchsichtig *transparent*

verzweifeln *Mut und Hoffnung verlieren*

niederstürzte *zu Boden fiel*

Vorfall *das Erlebnis*
trotzen *böse sein auf jemand*
Schaden *das Leid*

entfesselt *frei von Bindungen*

ihm und seiner Pflege leben *für ihn leben und sorgen*
Spitzenklöppeln 'to make lace'
Putz *(hübsche) Kleidung*

Erquickung *Freude*

zerstreute *unterhielt*

Vertrauen zu ihm *Glauben an ihn*

Qual *Tortur*
angestrengt *schwer*
zerrütten *schwächen*
verheimlichen *nicht wissen lassen* ersticken *die Luft wegnehmen*
Arzneien *Medikamente*
hergestellt *gesund*
angeordnet *arrangiert*
Geistlicher *Priester*
Wohlstand *Besitz*

Opfer *was man für andere aufgibt* Fluch *Verdammung*

gemeinsam *zusammen*

schauderte *wurde Angst*

vernehmlich *hörbar*

vermählt *zusammengegeben*

Leiden *Krankheitssymptome*
ahnen *intuitiv wissen*

Prediger *Pfarrer, Priester*

Zorn und Widerwillen *Ärger und Antipathie*

sich entschlagen *loswerden*
Einfall *die Kaprice*
der Umtrieb *Rastlosigkeit*
ich schob alles auf die Gefangenschaft *ich sagte, die Gefangenschaft sei schuld daran* ausgewechselt
abkommandiert *Vorsorge Intervention*

ausbilden *heute: ausmalen, ausdenken*
ums ... *ums tägliche Brot*
versorgt *gehalten*
Heftigkeit *Wildheit*

mehr Vertrauen zu ihm gehabt, ich hätte sein Unglück nicht gemacht, aber jedesmal, wenn ich ihm erzählen wollte, daß ich durch den Fluch der Mutter vom Teufel besessen zu sein glaubte, schloß mir der Teufel den Mund, auch fürchtete ich, daß er mich dann nicht mehr lieben könne, daß er mich verlassen würde, und den bloßen Gedanken konnte ich kaum überleben. Diese innere Qual, vielleicht auch die angestrengte Arbeit zerrütteten endlich meinen Körper, heftige Krämpfe, die ich ihm verheimlichte, drohten mich zu ersticken, und Arzneien schienen diese Übel nur zu mehren. Kaum war er hergestellt, so wurde die Hochzeit von ihm angeordnet. Ein alter Geistlicher hielt eine feierliche Rede, in der er meinem Francoeur alles ans Herz legte, was ich für ihn getan, wie ich ihm Vaterland, Wohlstand und Freundschaft zum Opfer gebracht, selbst den mütterlichen Fluch auf mich geladen, alle diese Not müsse er mit mir teilen, alles Unglück gemeinsam tragen. Meinem Manne schauderte bei den Worten, aber er sprach doch ein vernehmliches Ja, und wir wurden vermählt. Selig waren die ersten Wochen, ich fühlte mich zur Hälfte von meinen Leiden erleichtert und ahnte nicht gleich, daß eine Hälfte des Fluchs zu meinem Manne übergegangen sei. Bald aber klagte er, daß jener Prediger in seinem schwarzen Kleide ihm immer vor Augen stehe und ihm drohe, daß er dadurch einen so heftigen Zorn und Widerwillen gegen Geistliche, Kirchen und heilige Bilder empfinde, daß er ihnen fluchen müsse, und wisse nicht warum, und um sich diesen Gedanken zu entschlagen, überlasse er sich jedem Einfall, er tanze und trinke, und so in dem Umtriebe des Bluts werde ihm besser. Ich schob alles auf die Gefangenschaft, obgleich ich wohl ahnte, daß es der Teufel sei, der ihn plage. Er wurde ausgewechselt durch die Vorsorge seines Obersten, der ihn beim Regimente wohl vermißt hatte, denn Francoeur ist ein außerordentlicher Soldat. Mit leichtem Herzen zogen wir aus Leipzig und bildeten eine schöne Zukunft in unsern Gesprächen aus. Kaum waren wir aber aus der Not ums tägliche Bedürfnis zum Wohlleben der gut versorgten Armee in die Winterquartiere gekommen, so stieg die Heftigkeit meines Mannes mit jedem Tage, er trommelte tagelang,

um sich zu zerstreuen, zankte, machte Händel, der
Oberst konnte ihn nicht begreifen; nur mit mir war er
sanft wie ein Kind. Ich wurde von einem Knaben entbunden, als der Feldzug sich wieder eröffnete, und mit
5 der Qual der Geburt schien der Teufel, der mich geplagt,
ganz von mir gebannt. Francoeur wurde immer mut-
williger und heftiger. Der Oberst schrieb mir, er sei
tollkühn wie ein Rasender, aber bisher immer glücklich
gewesen; seine Kameraden meinten, er sei zuweilen
10 wahnsinnig, und er fürchte, ihn unter die Kranken oder
Invaliden abgeben zu müssen. Der Oberst hatte einige
Achtung gegen mich, er hörte auf meine Fürbitte, bis
endlich seine Wildheit gegen den Kommandierenden
General dieser Abteilung, die ich schon erzählte, ihn in
15 Arrest brachte, wo der Wundarzt erklärte, er leide wegen
der Kopfwunde, die ihm in der Gefangenschaft vernachlässigt worden, an Wahnsinn und müsse wenigstens
ein paar Jahre im warmen Klima bei den Invaliden
zubringen, ob sich dieses Übel vielleicht ausscheide. Ihm
20 wurde gesagt, daß er zur Strafe wegen seines Vergehens
unter die Invaliden komme, und er schied mit Ver-
wünschungen vom Regimente. Ich bat mir das Schreiben vom Obersten aus, ich beschloß, Ihnen zutraulich
alles zu eröffnen, damit er nicht nach der Strenge des
25 Gesetzes, sondern nach seinem Unglück, dessen einzige
Ursache meine Liebe war, beurteilt werde, und daß Sie
ihn zu seinem Besten in eine kleine, abgelegene Ortschaft
legen, damit er hier in der großen Stadt nicht zum
Gerede der Leute wird. Aber, gnädiger Herr, Ihr Ehren-
30 wort darf eine Frau schon fordern, die Ihnen heut einen
kleinen Dienst erwiesen, daß Sie dies Geheimnis seiner
Krankheit, welches er selbst nicht ahnt und das seinen
Stolz empören würde, unverbrüchlich bewahren. Hier
meine Hand, rief der Kommandant, der die eifrige Frau
35 mit Wohlgefallen angehört hatte, noch mehr, ich will
Ihre Fürbitte dreimal erhören, wenn Francoeur dumme
Streiche macht. Das Beste aber ist, diese zu vermeiden,
und darum schicke ich ihn gleich zur Ablösung nach
einem Fort, das nur drei Mann Besatzung braucht; Sie
40 finden da für sich und für Ihr Kind eine bequeme
Wohnung, er hat da wenig Veranlassung zu Torheiten,
und die er begeht, bleiben verschwiegen. Die Frau

---

sich zerstreuen *von sich selbst
wegkommen* zankte *suchte
Streit* begreifen *verstehen*
sanft *zart, freundlich* ich
wurde ... entbunden *ich
bekam ein Kind, einen Jungen*
Feldzug ... *die Kampf-
handlungen wieder begannen*
mutwillig *unkontrollierbar*

tollkühn *irrsinnig tapfer*

zuweilen *manchmal*

Abteilung *Truppeneinheit*

Wundarzt *heute: Chirurg*

vernachlässigt *nicht richtig be-
handelt*

ausscheide *kuriere*

Vergehen *Disziplinlosigkeit*

verwünschen *verfluchen, verdammen*

zutraulich *im Vertrauen*

Ursache *Grund* beurteilt
angesehen

Gerede *Schlechtes reden über*

erwiesen *getan*

Stolz *Selbst-, Ehrgefühl*
empören *verletzen*
unverbrüchlich bewahren
absolut für sich behalten

vermeiden *nicht tun*
Ablösung *Wechsel der Wache*

Veranlassung zu Torheiten
Grund zu Dummheiten
begeht *macht* verschwie-
gen *unbekannt*

gütige Vorsorge *verständnis-*
volle Hilfe

der Knicks *Verbeugung*

was seinem Alten ankomme
was mit ihm los sei gestiftet *begonnen* nachteilig
werden *schaden*

Beichte *'confession'*

Quacksalber *Pseudomediziner*

Brand *Feuer*

eröffnen *erklären*

der Spaß *Witz*

rühmte *preise* leibliche
Gebrechen *körperliche
Defekte* artig *nett*
erwarb *gewann* der so in
sich meinte *der still für sich
dachte*

im Befestigungswesen *in
Fortifikationsdingen*

dankte für diese gütige Vorsorge, küßte dem alten Herrn
die Hand, und er leuchtete ihr dafür, als sie mit vielen
Knicksen die Treppe hinunterging. Das verwunderte
den alten Kammerdiener Basset, und es fuhr ihm durch
den Kopf, was seinem Alten ankomme, ob der wohl gar 5
mit der brennenden Frau eine Liebschaft gestiftet habe,
die seinem Einflusse nachteilig werden könne. Nun
hatte der alte Herr die Gewohnheit abends im Bette,
wenn er nicht schlafen konnte, alles, was am Tage
geschehen, laut zu überdenken, als ob er dem Bette seine 10
Beichte hätte abstatten müssen. Und während nun die
Wagen vom Balle zurückrollten und ihn wach erhielten,
lauerte Basset im anderen Zimmer und hörte die ganze
Unterredung, die ihm um so wichtiger schien, weil Francoeur sein Landsmann und Regimentskamerad gewesen, 15
obgleich er viel älter als Francoeur war. Und nun
dachte er gleich an einen Mönch, den er kannte, der
schon manchem den Teufel ausgetrieben hatte, und zu
dem wollte er Francoeur bald hinführen; er hatte eine
rechte Freude am Quacksalbern und freute sich, einmal 20
wieder einen Teufel austreiben zu sehen. Rosalie hatte,
sehr befriedigt über den Erfolg ihres Besuchs, gut geschlafen; sie kaufte am Morgen eine neue Schürze und trat
mit dieser ihrem Manne entgegen, der mit entsetzlichem
Gesange seine müden Invaliden in die Stadt führte. Er 25
küßte sie, hob sie in die Luft und sagte ihr: Du riechst
nach dem trojanischen Brande, ich habe dich wieder,
schöne Helena! — Rosalie entfärbte sich und hielt es
für nötig, als er fragte, ihm zu eröffnen, daß sie wegen
der Wohnung beim Obersten gewesen, daß diesem ge- 30
rade das Bein in Flammen gestanden und daß ihre
Schürze verbrannt. Ihm war es nicht recht, daß sie
nicht bis zu seiner Ankunft gewartet habe, doch vergaß
er das in tausend Spässen über die brennende Schürze.
Er stellte darauf seine Leute dem Kommandanten vor, 35
rühmte alle ihre leiblichen Gebrechen und geistigen
Tugenden so artig, daß er des alten Herrn Wohlwollen
erwarb, der so in sich meinte: die Frau liebt ihn, aber sie
ist eine Deutsche und versteht keinen Franzosen; ein
Franzose hat immer den Teufel im Leibe! — Er ließ ihn 40
ins Zimmer kommen, um ihn näher kennenzulernen,
fand ihn im Befestigungswesen wohl unterrichtet und,

was ihn noch mehr entzückte, er fand in ihm einen lei-
denschaftlichen Feuerkünstler, der bei seinem Regimente schon alle Arten Feuerwerke ausgearbeitet hatte.
Der Kommandant trug ihm seine neue Erfindung zu
5 einem Feuerwerke am Geburtstage des Königs vor, bei
welcher ihn gestern der Beinbrand gestört hatte, und
Francoeur ging mit funkelnder Begeisterung darauf ein.
Nun eröffnete ihm der Alte, daß er mit zwei andern
Invaliden die kleine Besatzung des Forts Ratonneau
10 ablösen sollte, dort sei ein großer Pulvervorrat und dort
solle er mit seinen beiden Soldaten fleißig Raketen füllen,
Feuerräder drehen und Frösche binden. Indem der
Kommandant ihm den Schlüssel des Pulverturms und
das Inventarium reichte, fiel ihm die Rede der Frau ein,
15 und er hielt ihn mit den Worten noch fest: Aber Euch
plagt doch nicht der Teufel und Ihr stiftet mir Unheil?
— Man darf den Teufel nicht an die Wand malen, sonst
hat man ihn im Spiegel, antwortete Francoeur mit einem
gewissen Zutrauen. Das gab dem Kommandanten Ver-
20 trauen, er reichte ihm den Schlüssel, das Inventarium
und den Befehl an die jetzige kleine Garnison, auszuzie-
hen. So wurde er entlassen und auf dem Hausflur fiel
ihm Basset um den Hals, sie hatten sich gleich erkannt
und erzählten einander in aller Kürze, wie es ihnen
25 ergangen. Doch weil Francoeur an große Strenge in
allem Militärischen gewöhnt war, so riß er sich los und
bat ihn auf den nächsten Sonntag, wenn er abkommen
könnte, zu Gast nach dem Fort Ratonneau zu dessen
Kommandanten, der er selbst zu sein die Ehre habe.
30   Der Einzug auf dem Fort war für alle
gleich fröhlich, die abziehenden Invaliden hatten die
schöne Aussicht auf Marseille bis zum Überdruß genossen, und die Einziehenden waren entzückt über die
Aussicht, über das zierliche Werk, über die bequemen
35 Zimmer und Betten; auch kauften sie von den Abziehenden ein paar Ziegen, ein Taubenpaar, ein Dutzend
Hühner und die Kunststücke, um in der Nähe einiges
Wild in aller Stille belauern zu können; denn müßige
Soldaten sind ihrer Natur nach Jäger. Als Francoeur
40 sein Kommando angetreten, befahl er sogleich seinen
beiden Soldaten Brunet und Tessier, mit ihm den Pulverturm zu eröffnen, das Inventarium durchzugehen,

entzückte *erfreute*
leidenschaftlich *passioniert*

trug vor *erklärte*

Begeisterung *Enthusiasmus*

Vorrat *Stapel, die Reserve*

Frösche *Explosionskörper fürs
Feuerwerk*

... Zutrauen *sozusagen Mann
zu Mann*

der Hausflur *zwischen Tür
und Treppe*

ergangen *gegangen war*

Überdruß *mehr als genug*
entzückt *freuten sich*
zierlich *fein*

Ziegen, ein Taubenpaar
'goats, a pair of doves'
Kunststücke *Tricks*
belauern *sehen, ohne gesehen zu
werden* müßig *nichtstuend*

87

Vorrat *Stapel, die Quantität*	
der Mörser '*mortar*'	
hinlänglich *genügend groß*	
Geschütz *Kanonen, Artillerie*	
zu bestreichen *beschießen zu können*	
Stelzfuß *das Holzbein*	
gottlob *Gott sei Dank*	
einäschern *zu Asche verbrennen, zerstören*	
abweißen *weiß machen (streichen)*	
Grillen *fixe Ideen*	
segnen '*to bless*'	
Witterung *das Wetter*	
sich wenden *sich drehen*	
liefen *fuhren*	
Einkerkerung *das Eingeschlossensein*	

um dann einen gewissen Vorrat zur Feuerwerkerarbeit in das Laboratorium zu tragen. Das Inventarium war richtig, und er beschäftigte gleich einen seiner beiden Soldaten mit den Arbeiten zum Feuerwerk; mit dem andern ging er zu allen Kanonen und Mörsern, um die metallenen zu polieren und die eisernen schwarz anzustreichen. Bald füllte er auch eine hinlängliche Zahl Bomben und Granaten, ordnete auch alles Geschütz so, wie es stehen mußte, um den einzigen Aufgang nach dem Fort zu bestreichen. Das Fort ist nicht zu nehmen! rief er einmal über das andere begeistert. Ich will das Fort behaupten, auch wenn die Engländer mit hunderttausend Mann landen und stürmen! Aber die Unordnung war hier groß! So sieht es überall auf den Forts und Batterien aus, sagte Tessier, der alte Kommandant kann mit seinem Stelzfuß nicht mehr so weit steigen, und gottlob, bis jetzt ist es den Engländern noch nicht eingefallen, zu landen. — Das muß anders werden, rief Francoeur, ich will mir lieber die Zunge verbrennen, ehe ich zugebe, daß unsere Feinde Marseille einäschern oder wir sie doch fürchten müssen.

Die Frau mußte ihm helfen, das Mauerwerk von Gras und Moos zu reinigen, es abzuweißen und die Lebensmittel in den Kasematten zu lüften. In den ersten Tagen wurde fast nicht geschlafen, so trieb der unermüdliche Francoeur zur Arbeit, und seine geschickte Hand fertigte in dieser Zeit, wozu ein anderer wohl einen Monat gebraucht hätte. Bei dieser Tätigkeit ließen ihn seine Grillen ruhen; er war hastig, aber alles zu einem festen Ziele, und Rosalie segnete den Tag, der ihn in diese höhere Luftregion gebracht, wo der Teufel keine Macht über ihn zu haben schien. Auch die Witterung hatte sich durch Wendung des Windes erwärmt und erhellt, daß ihnen ein neuer Sommer zu begegnen schien; täglich liefen Schiffe im Hafen ein und aus, grüßten und wurden begrüßt von den Forts am Meere. Rosalie, die nie am Meere gewesen, glaubte sich in eine andere Welt versetzt, und ihr Knabe freute sich, nach so mancher harten Einkerkerung auf Wagen und in Wirtsstuben, der vollen Freiheit in dem eingeschlossenen kleinen Garten des Forts, den die früheren Bewohner nach Art der Soldaten, besonders der Artilleristen, mit

den künstlichsten mathematischen Linienverbindungen
in Buchsbaum geziert hatten. Darüber flatterte die
Fahne mit den Lilien, der Stolz Francoeurs, ein segens-
reiches Zeichen der Frau, die eine geborene Lilie, die
5 liebste Unterhaltung des Kindes. So kam der erste
Sonntag, von allen gesegnet, und Francoeur befahl seiner
Frau, für den Mittag ihm etwas Gutes zu besorgen, wo
er seinen Freund Basset erwarte, insbesondere machte er
Anspruch auf einen guten Eierkuchen, denn die Hühner
10 des Forts legten fleißig, lieferte auch eine Zahl wilder
Vögel, die Brunet geschossen hatte, in die Küche. Unter
diesen Vorbereitungen kam Basset hinaufgekeucht und
war entzückt über die Verwandlungen des Forts, erkundigte sich auch im Namen des Kommandanten nach
15 dem Feuerwerke und erstaunte über die große Zahl fer-
tiger Raketen und Leuchtkugeln. Die Frau ging nun an
ihre Küchenarbeit, die beiden Soldaten zogen aus, um
Früchte zur Mahlzeit zu holen, alle wollten an dem
Tage recht selig schwelgen und sich die Zeitung vorlesen
20 lassen, die Basset mitgebracht hatte. Im Garten saß nun
Basset dem Francoeur gegenüber und sah ihn stillschweigend an, dieser fragte nach der Ursache. Ich meine,
Ihr seht so gesund aus wie sonst, und alles, was Ihr tut,
ist so vernünftig. — Wer zweifelt daran? fragte Fran-
25 coeur mit einer Aufwallung, das will ich wissen! —
Basset suchte umzulenken, aber Francoeur hatte etwas
Furchtbares in seinem Wesen, sein dunkles Auge be-
feuerte sich, sein Kopf erhob sich, seine Lippen drängten
sich vor. Das Herz war schon dem armen Schwätzer
30 Basset gefallen, er sprach, dünnstimmig wie eine Violine,
von Gerüchten beim Kommandanten: er sei vom Teufel
geplagt, von seinem guten Willen, ihn durch einen
Ordensgeistlichen, den Vater Philipp, exorzieren zu
lassen, den er deswegen vor Tische hinaufbestellt habe
35 unter dem Vorwande, daß er eine Messe der vom Gottesdienst entfernten Garnison in der kleinen Kapelle lesen
müsse. Francoeur entsetzte sich über die Nachricht, er
schwur, daß er sich blutig an dem rächen wolle, der
solche Lüge über ihn ausgebracht, er wisse nichts vom
40 Teufel, und wenn es gar keinen gebe, so habe er auch
nichts dagegen einzuwenden, denn er habe nirgends die
Ehre seiner Bekanntschaft gemacht. Basset sagte, er sei

Buchsbaum 'box tree'
geziert *verschönert*
Fahne *Flagge*
geborene *ihr Mädchenname
war* Unterhaltung *das
Vergnügen*

machte . . . *wollte er gute
Omeletten*

vorbereiten *fertig machen*
keuchen *schwer atmen*
verwandeln *ändern*
erkundigte sich *fragte*

die Leuchtkugel *Geschoß, das
leuchtet*

schwelgen *genießen*

zweifeln *nicht glauben*
Aufwallung *der Ausbruch*
umlenken *das Thema wechseln*
Wesen *die Natur*

Gerücht *Gerede, Geschwätz*

bestellen *bitten*
Vorwand *Scheingrund*

entsetzte sich *wurde wild*

einwenden *dagegensagen*

vernommen *gehört*

zitternd *bebend*

geschieden *auseinander, getrennt*

Heimlichkeiten *Dinge, die ich nicht weiß*
gelitten *getragen*

toller Hund *Hund, der Tollwut ('rabies') hat*

heftig *wild, aufgeregt*

anbringen *tun*

empörte *ärgerte*

eifern *fanatisch reden*

Gitter *die Eisenstäbe*

außer dem *draußen vor dem*

abwenden *bannen, verhindern*

verlegen *beschämt, sprachlos*

ganz unschuldig, er habe die Sache vernommen, als der Kommandant mit sich laut gesprochen habe, auch sei ja dieser Teufel die Ursache, warum Francoeur vom Regimente fortgekommen. Und wer brachte dem Kommandanten die Nachricht? fragte Francoeur zitternd. 5 Eure Frau, antwortete jener, aber in der besten Absicht, um Euch zu entschuldigen, wenn Ihr hier wilde Streiche machtet. Wir sind geschieden! schrie Francoeur und schlug sich vor den Kopf, sie hat mich verraten, mich vernichtet, hat Heimlichkeiten mit dem Kommandan- 10 ten, sie hat unendlich viel für mich getan und gelitten, sie hat mir unendlich wehe getan, ich bin ihr nichts mehr schuldig, wir sind geschieden! — Allmählich schien er stiller zu werden, je lauter es in ihm wurde; er sah wieder den schwarzen Geistlichen vor Augen, wie die 15 vom tollen Hunde Gebissenen den Hund immer zu sehen meinen, da trat Vater Philipp in den Garten, und er ging mit Heftigkeit auf ihn zu, um zu fragen, was er wolle. Dieser meinte, seine Beschwörung anbringen zu müssen, redete den Teufel heftig an, indem er seine 20 Hände in kreuzenden Linien über Francoeur bewegte. Das alles empörte Francoeur, er gebot ihm als Kommandant des Forts, den Platz sogleich zu verlassen. Aber der unerschrockne Philipp eiferte um so heftiger gegen den Teufel in Francoeur, und als er sogar seinen Stab 25 erhob, ertrug Francoeurs militärischer Stolz diese Drohung nicht. Mit wütender Stärke ergriff er den kleinen Philipp bei seinem Mantel und warf ihn über das Gitter, das den Eingang schützte, und wäre der gute Mann nicht an den Spitzen des Türgitters mit dem Mantel 30 hängengeblieben, er hätte einen schweren Fall die steinerne Treppe hinunter gemacht. Nahe diesem Gitter war der Tisch gedeckt, das erinnerte Francoeur an das Essen. Er rief nach dem Essen, und Rosalie brachte es, etwas erhitzt vom Feuer, aber sehr fröhlich, denn sie 35 bemerkte nicht den Mönch außer dem Gitter, der sich kaum vom ersten Schrecken erholt hatte und still vor sich betete, um neue Gefahr abzuwenden; kaum beachtete sie, daß ihr Mann und Basset, jener finster, dieser verlegen, nach dem Tische blickten. Sie fragte nach den 40 beiden Soldaten, aber Francoeur sagte: Sie können nachessen, ich habe Hunger, daß ich die Welt zerreißen

90

könnte. Darauf legte sie die Suppe vor und gab Basset
aus Artigkeit das meiste, dann ging sie nach der Küche,
um den Eierkuchen zu backen. Wie hat denn meine
Frau dem Kommandanten gefallen? fragte Francoeur.
5 Sehr gut, antwortete Basset, er wünschte, daß es ihm in
der Gefangenschaft so gut geworden wäre wie Euch.
Er soll sie haben! antwortete er. Nach den beiden
Soldaten, die fehlen, fragte sie, was mir fehlt, das fragte
sie nicht; Euch sucht sie als einen Diener des Komman-
10 danten zu gewinnen, darum füllte sie Euren Teller, daß
er überfloß, Euch bot sie das größte Glas Wein an, gebt
Achtung, sie bringt Euch auch das größte Stück Eierkuchen. Wenn das der Fall ist, dann stehe ich auf, dann
führt sie nur fort und laßt mich hier allein. — Basset
15 wollte antworten, aber im Augenblicke trat die Frau
mit den Eierkuchen herein. Sie hatte ihn schon in drei
Stücke geschnitten, ging zu Basset und schob ihm ein
Stück mit den Worten auf den Teller: Einen bessern
Eierkuchen findet Ihr nicht beim Kommandanten, Ihr
20 müßt mich rühmen! — Finster blickte Francoeur in die
Schüssel, die Lücke war fast so groß wie die beiden
Stücke, die noch blieben, er stand auf und sagte: Es ist
nicht anders, wir sind geschieden! Mit diesen Worten
ging er nach dem Pulverturme, schloß die eiserne Türe
25 auf, trat ein und schloß sie wieder hinter sich zu. Die
Frau sah ihm verwirrt nach und ließ die Schüssel fallen.
Gott, ihn plagt der Böse; wenn er nur nicht Unheil
stiftet im Pulverturm. — Ist das der Pulverturm? rief
Basset, er sprengt sich in die Luft, rettet Euch und Euer
30 Kind! Mit diesem Worte lief er fort, auch der Mönch
wagte sich nicht wieder herein und lief ihm nach.
Rosalie eilte in die Wohnung zu ihrem Kinde, riß es aus
dem Schlafe, aus der Wiege, sie wußte nichts mehr von
sich, bewußtlos, wie sie Francoeur einst gefolgt, so entfloh
35 sie ihm mit dem Kinde und sagte vor sich hin: Kind, das
tue ich nur deinetwegen, mir wäre besser, mit ihm zu
sterben; Hagar, du hast nicht gelitten wie ich, denn ich
verstoße mich selbst! — Unter solchen Gedanken kam
sie herab auf einem falschen Wege und stand am sumpfi-
40 gen Ufer des Flusses. Sie konnte aus Ermattung nicht
mehr gehen und setzte sich deswegen in einen Nachen,
der, nur leicht ans Ufer gefahren, leicht abzustoßen war,

aus Artigkeit *aus Gastfreund-
schaft*

was mir fehlt *was mit mir los
ist*

rühmen *preisen*
Lücke *der leere Platz*

das Unheil *Unglück*

sprengt ... *tötet sich durch eine
Explosion*

Wiege *Bett des Kleinkindes*

deinetwegen *wegen dir*

verstoße *verdamme*

ermatten *müd und kraftlos
werden*
Nachen *kleines Boot*

und ließ sich den Fluß herabtreiben; sie wagte nicht umzublicken; wenn am Hafen ein Schuß geschah, meinte sie, das Fort sei gesprengt und ihr halbes Leben verloren, so verfiel sie allmählich in einen dumpfen, fieberartigen Zustand.

Unterdessen waren die beiden Soldaten, mit Äpfeln und Trauben bepackt, in die Nähe des Forts gekommen, aber Francoeurs starke Stimme rief ihnen, indem er eine Flintenkugel über ihre Köpfe abfeuerte: Zurück! dann sagte er durch das Sprachrohr: An der hohen Mauer werde ich mit Euch reden, ich habe hier allein zu befehlen und will auch allein hier leben, solange es dem Teufel gefällt! Sie wußten nicht, was das bedeuten solle, aber es war nichts anderes zu tun, als dem Willen des Sergeanten Folge zu leisten. Sie gingen herab zu dem steilen Abhange des Forts, welcher die hohe Mauer hieß, und kaum waren sie dort angelangt, so sahen sie Rosaliens Bette und des Kindes Wiege an einem Seile niedersinken, dem folgten ihre Betten und Geräte, und Francoeur rief durch das Sprachrohr: Das Eurige nehmt; Bett, Wiege und Kleider meiner entlaufenen Frau bringt zum Kommandanten, da werdet ihr sie finden; sagt, das schicke ihr Satanas, und diese alte Fahne, um ihre Schande mit dem Kommandanten zuzudecken! Bei diesen Worten warf er die große französische Flagge, die auf dem Fort geweht hatte, herab und fuhr fort: Dem Kommandanten lasse ich hierdurch Krieg erklären, er mag sich waffnen bis zum Abend, dann werde ich mein Feuer eröffnen; er soll nicht schonen, denn ich schone ihn beim Teufel nicht; er soll alle seine Hände ausstrecken, er wird mich doch nicht fangen; er hat mir den Schlüssel zum Pulverturm gegeben, ich will ihn brauchen, und wenn er mich zu fassen meint, fliege ich mit ihm gen Himmel, vom Himmel in die Hölle, das wird Staub geben. — Brunet wagte endlich zu reden und rief hinauf: Gedenkt an unsern gnädigsten König, daß der über Euch steht, ihm werdet Ihr doch nicht widerstreben. Dem antwortete Francoeur: In mir ist der König aller Könige dieser Welt, in mir ist der Teufel, und im Namen des Teufels sage ich Euch, redet kein Wort, sonst zerschmettere ich euch! — Nach dieser Drohung packten beide stillschweigend das

Randglossen:

dumpf *apathisch*
Zustand *die Kondition*
unterdessen *inzwischen*
Trauben *'grapes'*

Flintenkugel *der Gewehrschuß*
Sprachrohr *Megaphon*

befehlen *kommandieren*

anlangen *ankommen*

Geräte *Sachen*
das Eurige *was Euch gehört*

Schande *Sünde, Unehre*

schonen *zurückhalten*

gen (gegen) *zum, nach*
Staub *ein Spektakel*

ihm widerstreben *gegen ihn gehen*

zerschmettern *vernichten*

92

Ihre zusammen und ließen das übrige stehen; sie wußten,
daß oben große Steinmassen angehäuft waren, die unter
der steilen Felswand alles zerschmettern konnten. Als
sie nach Marseille zum Kommandanten kamen, fanden
5 sie ihn schon in Bewegung, denn Basset hatte ihn von
allem unterrichtet; er sandte die beiden Ankommenden
mit einem Wagen nach dem Fort, um die Sachen der
Frau gegen den drohenden Regen zu sichern, andere
sandte er aus, um die Frau mit dem Kinde aufzufinden,
10 während er die Offiziere bei sich versammelte, um mit
ihnen zu überlegen, was zu tun sei. Die Besorgnis dieses
Kriegsrats richtete sich besonders auf den Verlust des
schönen Forts, wenn es in die Luft gesprengt würde;
bald kam aber ein Abgesandter der Stadt, wo sich das
15 Gerücht verbreitet hatte, und stellte den Untergang des
schönsten Teiles der Stadt als ganz unvermeidlich dar.
Es wurde allgemein anerkannt, daß mit Gewalt nicht
verfahren werden dürfe, denn Ehre sei nicht gegen einen
einzelnen Menschen zu erringen, wohl aber ein unge-
20 heurer Verlust durch Nachgiebigkeit abzuwenden; der
Schlaf werde die Wut Francoeurs doch endlich überwinden, dann sollten entschlossene Leute das Fort erklettern und ihn fesseln. Dieser Ratschluß war kaum gefaßt,
so wurden die beiden Soldaten eingeführt, welche Ro-
25 saliens Betten und Gerät zurückgebracht hatten. Sie
hatten eine Bestellung Francoeurs zu überbringen, daß
ihm der Teufel verraten, sie wollten ihn im Schlafe
fangen; aber er warne sie aus Liebe zu einigen Teufelska-
meraden, die zu dem Unternehmen gebraucht werden
30 sollten, denn er werde ruhig in seinem verschlossenen
Pulverturme mit geladenen Gewehren schlafen, und ehe
sie die Tür erbrechen könnten, wäre er längst erwacht
und der Turm mit einem Schusse in die Pulverfässer
zersprengt. Er hat recht, sagte der Kommandant, er
35 kann nicht anders handeln, wir müssen ihn aushungern.
— Er hat den ganzen Wintervorrat für uns alle hinaufgeschafft, bemerkte Brunet, wir müssen wenigstens ein
halbes Jahr warten, auch sagte er, daß ihm die vorbei-
fahrenden Schiffe, welche die Stadt versorgen, reichlichen
40 Zoll geben sollten, sonst bohre er sie in den Grund, und
zum Zeichen, daß niemand in der Nacht fahren sollte
ohne seine Bewilligung, werde er am Abend einige Ku-

das Ihre *was ihnen gehörte*

Fels *Stein*

unterrichtet *informiert*

überlegen *ausdenken*
der Rat *die Konferenz*

Abgesandter *Repräsentant*
Gerücht *unsichere Information*
stellte dar *malte aus*
Untergang *Vernichtung*
unvermeidlich *sicher*
allgemein *generell* Gewalt
kriegerische Aktion
erringen *gewinnen* durch
Nachgiebigkeit abzuwen-
den *durch Zurückhaltung zu
verhindern* überwinden
überkommen entschlossen
mutig, tapfer fesseln *binden*
Ratschluß *Gedanke*

Bestellung *Nachricht*
verraten *gesagt*

hinaufgeschafft *hinaufge-
bracht*

geln über den Fluß sausen lassen. Wahrhaftig, er schießt!
rief einer der Offiziere, und alle liefen nach einem Fenster des obern Stockwerkes. Welch ein Anblick! An allen
Ecken des Forts eröffneten die Kanonen ihren feurigen

Rachen *Mund (eines Tieres)* Rachen, die Kugeln sausten durch die Luft, in der Stadt 5
versteckte sich die Menge versteckte sich die Menge mit großem Geschrei, und nur
nahmen die Leute Deckung einzelne wollten ihren Mut in kühnem Anschauen der
kühn *mutig, tapfer* Gefahr beweisen. Aber sie wurden auch reichlich dafür
beweisen *zeigen* belohnt, denn mit hellem Lichte schoß Francoeur ein
Bündel Raketen aus einer Haubitze in die Luft und ein 10
Bündel Leuchtkugeln aus einem Mörser, denen er aus
Gewehren unzählige andre nachsandte. Der Kom-

Wirkung *der Effekt* mandant versicherte, diese Wirkung sei trefflich, er habe
das Wurfgeschütz *die Artillerie* es nie gewagt, Feuerwerke mit Wurfgeschütz in die Luft
gewissermaßen *sozusagen* zu treiben, aber die Kunst werde dadurch gewissermaßen 15
zu einer meteorischen, der Francoeur verdiene schon

begnadigen *freilassen* deswegen begnadigt zu werden.
Erleuchtung *Illumination* Diese nächtliche Erleuchtung hatte eine
die Absicht *Intention* andre Wirkung, die wohl in keines Menschen Absicht
lag; sie rettete Rosalien und ihrem Kinde das Leben. 20

der Kahn *das Boot* Beide waren in dem ruhigen Treiben des Kahnes eingeschlummert, und Rosalie sah im Traume ihre Mutter
verzehrt *verbrannt* von innerlichen Flammen durchleuchtet und verzehrt
und fragte sie, warum sie so leide. Da war's, als ob eine
laute Stimme ihr in die Ohren rief: Mein Fluch brennt 25
eigen bleiben *immer gehören* mich wie dich, und kannst du ihn nicht lösen, so bleib
ich eigen allem Bösen. Sie wollte noch mehr sprechen,
aber Rosalie war schon aufgeschreckt, sah über sich das

Bündel Leuchtkugeln im höchsten Glanze, hörte neben sich einen Schiffer rufen: Steuert links, wir fahren sonst ein Boot in den Grund, worin ein Weib mit einem Kinde sitzt. Und schon rauschte die vordere Spitze eines
5 großen Flußschiffes wie ein geöffneter Walfischrachen hinter ihr, da .wandte er sich links, aber ihr Nachen wurde doch seitwärts nachgerissen. Helft meinem armen Kinde! rief sie, und der Haken eines Stangenruders ver- **Stangenruder** 'hooked pole' band sie mit dem großen Schiffe, das bald darauf Anker
10 warf. Wäre das Feuerwerk auf dem Fort Ratonneau nicht aufgegangen, rief der eine Schiffer, ich hätte Euch nicht gesehen und wir hätten Euch ohne bösen Willen in den Grund gesegelt, wie kommt Ihr so spät und allein aufs Wasser, warum habt Ihr uns nicht angeschrien?
15 Rosalie beantwortete schnell die Fragen und bat nur dringend, sie nach dem Hause des Kommandanten zu bringen. Der Schiffer gab ihr aus Mitleid seinen Jungen zum Führer.

Sie fand alles in Bewegung beim Kom-
20 mandanten, sie bat ihn, seines Versprechens eingedenk **Versprechen** gegebenes Wort zu sein, daß er ihrem Manne drei Versehen verzeihen **Versehen verzeihen** Fehler wollte. Er leugnete, daß von solchen Versehen die vergeben leugnete wider-sprach Rede gewesen, es sei über Scherz und Grillen geklagt worden, das sei aber ein teuflischer Ernst. — So ist das
25 Unrecht auf Eurer Seite, sagte die Frau gefaßt, denn sie **gefaßt** ruhig fühlte sich nicht mehr schicksallos,[7] auch habe ich den Zustand des armen Mannes angezeigt und doch habt **Zustand** die psychische Ihr ihm einen so gefährlichen Posten vertraut, Ihr habt Problematik mir Geheimnis angelobt, und doch habt Ihr alles an **angelobt** versprochen
30 Basset, Euren Diener erzählt, der uns mit seiner törichten **mit törichter Klugheit und** Klugheit und Fürwitzigkeit in das ganze Unglück ge- Fürwitzigkeit Dummheit stürzt hat; nicht mein armer Mann, Ihr seid an allem und Neugierde Unglück schuld, Ihr müßt dem Könige davon Rechen- schaft geben. — Der Kommandant verteidigte sich gegen
35 den Vorwurf, daß er etwas dem Basset erzählt habe, **Vorwurf** Beschuldigung dieser gestand, daß er ihn im Selbstgespräche belauscht, **gestand** gab es zu, sagte und so war die ganze Schuld auf seine Seele geschoben. Der alte Mann sagte, daß er den andern Tag sich vor **den andern** am nächsten

---

[7]Sie fühlt die Wichtigkeit und Bedeutung ihrer persönlichen Rolle in dieser schicksalhaften (existentiellen) Situation, deshalb ist sie „gefaßt" (ruhig, sicher, kühl).

angewiesen *gegeben*

mit sich zu Rate ging
nachdachte flehen *bitten*

Eingebung *Inspiration*

verdrießlich *unzufrieden,
mißmutig*

Geschicklichkeit *das Können*

Schonung *Milde*

gesperrt *blockiert* Chaussee
Landstraße

gehemmt *verhindert, auf-
gehalten*
verfahre *vorgehe*

Nachsicht *Milde*

Ausgang *das Ende* Schimpf
ablenken *die Unehre verhindern* Feigheit *Ängstlichkeit*
Dünkel *die Arroganz*

Verdacht 'suspicion'
Angelegenheit *Sache*

das Testament *letzter Wille*

dem Fort wolle totschießen lassen, um seinem Könige die Schuld mit seinem Leben abzuzahlen, aber Rosalie bat ihn, sich nicht zu übereilen, er möge bedenken, daß sie ihn schon einmal aus dem Feuer gerettet habe. Ihr wurde ein Zimmer im Hause des Kommandanten ange- 5 wiesen, und sie brachte ihr Kind zur Ruhe, während sie selbst mit sich zu Rate ging und zu Gott flehte, ihr anzugeben, wie sie ihre Mutter den Flammen und ihren Mann dem Fluche entreißen könne. Aber auf ihren Knien versank sie in einen tiefen Schlaf und war sich am 10 Morgen keines Traumes, keiner Eingebung bewußt. Der Kommandant, der schon früh einen Versuch gegen das Fort gemacht hatte, kam verdrießlich zurück. Zwar hatte er keine Leute verloren, aber Francoeur hatte so viele Kugeln mit solcher Geschicklichkeit links und 15 rechts über sie hinsausen lassen, daß sie ihr Leben nur seiner Schonung dankten. Den Fluß hatte er durch Signalschüsse gesperrt, auch auf der Chaussee durfte niemand fahren, kurz, aller Verkehr der Stadt war für diesen Tag gehemmt, und die Stadt drohte, wenn der 20 Kommandant nicht vorsichtig verfahre, sondern wie in Feindesland ihn zu belagern denke, daß sie die Bürger aufbieten und mit dem Invaliden schon fertig werden wolle.

Drei Tage ließ sich der Kommandant so 25 hinhalten, jeden Abend verherrlichte ein Feuerwerk, jeden Abend erinnerte Rosalie an sein Versprechen der Nachsicht. Am dritten Abend sagte er ihr, der Sturm sei auf den andern Mittag festgesetzt, die Stadt gebe nach, weil aller Verkehr gestört sei und endlich Hungers- 30 not ausbrechen könne. Er werde den Eingang stürmen, während ein andrer Teil von der andern Seite heimlich anzuklettern suche, so daß diese vielleicht früher ihrem Manne in den Rücken kämen, ehe er nach dem Pulver- turm springen könne; es werde Menschen kosten, der 35 Ausgang sei ungewiß, aber er wolle den Schimpf von sich ablenken, daß durch seine Feigheit ein toller Mensch zu dem Dünkel gekommen, einer ganzen Stadt zu trotzen; das größte Unglück sei ihm lieber als dieser Verdacht, er habe seine Angelegenheiten mit der Welt 40 und vor Gott zu ordnen gesucht, Rosalie und ihr Kind würden sich in seinem Testamente nicht vergessen finden. Rosalie fiel ihm zu Füßen und fragte, was denn das Schicksal ihres Mannes sei, wenn er im Sturme gefangen würde. Der Kommandant wendete sich ab und sagte leise: der Tod unausbleiblich, auf Wahnsinn

5 würde von keinem Kriegsgerichte erkannt werden,[8] es ist zuviel Einsicht, Vorsicht und Klugheit in der ganzen Art, wie er sich nimmt; der Teufel kann nicht vor Gericht gezogen werden, er muß für ihn leiden. — Nach einem Strome von Tränen erholte sich Rosalie und

10 sagte, wenn sie das Fort ohne Blutvergießen, ohne Gefahr in die Gewalt des Kommandanten brächte, würde dann sein Vergehen als ein Wahnsinn Begnadigung finden? — Ja, ich schwör's, rief der Kommandant, aber es ist vergeblich. Euch haßt er vor allen und rief gestern einem

15 unsrer Vorposten zu, er wolle das Fort übergeben, wenn wir ihm den Kopf seiner Frau schicken könnten. Ich kenne ihn, sagte die Frau, ich will den Teufel beschwören in ihm, ich will ihm Frieden geben, sterben würde ich doch mit ihm, also ist nur Gewinn für mich, wenn ich

20 von seiner Hand sterbe, der ich vermählt bin durch den heiligsten Schwur. — Der Kommandant bat sie, sich wohl zu bedenken, erforschte ihre Absicht, widerstand aber weder ihren Bitten, noch der Hoffnung, auf diesem Wege dem gewissen Untergange zu entgehen.

25 Vater Philipp hatte sich im Hause eingefunden und erzählte, der unsinnige Francoeur habe jetzt eine große weiße Flagge ausgesteckt, auf welcher der Teufel gemalt sei, aber der Kommandant wollte nichts von seinen Neuigkeiten wissen und befahl ihm, zu Rosa

30 lien zu gehen, die ihm beichten wolle. Nachdem Rosalie ihre Beichte in aller Ruhe eines gottergebnen Gemütes abgelegt hatte, bat sie den Vater Philipp, sie nur bis zu einem sichern Steinwalle zu begleiten, wo keine Kugel ihn treffen könne, dort wolle sie ihm ihr Kind und Geld

35 zur Erziehung desselben übergeben, sie könne sich noch nicht von dem lieben Kinde trennen. Er versprach es ihr zögernd, nachdem er sich im Hause erkundigt hatte, ob er auch dort noch sicher gegen die Schüsse sei, denn sein Glaube, Teufel austreiben zu können, hatte sich

40 in ihm ganz verloren, er gestand, was er bisher ausge-

---

unausbleiblich *ganz sicher*

Begnadigung *Milde, der Pardon*

vergeblich *sinnlos, geht nicht*

Vorposten *Beobachter vor der Frontlinie*

vermählt *verbunden*

Schwur *Eid*

erforschte *fragte nach*

... zu entgehen *nicht ihr sicheres Ende zu finden*
sich einfinden *ankommen*
unsinnig *verrückt*

beichten *ihre Sünden sagen*

eines gottergebnen Gemüts *eines frommen Herzens*

Erziehung *Edukation*

zögernd *langsam und unsicher*
sich erkundigen *fragen*

gestand *gab zu*

[8]Temporärer Wahnsinn gilt nicht als mildernder Grund bei der Militärjustiz.

der rechte *der wirkliche*
gering *klein*

Bandschleifen *Haarbänder*

weil er des Mitgehens gern
überhoben gewesen *weil er
lieber dageblieben wäre*
müßig *nichtstuend*
Rosalien *(alter Akkusativ)*
berührte *traf*

verborgen *geheim*

Fläche *ebenes Land*
bedauerte es *tat es leid*

stillen *zu trinken geben*

wickeln *rollen*

blaue Hellung *lichtes Blau*

umstürzen *niederfallen*

bange *angst*

bestanden *überlebt habe*
regte sich *fühlte sie*

trieben hätte, möchte wohl der rechte Teufel nicht gewesen sein, sondern ein geringerer Spuk.

Rosalie kleidete ihr Kind noch einmal unter mancher Träne weiß mit roten Bandschleifen an, dann nahm sie es auf den Arm und ging schweigend die Treppe hinunter. Unten stand der alte Kommandant und konnte ihr nur die Hand drücken und mußte sich umwenden, weil er sich der Tränen vor den Zuschauern schämte. So trat sie auf die Straße, keiner wußte ihre Absicht, Vater Philipp blieb etwas zurück, weil er des Mitgehens gern überhoben gewesen, dann folgte die Menge müßiger Menschen auf den Straßen, die ihn fragten, was es bedeute. Viele fluchten auf Rosalien, weil sie Francoeurs Frau war, aber dieser Fluch berührte sie nicht.

Der Kommandant führte unterdessen seine Leute auf verborgenen Wegen nach den Plätzen, von welchen der Sturm eröffnet werden sollte, wenn die Frau den Wahnsinn des Mannes nicht beschwören könnte. Am Tore schon verließ die Menge Rosalien, denn Francoeur schoß von Zeit zu Zeit über diese Fläche, auch Vater Philipp klagte, daß ihm schwach werde, er müsse sich niederlassen. Rosalie bedauerte es und zeigte ihm den Felsenwall, wo sie ihr Kind noch einmal stillen und es dann in den Mantel niederlegen wollte, dort möge es gesucht werden, da liege es sicher aufbewahrt, wenn sie nicht zu ihm zurückkehren könne. Vater Philipp setzte sich betend hinter den Felsen, und Rosalie ging mit festem Schritt dem Steinwalle zu, wo sie ihr Kind tränkte und segnete, es in ihren Mantel wickelte und in Schlummer brachte. Da verließ sie es mit einem Seufzer, der die Wolken in ihr brach, daß blaue Hellung und das stärkende Sonnenbild sie bestrahlten. Nun war sie dem harten Manne sichtbar, als sie am Steinwalle heraustrat, ein Licht schlug am Tore auf, ein Druck, als ob sie umstürzen müßte, ein Rollen in der Luft, ein Sausen, das sich damit mischte, zeigten ihr an, daß der Tod nahe an ihr vorübergegangen. Es wurde ihr aber nicht mehr bange, eine Stimme sagte ihr innerlich, daß nichts untergehen könne, was diesen Tag bestanden, und ihre Liebe zum Manne, zum Kinde regte sich noch in ihrem Herzen, als sie ihren Mann

vor sich auf dem Festungswerke stehen und laden, das Kind hinter sich schreien hörte; sie taten ihr beide mehr leid als ihr eignes Unglück, und der schwere Weg war nicht der schwerste Gedanke ihres Herzens. Und ein
5 neuer Schuß betäubte ihre Ohren und schmetterte ihr Felsstaub ins Gesicht, aber sie betete und sah zum Himmel. So betrat sie den engen Felsgang, der wie ein verlängerter Lauf für zwei mit Kartätschen geladene Kanonen mit boshaftem Geize die Masse des verderb-
10 lichen Schusses gegen die Andringenden zusammenzu-halten bestimmt war. — Was siehst du, Weib! brüllte Francoeur, sieh nicht in die Luft, deine Engel kommen nicht, hier steht dein Teufel und dein Tod. — Nicht Tod, nicht Teufel trennen mich mehr von dir, sagte sie
15 getrost und schritt weiter hinauf die großen Stufen. Weib, schrie er, du hast mehr Mut als der Teufel, aber es soll dir doch nichts helfen. — Er blies die Lunte an, die eben verlöschen wollte, der Schweiß stand ihm hell-glänzend über Stirn und Wangen, es war, als ob zwei
20 Naturen in ihm rangen. Und Rosalie wollte nicht diesen Kampf hemmen und der Zeit vorgreifen, auf die sie zu vertrauen begann; sie ging nicht vor, sie kniete auf die Stufe nieder, als sie drei Stufen von den Kanonen entfernt war, wo sich das Feuer kreuzte. Er riß Rock
25 und Weste an der Brust auf, um sich Luft zu machen, er griff in sein schwarzes Haar, das verwildert in Locken starrte, und riß es sich wütend aus. Da öffnete sich die Wunde am Kopfe in dem wilden Erschüttern durch Schläge, die er an seine Stirn führte, Tränen und Blut
30 löschten den brennenden Zundstrick, ein Wirbelwind warf das Pulver von den Zündlöchern der Kanonen und die Teufelsflagge vom Turm. Der Schornsteinfeger macht sich Platz, er schreit zum Schornstein hinaus! rief er und deckte seine Augen. Dann besann er sich,
35 öffnete die Gittertüre, schwankte zu seiner Frau, hob sie auf, küßte sie, endlich sagte er: Der schwarze Bergmann hat sich durchgearbeitet, es strahlt wieder Licht in meinen Kopf, und Luft zieht hindurch, und die Liebe soll wieder ein Feuer zünden, daß uns nicht mehr friert.
40 Ach Gott, was hab ich in diesen Tagen verbrochen! Laß uns nicht feiern, sie werden mir nur wenig Stunden noch schenken, wo ist mein Kind, ich muß es küssen,

das Festungswerk *die Fortifi-kation*

betäubte ihre Ohren *nahm ihr das Gehör*
Felsstaub *pulverisierter Stein*
Gang *Weg*
Lauf *Vorderteil bei Gewehr und Kanone* Kartätsche *Schrap-nellgeschoß* verderblich *tödlich* die Andringenden *die Stürmenden*

trennen *reißen*

getrost *ruhig* Stufen *Treppen*

Lunte *Zündschnur*, 'fuse'
verlöschen *ausgehen*

hemmen *aufhalten*
vorgreifen *Rechte wegnehmen*

der Rock *die Uniformjacke*

Locken 'curls'
starrte *herausstand* wütend *wild* Erschüttern *Vibrieren*

Zundstrick *Lunte, Zündschnur*

Schornsteinfeger *Kaminfeger*, „schwarzer Mann"

sich besinnen *nachdenken*
schwankte *stolperte*
Bergmann *Arbeiter im (Kohlen)bergwerk*

verbrochen *Böses getan*

99

weil (*hier: während*)

Scheiden *Weggehen*
das Dasein *die Existenz*

Verzweiflung *Hoffnungslosig-
keit* gottlob *Gott sei Dank*
in Vernunft *mit klarem
Kopf* reuig *wem seine
Sünden leid tun* Entzük-
kung *Freude* verziehen
vergeben (worden war)

schleichen *gehen, ohne gesehen
zu werden*

artig *lieb*

gleichsam *sozusagen* getröstet *inneren Halt gegeben*

treulich *in Treue, Freundschaft*

geschieden *gegangen*
schelten *schimpfen, Böses
sagen*

Fernrohr *Fernglas, Teleskop*
Degen *Säbel, leichtes Schwert*
kündigte Verzeihung an
versprach Pardon
Chirurg *Arzt*

Eiterung *Infektion*

weil ich noch frei bin; was ist Sterben? Starb ich nicht
schon einmal, als du mich verlassen, und nun kommst
du wieder, und dein Kommen gibt mir mehr, als dein
Scheiden mir nehmen konnte, ein unendliches Gefühl
meines Daseins, dessen Augenblicke mir genügen. Nun 5
lebte ich gern mit dir und wäre deine Schuld noch größer
als meine Verzweiflung gewesen, aber ich kenne das
Kriegsgesetz, und ich kann nun, gottlob! in Vernunft
als ein reuiger Christ sterben. — Rosalie konnte in ihrer
Entzückung, von ihren Tränen fast erstickt, kaum sagen, 10
daß ihm verziehen, daß sie ohne Schuld und ihr Kind
nahe sei. Sie verband seine Wunde in Eile, dann zog sie
ihn die Stufen hinunter bis hin zu dem Steinwalle, wo
sie das Kind verlassen. Da fanden sie den guten Vater
Philipp bei dem Kinde, der allmählich hinter Fels- 15
stücken zu ihm hingeschlichen war, und das Kind ließ
etwas aus den Händen fliegen, um nach dem Vater sie
auszustrecken. Und während sich alle drei umarmt
hielten, erzählte Vater Philipp, wie ein Taubenpaar
vom Schloß heruntergeflattert sei und mit dem Kinde 20
artig gespielt, sich von ihm habe anrühren lassen und
es gleichsam in seiner Verlassenheit getröstet habe. Als
er das gesehen, habe er sich dem Kinde zu nahen gewagt. Sie waren wie gute Engel meines Kindes Spiel-
kameraden auf dem Fort gewesen, sie haben es treulich 25
aufgesucht, sie kommen sicher wieder und werden es
nicht verlassen. Und wirklich umflogen sie die Tauben
freundlich und trugen in ihren Schnäbeln grüne Blätter.
Die Sünde ist von uns geschieden, sagte Francoeur, nie
will ich wieder auf den Frieden schelten, der Friede tut 30
mir so gut.

Inzwischen hatte sich der Kommandant
mit seinen Offizieren genähert, weil er den glücklichen
Ausgang durch sein Fernrohr gesehen. Francoeur übergab ihm seinen Degen, er kündigte Francoeur Verzeih- 35
ung an, weil seine Wunde ihn des Verstandes beraubt
gehabt, und befahl einem Chirurgen, diese Wunde zu
untersuchen und besser zu verbinden. Francoeur setzte
sich nieder und ließ ruhig alles mit sich geschehen, er
sah nur Frau und Kind an. Der Chirurg wunderte sich, 40
daß er keinen Schmerz zeigte, er zog ihm einen Knochensplitter aus der Wunde, der ringsumher eine Eiterung

hervorgebracht hatte es schien, als ob die gewaltige
Natur Francoeurs ununterbrochen und allmählich an
der Hinausschaffung gearbeitet habe, bis ihm endlich
äußere Gewalt, die eigne Hand seiner Verzweiflung die
5 äußere Rinde durchbrochen. Er versicherte, daß ohne
diese glückliche Fügung ein unheilbarer Wahnsinn den
unglücklichen Francoeur hätte aufzehren müssen. Damit
ihm keine Anstrengung schade, wurde er auf einen
Wagen gelegt, und sein Einzug in Marseille glich unter
10 einem Volke, das Kühnheit immer mehr als Güte zu
achten weiß, einem Triumphzuge; die Frauen warfen
Lorbeerkränze auf den Wagen, alles drängte sich, den
stolzen Bösewicht kennenzulernen, der so viele tausend
Menschen während drei Tagen beherrscht hatte. Die
15 Männer aber reichten ihre Blumenkränze Rosalien und
ihrem Kinde und rühmten sie als Befreierin und schwu-
ren, ihr und dem Kinde reichlich zu vergelten, daß sie
ihre Stadt vom Untergange gerettet habe.

Nach solchem Tage läßt sich in e i n e m
20 Menschenleben selten noch etwas erleben, was der
Mühe des Erzählens wert wäre, wenngleich die Wiederbeglückten, die Fluchbefreiten, erst in diesen ruhigeren
Jahren den ganzen Umfang des gewonnenen Glücks er-
kannten. Der gute, alte Kommandant nahm Francoeur
25 als Sohn an, und konnte er ihm auch nicht seinen Namen
übertragen, so ließ er ihm doch einen Teil seines Vermögens und seinen Segen. Was aber Rosalie noch inniger berührte, war ein Bericht, der erst nach Jahren aus
Prag einlief, in welchem ein Freund der Mutter anzeigte,
30 daß diese wohl ein Jahr unter verzehrenden Schmerzen
den Fluch bereut habe, den sie über ihre Tochter ausgestoßen, und bei dem sehnlichen Wunsche nach Erlösung des Leibes und der Seele sich und der Welt zum
Überdruß bis zu dem Tage gelebt habe, der Rosaliens
35 Treue und Ergebenheit in Gott gekrönt, an dem Tage
sei sie, durch einen Strahl aus ihrem Innern beruhigt, im
gläubigen Bekenntnis des Erlösers selig entschlafen.

Gnade löst den Fluch der Sünde,
Liebe treibt den Teufel aus.

Hinausschaffung *Abstoßung*

Rinde *Kruste*

Fügung *der Zufall, das
Schicksal* aufzehren
langsam töten
Anstrengung 'strain'

glich *war wie (ein Triumph-
zug)*

achten *schätzen, respektieren*

Lorbeerkranz 'laurel wreath'

Bösewicht *Übeltäter*

beherrscht *unter Kontrolle*

vergelten *lohnen*

Mühe *Arbeit* wenngleich
obgleich, wenn auch

Umfang *die Größe*

übertragen *geben*
Vermögen *der Besitz*
Segen *väterliche gute
Wünsche* Bericht *die
Nachricht* einlief *ankam*

verzehrend *furchtbar*

bereut *es tat ihr leid*

sehnlich *groß* Erlösung
(Er)rettung zum Über-
druß *zur Last*

Ergebenheit *Devotion*

im gläubigen Bekenntnis des
Erlösers selig entschlafen
*mit frommem Ja zu Christus
ruhig gestorben*

Heinrich von Kleist

1777–1811

Kleist kommt aus dem ostdeutschen Frankfurt an der Oder. Er entstammt einer alten Offiziersfamilie. Mit fünfzehn ist er Soldat. 1799 verläßt er die preußische Armee, um zu studieren, aber Kants relativistische Position zur Frage der Wahrheit ruft seine erste pessimistische Lebenskrise hervor. Ein unruhiges Wanderleben beginnt. Im Drama und in der Novelle findet Kleist die adäquaten Ausdrucksformen für seine inneren Konflikte, für die Maßlosigkeit seines Gefühls, für die Unsicherheit und Tragik der menschlichen Existenz. Kein anderer deutscher Dichter vor ihm hat die Tiefenpsychologie so in sein Werk hineingenommen wie er: Irrationales, Pathologisches (Somnambulismus, Sadismus, Halluzination), Gefühlskonfusion, Humor an der Grenze des Tragischen; alles ist da, aber in solch intensiver Stärke, daß es selbst für die romantische Zeit noch zuviel ist. Der klassische Goethe, der die goldene Mitte des Lebens gefunden hat, distanziert sich von Kleists „ungesunder" künstlerischer Natur. Der dichterische Erfolg, Kleists heißer Wunsch, bleibt unerfüllt. Auch als patriotischer Journalist nach dem verlorenen Krieg von 1806/07 hat er kein Glück. Er verliert alle Hoffnung, beruflich, dichterisch und vaterländisch. Zusammen mit seiner Freundin beendet er freiwillig sein tragisches Leben. Heute gilt er vielleicht als der größte deutsche Dramatiker. Auch in den kleinsten Prosawerkchen zeigt sich noch seine große sprachliche Meisterschaft.

Anekdote aus dem letzten preussischen Kriege

In einem bei Jena[1] liegenden Dorf, er-
zählte mir, auf einer Reise nach Frankfurt, der Gastwirt,
daß sich mehrere Stunden nach der Schlacht, um die
Zeit, da das Dorf schon ganz von der Armee des Prinzen
5 von Hohenlohe verlassen und von Franzosen, die es für   *halten für glauben, daß*
besetzt gehalten, umringt gewesen wäre, ein einzelner
preußischer Reiter darin gezeigt hätte; und versicherte
mir, daß wenn alle Soldaten, die an diesem Tage mitge-
fochten, so tapfer gewesen wären wie dieser, die Franzo-
10 sen hätten geschlagen werden müssen, wären sie auch
noch dreimal stärker gewesen, als sie in der Tat waren.
Dieser Kerl, sprach der Wirt, sprengte, ganz von Staub   *sprengte ritt*
bedeckt, vor meinen Gasthof, und rief: „Herr Wirt!"
und da ich frage: was gibt's? „ein Glas Branntwein!"
15 antwortet er, indem er sein Schwert in die Scheide wirft: *indem während*
„mich dürstet." Gott im Himmel! sag' ich: will Er
machen, Freund, daß Er wegkömmt? Die Franzosen
sind ja dicht vor dem Dorf! „Ei, was!" spricht er, indem   *dicht nah*
er dem Pferde den Zügel über den Hals legt. „Ich habe   *Zügel 'bridle'*
20 den ganzen Tag nichts genossen!" Nun, Er ist, glaub'
ich, vom Satan besessen —! He! Liese! rief ich, und
schaff' ihm eine Flasche Danziger herbei, und sage: da!   *Danziger Goldwasser*
und will ihm die ganze Flasche in die Hand drücken,   *berühmter Likör*
damit er nur reite. „Ach, was!" spricht er, indem er die
25 Flasche wegstößt, und sich den Hut abnimmt: „wo soll
ich mit dem Quark hin?" Und: „schenk Er ein!"   *der Quark das dumme Zeug*
spricht er, indem er sich den Schweiß von der Stirn
abtrocknet: „denn ich habe keine Zeit!" Nun, Er ist ein
Kind des Todes, sag' ich. Da! sag' ich, und schenk' ihm
30 ein: da! trink' Er und reit' Er! Wohl mag's Ihm be-   *wohl mag's Ihm bekommen!*
kommen! „Noch eins!" spricht der Kerl; während die   *auf Ihre Gesundheit!*
Schüsse schon von allen Seiten ins Dorf prasseln. Ich   *prasseln fallen*
sage: noch eins? Plagt Ihn —? „Noch eins!" spricht er,
und streckt mir das Glas hin — „Und gut gemessen",
35 spricht er, indem er sich den Bart wischt, und sich vom   *wischt reibt, putzt*
Pferde herab schneuzt: „denn es wird bar bezahlt!" Ei,   *sich schneuzt sich die Nase putzt*

[1]Im preußisch-französischen Krieg (1806/07) wurden die Preußen
bei Jena von Napoleon geschlagen.

mein Seel, so wollt ich doch, daß Ihn — ! Da! sag' ich, und schenk' ihm noch, wie er verlangt, ein zweites, und schenk' ihm, da er getrunken, noch ein drittes ein, und frage: ist Er nun zufrieden? „Ach!“ — schüttelt sich der Kerl. „Der Schnaps ist gut! — Na!“ spricht er, und 5 setzt sich den Hut auf: „was bin ich schuldig?“ Nichts!

versetzen antworten

nichts! versetz' ich. Pack' Er sich, ins Teufelsnamen; die Franzosen ziehen augenblicklich ins Dorf. „Na!“ sagt

der Stiefel hoher Reitschuh
lohnen gutmachen
Stummel etwas Kurzes

er, indem er in seinen Stiefel greift: „so soll's Ihm Gott lohnen.“ Und holt, aus dem Stiefel, einen Pfeifenstum- 10 mel hervor, und spricht, nachdem er den Kopf ausgeblasen: „schaff' Er mir Feuer!“ Feuer? sag' ich: plagt Ihn — ? „Feuer, ja!“ spricht er: „denn ich will mir eine Pfeife Tabak anmachen.“ Ei, den Kerl reiten Legionen — ! He, Liese! ruf' ich das Mädchen, und 15

stopft füllt das Mensch
(vulgär) Mädchen, Frau

während der Kerl sich die Pfeife stopft, schafft das Mensch ihm Feuer. „Na!“ sagt der Kerl, die Pfeife, die

schmauchen rauchen das
Maul der Mund (sonst des
Tieres) die Schwerenot
(um 1800 Epilepsie); zum
Teufel! vom Leder
ziehen das Schwert
ziehen ein Mordkerl ...
ein verdammter Teufelskerl
sich ins Henkers Namen
scheren in Teufels Namen
weggehen Chasseurs
(franz.) Kavalleristen

er sich angeschmaucht, im Maul: „nun sollen doch die Franzosen die Schwerenot kriegen!“ Und damit, indem er sich den Hut in die Augen drückt, und zum Zügel 20 greift, wendet er das Pferd und zieht vom Leder. Ein Mordkerl! sag' ich; ein verfluchter, verwetterter Galgenstrick. Will Er sich ins Henkers Namen scheren, wo Er hingehört? Drei Chasseurs — sieht Er nicht? halten ja schon vor dem Tor! „Ei was!“ spricht er, indem er 25 ausspuckt; und faßt die drei Kerls blitzend ins Auge. „Wenn ihrer zehen wären, ich fürcht' mich nicht.“ Und in dem Augenblick reiten auch die drei Franzosen schon

Bassa ... ungarischer Reiter-
fluch

ins Dorf. „Bassa Manelka!“ ruft der Kerl, und gibt seinem Pferde die Sporen und sprengt auf sie ein; 30 sprengt, so wahr Gott lebt, auf sie ein, und greift sie, als ob er das ganze Hohenlohische Korps hinter sich hätte,

dergestalt so

an; dergestalt, daß, da die Chasseurs, ungewiß, ob nicht noch mehr Deutsche im Dorf sein mögen, einen Augen-

wider ihre Gewohnheit wie
nie zuvor stutzen die Augen
aufreißen

blick, wider ihre Gewohnheit, stutzen, er, mein Seel', 35 ehe man noch eine Hand umkehrt, alle drei vom Sattel haut, die Pferde, die auf dem Platz herumlaufen, aufgreift, damit bei mir vorbeisprengt, und „Bassa Teremtetem!“ ruft, und: „Sieht Er wohl, Herr Wirt?“ und „Adieus!“ und „auf Wiedersehn!“ und „hoho! hoho! 40 hoho!“ — So einen Kerl, sprach der Wirt, habe ich Zeit meines Lebens nicht gesehen.

Diskussionsthemen

EICHENDORFF: *Die Zauberei im Herbste*

1. Diese Märchennovelle ist konzentrierteste Romantik. Was finden Sie „typisch" romantisch am S t o f f, an den einzelnen M o t i v e n und an der poetischen F o r m ? 2. Was für eine Rolle spielt das Akustisch-Musikalische (Geräusch, Ton, Musik, Lied)? 3. Das religiöse Element in der „Zauberei im Herbste".

BRENTANO: *Die drei Nüsse*

1. Zufall, Schicksal und freier Wille in „Die drei Nüsse". 2. Pessimistische Aspekte der Arbeit, Schönheit, Liebe und Ehe (Zusammenleben von Mann und Frau). 3. Die Bedeutung der Nüsse für die Struktur der Geschichte und die Wahrheit der lateinischen Sentenz.

HOFFMANN: *Die Geschichte vom verlorenen Spiegelbilde*

1. Das Realistische und das Märchenhafte bei Hoffmann. 2. Wie lassen sich Italien und Deutschland als Landschaften der Seele (psychologischer Innenraum) interpretieren? 3. Der Konflikt des Unterbewußtseins (subconsciousness) und der moralischen Werte.

ARNIM: *Der tolle Invalide auf dem Fort Ratonneau*

1. Die Macht der Liebe. 2. Das Teufels-Motiv und das Feuer-Motiv. 3. Das Verhältnis von Realismus und „typischer" Romantik bei Arnim.

KLEIST: *Anekdote aus dem letzten preußischen Kriege*

Wie zeigt sich Kleists dramatisches Temperament in Sprache und Aufbau dieser Anekdote?

Hausmärchen

Ludwig Richter

2

VON MÄRCHEN, SAGEN
UND VOM VOLKSGLAUBEN

Jacob Grimm und Wilhelm Grimm

1785–1863 *1786–1859*

Jacob Grimm.

Wilhelm Grimm.

Die Brüder Grimm stammen aus Hanau bei Frankfurt a.M. Als Kinder teilen sie ihr Bett miteinander, als Studenten und Professoren ihre Arbeit, ihr Leben und ihre Weltberühmtheit. Mitten in schwerer Zeit geben sie ihre Sammlung der „Kinder- und Hausmärchen" heraus (1812), die Wilhelm dann noch einmal stilistisch überarbeitet und in ihre heutige Form bringt. Neben die Märchen stellen die Grimms dann ihre Sammlung „Deutscher Sagen" (1816). Der ältere Jacob entfaltet fast übermenschliche Energien. Er arbeitet ohne Hast, aber auch ohne Pause. Was er schreibt, wird grundlegend für die historische Philologie, für die Folkloristik und die Altertumskunde aller germanischen Völker. Man faßt diese Einzeldisziplinen zusammen unter dem Namen Germanistik. Einige seiner Hauptwerke sind die „Deutsche Grammatik", in der er auch das Gesetz der Lautverschiebung (engl. *Grimm's Law*) formuliert, die „Geschichte der deutschen Sprache" und die „Deutsche Mythologie". Dazu kommt noch das Monumentalwerk des historischen „Deutschen Wörterbuchs", das die Brüder zusammen beginnen. Erst in unserer Zeit findet diese Riesenaufgabe ihren Abschluß.

Vorrede zu den Kinder- und Hausmärchen

... Unsre Sammlung wuchs von Jahr zu Jahr. Alles ist mit wenigen Ausnahmen fast nur in Hessen und den Main- und Kinziggegenden in der Grafschaft Hanau,[1] wo wir her sind, nach mündlicher

5 Überlieferung gesammelt; darum knüpft sich uns an jedes einzelne noch eine angenehme Erinnerung. Wenige Bücher sind mit solcher Lust entstanden, und wir sagen gern hier noch einmal öffentlich allen Dank, die teil daran haben.

10 Es war vielleicht gerade Zeit, diese Märchen festzuhalten, da diejenigen, die sie bewahren sollen, immer seltener werden. Wo die Märchen noch da sind, da leben sie so, daß man nicht daran denkt, ob sie gut oder schlecht sind, poetisch oder abgeschmackt, man

15 weiß sie und liebt sie, weil man sie eben so empfangen hat.

Innerlich geht durch diese Dichtungen dieselbe Reinheit, um derentwillen uns Kinder so wunderbar und selig erscheinen. So einfach sind die meisten

20 Situationen, daß viele sie wohl im Leben gefunden, aber wie alle wahrhaftigen doch immer wieder neu und ergreifend. Die Eltern haben kein Brot mehr und müssen ihre Kinder in dieser Not verstoßen, oder eine harte Stiefmutter läßt sie leiden und möchte sie gar zugrunde

25 gehen lassen. Dann sind Geschwister in des Waldes Einsamkeit verlassen, der Wind erschreckt sie, Furcht vor den wilden Tieren, aber sie stehen sich in allen Treuen bei, das Brüderchen weiß den Weg nach Haus wiederzufinden, oder das Schwesterchen, wenn Zauberei

30 es verwandelt, leitet es als Rehkälbchen und sucht ihm Kräuter und Moos zum Lager, oder es sitzt schweigend und näht ein Hemd aus Sternblumen, das den Zauber vernichtet. Der ganze Umkreis dieser Welt ist bestimmt abgeschlossen: Könige, Prinzen, treue Diener und ehr-

35 liche Handwerker, vor allem Fischer, Müller, Köhler

Glossary (right margin):

Überlieferung *Tradition*
sich knüpfen an *sich verbinden* angenehm *schön*

bewahren *festhalten und weitergeben*

abgeschmackt *billig, wertlos*
weiß *kennt* empfangen *bekommen*

rein *pur* um derentwillen *wegen der*
selig *glücklich*

ergreifend *zu Herzen gehend*

verstoßen *aussetzen*

gar zugrunde gehen *sogar sterben*

sich beistehen *sich helfen*

verwandeln *transformieren* das Rehkälbchen *junges Reh, 'doe'* das Lager *der Ruheplatz*

Umkreis *Raum*

Köhler *Mann, der Holzkohle macht*

---

[1]Der Staat Hessen liegt nördlich des Mains. Die hessische Kinzig fließt bei Hanau (östlich von Frankfurt) in den Main.

und Hirten, die der Natur am nächsten geblieben, erscheinen darin; das andere ist ihr fremd und unbekannt. Auch, wie in den Mythen, die von der goldnen Zeit reden, ist die ganze Natur belebt, Sonne, Mond und Sterne sind zugänglich, geben Geschenke oder lassen sich wohl gar in Kleider weben, in den Bergen arbeiten die Zwerge nach dem Metall, in dem Wasser schlafen die Nixen, die Vögel, Pflanzen, Steine reden und wissen ihr Mitgefühl auszudrücken, das Blut selber ruft und spricht, und so übt diese Poesie schon Rechte, wonach die spätere nur in Gleichnissen strebt. Diese unschuldige Vertraulichkeit des Größten und Kleinsten hat eine unbeschreibliche Lieblichkeit in sich, und wir möchten lieber dem Gespräch der Sterne mit einem armen verlassenen Kind im Wald als dem Klang der Sphären zuhören. Alles Schöne ist golden und mit Perlen bestreut, selbst goldne Menschen leben hier, das Unglück aber eine finstere Gewalt, ein ungeheurer menschenfressender Riese, der doch wieder besiegt wird, da eine gute Frau zur Seite steht, welche die Not glücklich abzuwenden weiß, und dieses Epos endigt immer, indem es eine endlose Freude auftut. Das Böse auch ist kein Kleines, Nahstehendes und das Schlechteste, weil man sich daran gewöhnen könnte, sondern etwas Entsetzliches, Schwarzes, streng Geschiedenes, dem man sich nicht nähern darf; ebenso furchtbar die Strafe desselben: Schlangen und giftige Würmer verzehren ihr Opfer, oder in glühenden Eisenschuhen muß es sich zu Tod tanzen. Vieles trägt auch eine eigene Bedeutung in sich: so ist eine Viertelstunde täglich über der Macht des Zaubers, wo die menschliche Gestalt frei hervortritt, als könne uns keine Macht ganz einhüllen und es gewähre jeder Tag Minuten, wo der Mensch alles Falsche abschüttele und aus sich selbst herausblicke; dagegen aber wird der Zauber auch nicht ganz gelöst, und ein Schwanenflügel bleibt statt des Arms, und weil eine Träne gefallen, ist ein Auge mit ihr verloren, oder die weltliche Klugheit wird gedemütigt, und der Dummling, von allen verlacht und hintangesetzt, aber reinen Herzens, gewinnt allein das Glück. In diesen Eigenschaften aber ist es gegründet, wenn sich so leicht aus diesen Märchen eine gute Lehre, eine Anwendung für die Gegenwart ergibt; es war weder

Marginal glosses:

erscheinen *kommen vor*

belebt *lebendig*
zugänglich *freundlich*
wohl gar *sogar*

das Mitgefühl *die Sympathie*
wonach die spätere nur in
  Gleichnissen strebt *welche
  die spätere Poesie nur in
  Parabeln sucht*
unschuldige Vertraulich-
  keit *paradiesische Intimität*

der Klang *Ton*

finstere Gewalt *dunkle Macht*

abwenden *abhalten*

sich daran ... *damit leben
  könnte* entsetzlich
  furchtbar streng Geschiedenes *absolut Anderes*
die Schlange *Viper*
verzehren *fressen*

einhüllen *gefangen nehmen*
  gewähre *gebe*
  abschütteln *von sich werfen*

Klugheit *Intelligenz*
demütigen *bestrafen*
  Dummling *naiver Mensch*
  hintan *zurück*
  Eigenschaft *Qualität*
sich ergibt *folgt*
Anwendung *Applikation*

114

ihr Zweck, noch sind sie darum erfunden, aber es erwächst daraus wie eine gute Frucht aus einer gesunden Blüte ohne Zutun des Menschen. Darin bewährt sich jede echte Poesie, daß sie niemals ohne Beziehung auf
5 das Leben sein kann, denn sie ist aus ihm aufgestiegen und kehrt zu ihm zurück wie die Wolken zu ihrer Geburtsstätte, nachdem sie die Erde getränkt haben.

   So erscheint uns das Wesen dieser Dichtungen; in ihrer äußeren Natur gleichen sie aller volks-
10 und sagenmäßigen: nirgends feststehend, in jeder Gegend, fast in jedem Munde sich umwandelnd, bewahren sie treu denselben Grund. Indessen unterscheiden sie sich sehr bestimmt von den eigentlichen lokalen V o l k s - s a g e n , die an leibhafte Örter oder Helden der
15 Geschichte gebunden sind, deren wir hier keine aufgenommen, wiewohl viele gesammelt haben und die wir ein andermal herauszugeben denken.

   Wir haben uns bemüht, diese Märchen so rein, als möglich war, aufzufassen. Kein Umstand
20 ist hinzugedichtet oder verschönert und abgeändert worden . . .

Kassel, am 18. Oktober 1812

der Zweck *die Intention*

das Zutun *von: etwas dazu tun*
  bewährt sich *zeigt sich*
echt *gut, wahr*
Beziehung *Relation*

Wesen *Natur, Essenz*

volks- und sagenmäßig *in der Art des Volkes und der Sage*
sich umwandeln *sich ändern*

indessen *jedoch* sich unterscheiden *anders sein* bestimmt *definitiv*
leibhafte Örter (Orte)
  wirkliche Plätze Helden
  Heroen deren *von denen*
wiewohl *obgleich*

sich bemühen *versuchen*

aufzufassen *aufzuschreiben*
  kein Umstand *nichts*
hinzu *dazu*

Die Brüder Grimm bei der Zwehrener Märchenfrau   *115*

Heinrich Heine
1797–1856

Heine kommt aus Düsseldorf im Rheinland. Seine Familie will einen Geschäftsmann aus ihm machen, aber dazu hat er kein Talent. Er studiert, wird Journalist und Dichter. Kein Deutscher vor ihm schrieb eine solch leichte, brilliante und witzig-ironische Prosa wie er. Kein Wunder, die Zensur der nachnapoleonischen Zeit sucht die Werke dieses liberalen Autors zu verbieten. (Das zweite Heineverbot kam im Dritten Reich, — doch auch das hat er überlebt). In Paris lebt er in „freiwilligem Exil" bis zu seinem Tod, ein geistiger Vermittler zwischen deutscher und französischer Kultur. Wenn es im 19. Jahrhundert eine lyrische Sensation gibt, so ist es Heines „Buch der Lieder" (1827). Es erscheint in allen Kultursprachen und macht ihn zum populärsten deutschen Dichter in der Welt. Viele seiner Gedichte werden zu Volksliedern; mehr als hundert werden von Schubert, Schumann, Mendelssohn, Brahms und anderen vertont. In seinen Arbeiten zur Religion, Philosophie, Mythologie und Literatur zeigt er glänzende kulturgeschichtliche Kenntnisse. Was er schreibt, trägt seinen persönlichen, oft subjektivistischen Stempel. Die literarische Romantik erreicht in ihm einen ihrer letzten Höhepunkte und zugleich ihr Ende. In seiner „Romantischen Schule" (1832/35) ist er ihr schärfster Kritiker.

Wie man behauptet, gibt es greise Menschen in Westfalen,[1] die noch immer wissen, wo die alten Götterbilder verborgen liegen; auf ihrem Sterbebette sagen sie es dem jüngsten Enkel, und der trägt dann das
5 teure Geheimnis in dem verschwiegenen Sachsenherzen. In Westfalen, dem ehemaligen Sachsen, ist nicht alles tot, was begraben ist. Wenn man dort durch die alten Eichenhaine wandelt, hört man noch die Stimmen der Vorzeit, da hört man noch den Nachhall jener tiefsinni-
10 gen Zaubersprüche, worin mehr Lebensfülle quillt als in der ganzen Literatur der Mark Brandenburg. Eine geheimnisvolle Ehrfurcht durchschauerte meine Seele, als ich einst, diese Waldungen durchwandernd, bei der uralten Siegburg vorbeikam. ,,Hier", sagte mein Weg-
15 weiser, ,,hier wohnte einst König Wittekind", und er seufzte tief. Es war ein schlichter Holzhauer, und er trug ein großes Beil.

Ich bin überzeugt, dieser Mann, wenn es drauf ankommt, schlägt sich noch heute für König Witte-
20 kind; und wehe dem Schädel, worauf sein Beil fällt!

Das war ein schwarzer Tag für Sachsenland, als Wittekind, sein tapferer Herzog, von Kaiser Karl geschlagen wurde bei Engter. ,,Als er flüchtend gen Ellerbruch zog, und nun alles mit Weib und Kind
25 an die Furt kam und sich drängte, mochte eine alte Frau nicht weitergehen. Weil sie aber dem Feinde nicht lebendig in die Hände fallen sollte, so wurde sie von den Sachsen lebendig in einem Sandhügel bei Bellmanns-Kamp begraben; dabei sprachen sie: ,Krup under, krup
30 under, de Welt is di Gram, du kannst dem Gerappel nicht mehr folgen.' "[2]

Man sagt, daß die alte Frau noch lebt. Nicht alles ist tot in Westfalen, was begraben ist.

Glossen (rechte Spalte):

behauptet *sagt* greis *alt*

verborgen *an geheimem Platz*

verschwiegen *verschlossen, treu*

der Hain *Wiese mit hohen Bäumen* Vorzeit *vorchristliche Zeit* Nachhall *das Echo* tiefsinnig *profund* quillt *strömt* Mark Brandenburg *Raum um Berlin* Ehrfurcht *Reverenz*

uralt *sehr alt* Siegburg *bei Köln* Wegweiser *Führer*

schlicht *einfach*

Beil *die Axt*

überzeugt *sicher* wenn . . . *wenn es sein muß, kämpft*

der Schädel *Kopf*

gen *nach*

Furt *'ford'* sich drängen *hasten und schieben*

---

[1]Um 800 kämpften dort die Sachsen unter Wittekind (Widukind) gegen Karl den Großen und dessen christliche Mission, aber sie verloren ihre politische Selbständigkeit und ihre germanische Religion.
[2]plattdeutsch; ,,Kriech unter . . . , die Welt ist dir böse, du kannst dem Getrampel nicht mehr folgen."

Blätter *Seiten*   zuweilen *manchmal*   Verdienst *die Meriten*

Altertumskunde *Archäologie*

Sprachwissenschaft *Philologie und Linguistik*

leisten *tun*

verschrieben *verkauft*

Handlanger *Helfer*

Quadern von Gelehrsamkeit *Blöcke von Erudition*

Mörtel 'mortar'

die Geduld 'patience'

lückenhaft *nicht komplett*
Urschrift *das Original*
hie *hier*

heutigst *modernst*

Lehre *Theorie*

gebraucht *nimmt*

geläufig *bekannt*

bezeichnen *ausdrücken*

willkürlich *frei*   hat er es vorgezogen *war es ihm lieber*
ähnlich *beinahe dasselbe*

Die Gebrüder Grimm erzählen diese Geschichte in ihren deutschen Sagen; die gewissenhaften, fleißigen Nachforschungen dieser wackeren Gelehrten[3] werde ich in den folgenden Blättern zuweilen benutzen. Unschätzbar ist das Verdienst dieser Männer um germanische Altertumskunde. Der einzige Jakob Grimm hat für Sprachwissenschaft mehr geleistet als eure ganze französische Akademie seit Richelieu.[4] Seine deutsche Grammatik ist ein kolossales Werk, ein gotischer Dom, worin alle germanischen Völker ihre Stimmen erheben wie Riesenchöre, jedes in seinem Dialekte. Jakob Grimm hat vielleicht dem Teufel seine Seele verschrieben, damit er ihm die Materialien lieferte und ihm als Handlanger diente bei diesem ungeheuren Sprachbauwerk. In der Tat, um diese Quadern von Gelehrsamkeiten herbeizuschleppen, um aus diesen hunderttausend Zitaten einen Mörtel zu stampfen, dazu gehört mehr als ein Menschenleben und mehr als Menschengeduld.

Eine Hauptquelle für Erforschung des altgermanischen Volksglaubens ist Paracelsus.[5] Seine Werke sind ins Lateinische übersetzt, nicht schlecht, aber lückenhaft. In der deutschen Urschrift ist er schwer zu lesen; abstruser Stil, aber hie und da treten die großen Gedanken hervor mit großem Wort. Er ist ein Naturphilosoph in der heutigsten Bedeutung des Ausdrucks. Man muß seine Terminologie nicht immer in ihrem traditionellen Sinne verstehen. In seiner Lehre von den Elementargeistern gebraucht er die Namen Nymphen, Undinen, Silvanen, Salamander, aber nur deshalb, weil diese Namen dem Publikum schon geläufig sind, nicht weil sie ganz dasjenige bezeichnen, wovon er reden will. Anstatt neue Worte willkürlich zu schaffen, hat er es vorgezogen, für seine Ideen alte Ausdrücke zu suchen, die bisher etwas Ähnliches bezeichneten. Daher ist er vielfach mißverstanden worden, und manche haben ihn

---

[3]die exakten, fleißigen Untersuchungen (Arbeiten) dieser tüchtigen (ausgezeichneten) Forscher.
[4]Richelieu (1585–1642), Kardinal und Staatsminister Ludwigs XIV., Gründer der Académie Française (1635).
[5]Paracelsus (1494–1541), berühmter deutscher Arzt, Naturforscher und Renaissancephilosoph. Mit ihm beginnt die neuere Medikamententheorie.

120

der Spötterei, manche sogar des Unglaubens bezichtigt.
Die einen meinten, er beabsichtige alte Kindermärchen
aus Scherz in ein System zubringen, die anderen tadelten,
daß er, abweichend von der christlichen Ansicht, jene
5 Elementargeister nicht für lauter Teufel erklären wollte.
„Wir haben keine Gründe, anzunehmen“, sagt er irgendwo, „daß diese Wesen dem Teufel gehören; und
was der Teufel selbst ist, das wissen wir auch noch
nicht.“ Er behauptet, die Elementargeister wären eben-
10 sogut wie wir wirkliche Geschöpfe Gottes, die aber nicht
wie unseresgleichen aus Adams Geschlechte seien, und
denen Gott zum Wohnsitz die vier Elemente angewiesen
habe. Ihre Leibesorganisation sei diesen Elementen gemäß. Nach den vier Elementen ordnet nun Paracelsus
15 die verschiedenen Geister, und hier gibt er uns ein
bestimmtes System.

Den Volksglauben selbst in ein System
bringen, wie manche beabsichtigen, ist aber ebenso untunlich, als wollte man die vorüberziehenden Wolken in
20 Rahmen fassen. Höchstens kann man unter bestimmten
Rubriken das Ähnliche zusammentragen. Dieses wollen
wir auch in betreff der Elementargeister versuchen.

Von den Kobolden haben wir bereits
gesprochen. Sie sind Gespenster, ein Gemisch von
25 verstorbenen Menschen und Teufeln; man muß sie
von den eigentlichen Erdgeistern genau unterscheiden.
Diese wohnen meistens in den Bergen, und man nennt
sie Wichtelmänner, Gnomen, Metallarii, kleines Volk,
Zwerge. Die Sage von diesen Zwergen ist analog mit
30 der Sage von den Riesen, und sie deutet auf die An-
wesenheit zweier verschiedener Stämme, die einst mehr
oder minder friedlich das Land bewohnt, aber seitdem
verschollen sind. Die Riesen sind auf immer verschwunden aus Deutschland. Die Zwerge aber trifft man mitun-
35 ter noch in den Bergschachten, wo sie, gekleidet wie
kleine Bergleute, die kostbaren Metalle und Edelsteine
ausgraben. Von jeher haben die Zwerge immer vollauf
Gold, Silber und Diamanten besessen; denn sie konnten
überall unsichtbar herumkriechen, und kein Loch war
40 ihnen zu klein, um durchzuschlüpfen, führte es nur
endlich zu den Stollen des Reichtums. Die Riesen aber
blieben immer arm, und wenn man ihnen etwas geborgt

die Spötterei *der Sarkasmus*
bezichtigen *anklagen*
beabsichtigen *planen,*
wollen der Scherz *Spaß,*
die Spielerei tadeln
kritisieren abweichend
von *nicht so wie* lauter
nichts als annehmen
glauben Wesen *Kreaturen,*
Geschöpfe

unseresgleichen *wir*
das Geschlecht *der Stamm,*
die Familie anweisen
geben der Leib *Körper*
gemäß *adäquat*

verschieden *divers*
bestimmt *gewiß*

untunlich *unmöglich*

der Rahmen '*frame*'

in betreff *mit*
bereits *schon*

verstorben *tot*
unterscheiden *auseinanderhal-*
ten

. . .Zwerge '*dwarfs*'

der Riese *Gigant, Koloß*
deuten *zeigen* Anwesen-
heit *Existenz*
minder *weniger*
verschollen *verschwunden*
mitunter *manchmal*

Bergleute *Arbeiter im Berg-*
werk von jeher *schon*
immer vollauf *viel, reichlich*

der Stollen *Tunnel*
borgen *leihen*

121

hätte, würden sie Riesenschulden hinterlassen haben. Von der Kunstfertigkeit der Zwerge ist in den alten Liedern viel rühmlich die Rede. Sie schmiedeten die besten Schwerter, aber nur die Riesen wußten mit diesen Schwertern dreinzuschlagen. Waren diese Riesen wirk- 5 lich von so hoher Statur? Die Furcht hat vielleicht ihrem Maße manche Elle hinzugefügt. Dergleichen hat sich schon oft ereignet. Nicetas, ein Byzantiner, der die Einnahme von Konstantinopel durch die Kreuzfahrer berichtet, gesteht ganz ernsthaft, daß einer dieser eisernen 10 Ritter des Nordens, der alles vor sich her zu Paaren trieb, ihnen in diesem schrecklichen Augenblick fünfzig Fuß groß zu sein schien.

Die Wohnungen der Zwerge waren, wie schon erwähnt, die Berge. Die kleinen Öffnungen, die 15 man in den Felsen findet, nennt das Volk noch heutzutage Zwerglöcher. Im Harz, namentlich im Bodentale, habe ich dergleichen viele gesehen. Manche Tropfsteinbildungen,[6] die man in den Gebirgshöhlen trifft, sowie auch manche bizarre Felsenspitzen, nennt das 20 Volk die Zwergenhochzeit. Es sind Zwerge, die ein böser Zauberer in Steine verwandelt, als sie eben von einer Trauung aus ihrem kleinen Kirchlein nach Hause trippelten oder auch beim Hochzeitsmahl sich gütlich taten. Die Sagen von solchen Versteinerungen sind im 25 Norden eben so heimisch wie im Morgenlande, wo der borniertе Moslem die Statuen und Karyatiden,[7] die er in den Ruinen alter Griechentempel findet, für lauter versteinerte Menschen hält.

Die Zwerge tragen kleine Mützchen, wo- 30 durch sie sich unsichtbar machen können; man nennt sie Tarnkappen oder auch Nebelkäppchen. Ein Bauer hatte einst beim Dreschen mit dem Dreschflegel die Tarnkappe eines Zwerges herabgeschlagen; dieser wurde sichtbar und schlüpfte schnell in eine Erdspalte. Die 35 Zwerge zeigten sich auch manchmal freiwillig den Menschen, hatten gern mit uns Umgang und waren zufrieden genug, wenn wir ihnen nur kein Leids zufügten. Wir

---

[6]Formationen von Stalaktiten und Stalagmiten.
[7]Karyatide, antike Frauenfigur als Träger von Gebälk, Mauern, usw., analoge männliche Figur: Atlant.

Fertigkeit *das Talent*
ist die Rede *wird viel erzählt*

ihrem Maße manche Elle hinzugefügt *ihrer Größe manchen Fuß dazugegeben*
sich ereignen *geschehen, passieren*
gesteht *sagt*
zu Paaren trieb *in die Flucht schlug*

erwähnt *gesagt*

der Harz *norddeutsches Gebirge* namentlich *besonders*
die Höhle *Grotte*
bizarr *seltsam*

Trauung *Hochzeit*
trippeln *mit schnellen kleinen Schritten laufen* sich gütlich taten *vergnügt aßen und tranken* Versteinerung *Petrifikation* Morgenland *der Orient* borniert *dumm* lauter *nichts als*

dreschen '*thrash*'

Spalte *Öffnung*

der Umgang *Verkehr, Bekanntschaft* kein Leids zufügten *nicht weh taten*

122

aber, boshaft wie wir noch sind, wir spielten ihnen manchen Schabernack. In Wyß' Volkssagen liest man folgende Geschichte:

    „Des Sommers kam die Schar der Zwerge
5 häufig aus den Flühen herab ins Tal und gesellte sich entweder hilfreich oder doch zuschauend zu den arbeitenden Menschen, namentlich zu den Mähdern in der Heuernte. Da setzten sie sich denn wohl vergnügt auf den langen und dicken Ast eines Ahorns ins schattige
10 Laub. Einmal aber kamen boshafte Leute und sägten bei Nacht den Ast durch, so daß er bloß noch schwach am Stamme hielt, und als die arglosen Geschöpfe sich am Morgen darauf niederließen, krachte der Ast vollends entzwei, die Zwerge stürzten auf den Grund, wur-
15 den ausgelacht, erzürnten sich heftig und jammerten:

    „Oh, wie ist der Himmel so hoch
    Und die Untreu so groß!
    Heut hierher und nimmermehr!"

    Sie sollen seit der Zeit das Land verlassen
20 haben. Es gibt noch andere Traditionen, die ebenfalls den Abzug der Zwerge unserer Necksucht und Bosheit zuschreiben.

    Von den Zwergen, den Erdgeistern, sind genau zu unterscheiden die Elfen, die Luftgeister, die
25 auch in Frankreich mehr bekannt sind und die besonders in englischen Gedichten so anmutig gefeiert werden. Wenn die Elfen nicht ihrer Natur nach unsterblich wären, so würden sie es schon allein durch Shakespeare geworden sein. Sie leben ewig im Sommernachtstraum
30 der Poesie.

    Der Glaube an Elfen ist nach meinem Bedünken viel mehr keltischen als skandinavischen Ursprungs. Daher mehr Elfensagen im westlichen Norden als im östlichen. In Deutschland weiß man wenig von
35 Elfen, und alles ist da nur matter Nachklang von bretonischen Sagen, wie z.B. Wielands „Oberon". Was das Volk in Deutschland Elfen oder Elben nennt, sind die unheimlichen Geburten der Hexen, die mit dem Bösen gebuhlt. Die eigentlichen Elfensagen sind heimisch in
40 Irland und Nordfrankreich; indem sie von hier hinabklingen bis zur Provence, vermischen sie sich mit dem

boshaft *schlecht*

Schabernack (*dummer*) *Streich*

Schar *Gruppe, Völkchen*

die Fluh *Bergwand* gesellte sich *kam*

namentlich *besonders* Mäder *Heumacher*

Ahorn '*maple*'

arglos *naiv*

erzürnten sich *wurden böse*

ebenfalls *auch* Abzug *das Weggehen*

anmutig gefeiert *schön verehrt*

das Bedünken *vgl. denken*

der Ursprung *das Herkommen*

matter Nachklang *schwaches Echo* Wieland (1733–1813), *deutscher Klassiker* unheimliche . . . Hexen *furchtbare Kreaturen, von Zauberinnen geboren* Buhlen (*illegitimes*) *Lieben* klingen *tönen* Provence *Landschaft in Südostfrankreich*

Moritz von Schwind: Elfentanz (nach 1844)

Feenglauben des Morgenlands. Aus solcher Vermischung erblühen nun die vortrefflichen Lais vom Grafen Lanval, dem die schöne Fee ihre Gunst schenkt unter dem Beding, daß er sein Glück verschweige. Als aber
5 König Artus bei einem Festgelage zu Karduel seine Königin Genevra für die schönste Frau der Welt erklärte, da konnte Graf Lanval nicht länger schweigen; er sprach, und sein Glück war, wenigstens auf Erden, zu Ende. Nicht viel besser ergeht es dem Ritter Grüeland; auch
10 er kann sein Liebesglück nicht verschweigen; die geliebte Fee verschwindet, und auf seinem Roß Gedefer reitet er lange vergebens, um sie zu suchen. Aber in dem Feenland Avalun finden die unglücklichen Ritter ihre Geliebten wieder. Hier können Graf Lanval und
15 Herr Grüeland so viel schwatzen, als nur ihr Herz gelüstet.

Das Äußere der Elfen und ihr Weben und Treiben ist euch ebenfalls ziemlich bekannt. Spensers „Elfenkönigin"[8] ist längst zu euch herübergeflogen aus
20 England. Wer kennt nicht Titania? Wessen Hirn ist so dick, daß es nicht manchmal das heitre Geklinge ihres Luftzugs vernimmt? Ist es aber wahr, daß es ein Vorzeichen des Todes, wenn man diese Elfenkönigin mit leiblichen Augen erblickt und gar einen freundlichen Gruß
25 von ihr empfängt? Ich möchte dieses gern genau wissen, denn:

In dem Wald, im Mondenscheine,
Sah ich jüngst die Elfen reiten;
Ihre Hörner hört ich klingen,
30 Ihre Glöckchen hört ich läuten.

Ihre weißen Rößlein trugen
Güldnes Hirschgeweih und flogen
Rasch dahin, wie Schwanenzüge
kam es durch die Luft gezogen.

35 Lächelnd nickte mir die Kön'gin,
Lächelnd im Vorüberreiten.
Galt das meiner neuen Liebe,
Oder soll es Tod bedeuten?

---

[8]Spenser (1552–1599), "The Faerie Queene", bedeutendes Epos der engl. Renaissance.

Randglossen:

Fee 'fairy'
vortrefflich sehr gut
das Lai (keltisch, franz.)
Lied Gunst Liebe
das Beding die Kondition
das Festgelage große Party

ergeht geht

vergebens erfolglos

schwatzen reden
gelüstet wünscht
Weben und Treiben Tun

das Hirn der Kopf
heitre . . . fröhliche Getöne
vernimmt hört
leiblich eigen
gar sogar

jüngst vor ein paar Tagen

das Roß Pferd
gülden golden
Hirschgeweih 'antlers'
gezogen gefahren

galt war es ein Zeichen

am treuesten zur Anschau-
ung bringen *am besten
zeigen* das Traumgesicht
die Vision Fant *junger
Mensch* Elvershöh *Platz
in Dänemark*

gestützt *gelehnt*

verlocken *verführen*
der Reigen *Rundtanz*

Wange *im Gesicht*
Runensprüche *magische
Formeln* Eber *das Wild-
schwein* sowie *wie*
hüten *bewachen, schützen*
anheimfallen *in die Hände
kommen* erzürnt *zornig,
böse* Jungfrau *Maid*

zücken *herausziehen*
Hahn *maskulin zu Henne*
mit heiler Haut *gesund,
ganz* minder *weniger*

schauerlich anmutig *halb
furchtbar, halb lieblich*

entbieten *einladen*

lüstern *frivol*
kichern *hihi!*
mutwillig *spaßig, lustig*

zärtlich *freundlich*

Widderhaut 'ram hide'

anschnallen *festmachen*

In den dänischen Volksliedern gibt es zwei Elfensagen, die den Charakter dieser Luftgeister am treuesten zur Anschauung bringen. Das eine Lied erzählt von dem Traumgesichte eines jungen Fants, der sich auf Elvershöh niedergelegt hatte und allmählich 5 eingeschlummert war. Er träumt, er stände auf seinem Schwert gestützt, während die Elfen im Kreise um ihn her tanzen und durch Liebkosen und Versprechung ihn verlocken wollen, an ihrem Reigen teilzunehmen. Eine von den Elfen kommt an ihn heran und streichelt ihm 10 die Wange und flüstert: „Tanze mit uns, schöner Knabe, und wir wollen dir Runensprüche lehren, womit du den Bär und den wilden Eber besiegen kannst, sowie auch den Drachen, der das Gold hütet; sein Gold soll dir anheimfallen.“ Der junge Fant widersteht jedoch allen 15 diesen Lockungen, und die erzürnten Jungfrauen drohen endlich, ihm den kalten Tod ins Herz zu bohren. Schon zücken sie ihre scharfen Messer, da, zum Glücke kräht der Hahn, und der Träumer erwacht mit heiler Haut.

Das andere Gedicht ist minder lustig ge- 20 halten. Die Erscheinung der Elfen findet nicht im Traume, sondern in der Wirklichkeit statt, und ihr schauerlich anmutiges Wesen tritt uns desto schärfer entgegen. Es ist das Lied von dem Herrn Oluf, der abends spät ausreitet, um seine Hochzeitsgäste zu ent- 25 bieten. Der Refrain ist immer: „Aber das Tanzen geht so schnell durch den Wald.“ Man glaubt unheimlich lüsterne Melodien zu hören und zwischendrein ein Kichern und Wispern wie von mutwilligen Mädchen. Herr Oluf sieht endlich, wie vier, fünf, ja noch mehr 30 Jungfrauen hervortanzen und Erlkönigs Tochter[9] die Hand nach ihm ausstreckt. Sie bittet ihn zärtlichst, in den Kreis einzutreten und mit ihr zu tanzen. Der Ritter aber will nicht tanzen und sagt zu seiner Entschuldigung: „Morgen ist mein Hochzeitstag.“ Da werden ihm nun 35 gar verführerische Geschenke angeboten; jedoch weder die Widderhautsstiefel, die so gut am Beine sitzen würden, noch die güldenen Sporen, die man so hübsch daran schnallen kann, noch das weißseidene Hemd, das die

---

[9] „Erlkönigs Tochter“, Ballade in Herders Sammlung, *Stimmen der Völker in Liedern;* vgl. auch Goethes Ballade „Erlkönig“.

126

Elfenkönigin selber mit Mondschein gebleicht hat, nicht
mal die silberne Schärpe, die man ihm ebenfalls so kostbar anrühmt, nichts kann ihn bestimmen, in den Elfen-
reigen einzutreten und mitzutanzen. Seine beständige
5 Entschuldigung ist: „Morgen ist mein Hochzeitstag."
Da freilich verlieren die Elfen endlich die Geduld, sie
geben ihm einen Schlag aufs Herz, wie er ihn noch nie
empfunden, und heben den zu Boden gesunkenen Ritter
wieder auf sein Roß und sagen spöttisch: „So reite denn
10 heim zu deiner Braut." Ach! Als er auf seine Burg
zurückkehrte, da waren seine Wangen sehr blaß und
sein Leib sehr krank, und als am Morgen früh die Braut
ankam mit der Hochzeitsschar, mit Sang und Klang, da
war Herr Oluf ein stiller Mann; denn er lag tot unter
15 dem roten Bahrtuch.

„Aber das Tanzen geht hin so schnell durch den Wald."

Der Tanz ist charakteristisch bei den Luft-
geistern; sie sind zu ätherischer Natur, als daß sie pro-
20 saisch gewöhnlichen Ganges wie wir über diese Erde
wandeln sollten. Indessen, so zart sie auch sind, so lassen
doch ihre Füßchen einige Spuren zurück auf den Rasen-
plätzen, wo sie ihre nächtlichen Reigen gehalten. Es
sind eingedrückte Kreise, denen das Volk den Namen
25 Elfenringe gegeben.

In einem Teile Österreichs gibt es eine
Sage, die mit den vorhergehenden eine gewisse Ähnlichkeit bietet, obgleich sie ursprünglich slawisch ist. Es ist
die Sage von den gespenstischen Tänzerinnen, die dort
30 unter dem Namen, „die Willis" bekannt sind. Die Willis
sind Bräute, die vor der Hochzeit gestorben sind. Die
armen jungen Geschöpfe können nicht im Grabe ruhig
liegen, in ihren toten Herzen, in ihren toten Füßen blieb
noch jene Tanzlust, die sie im Leben nicht befriedigen
35 konnten, und um Mitternacht steigen sie hervor, versammeln sich truppenweis an den Heerstraßen, und wehe
dem jungen Menschen, der ihnen da begegnet! Er muß
mit ihnen tanzen, sie umschlingen ihn mit ungezügelter
Tobsucht, und er tanzt mit ihnen, ohne Ruh und Rast,
40 bis er tot niederfällt. Geschmückt mit ihren Hochzeits-
kleidern, Blumenkronen und flatternde Bänder auf den
Häuptern, funkelnde Ringe an den Fingern, tanzen die

Schärpe 'sash'
(an)rühmt (an)preist
bestimmen bewegen, über-
reden   beständig konstant

freilich natürlich

empfinden fühlen

spöttisch sarkastisch

blaß bleich, weiß

die Schar die Gäste
mit Sang und Klang
zeremoniell mit Musik
das Bahrtuch womit man Tote
bedeckt

gewöhnlichen Ganges
normal zu Fuß
indessen jedoch, aber
die Spur der Abdruck
der Rasen die Wiese

bietet zeigt, hat
ursprünglich original

befriedigen stillen

truppenweis in Gruppen
Heerstraße Landstraße
begegnen treffen
umschlingen umarmen
ungezügelte Tobsucht
unbegrenzte Wildheit
geschmückt in Gala

funkeln blitzen

das Antlitz *Gesicht*

heiter *fröhlich*
   frevelhaft *blasphem*
   verheißend *vielversprechend*
   unwiderstehlich *übermächtig*

jählings *plötzlich, abrupt*
anheimfallen *in die Hände*
   fallen
entbehrt *vermißt*

eigentümlich *charakteristisch*

Schrecknis *furchtbares*
   Unglück schroff *abrupt*

Umgebung *das Milieu*
der Becher *Trinkgefäß aus*
   Metall

verschütten *umwerfen und*
   ausleeren düster *dunkel*

weisen *schicken*

Wink *das Zeichen*
Saal *großer Raum* wehend
   windig

zufällig *unbewußt*

Nixe *Wasserjungfrau* womit
   (mit der)

verwirkt *verliert* Beichtiger
   Priester, der die Sünden hört
   Abendmahl *die Kommunion*
   sich bereiten *sich fertig*
   machen es heißt *man sagt*
   (hört)

erwürgen *töten*
gerührt *sentimental, bewegt*
Freigeist *Freidenker*
spöttisch *ironisch, sarkastisch*

Willis im Mondglanz, ebenso wie die Elfen. Ihr Antlitz, obgleich schneeweiß, ist jugendlich schön, sie lachen so schauerlich heiter, so frevelhaft liebenswürdig, sie nicken so geheimnisvoll lüstern, so verheißend; diese toten Bacchantinnen sind unwiderstehlich. 5

Das Volk, wenn es blühende Bräute sterben sah, konnte sich nie überreden, daß Jugend und Schönheit so jählings gänzlich der schwarzen Vernichtung anheimfallen, und leicht entstand der Glaube, daß die Braut noch nach dem Tode die entbehrten Freuden 10 sucht.

Es ist den Volkssagen eigentümlich, daß ihre furchtbarsten Katastrophen gewöhnlich bei Hochzeitsfesten ausbrechen. Das plötzlich eintretende Schrecknis kontrastiert dann um so grausig-schroffer mit der 15 heiteren Umgebung, mit der Vorbereitung zur Freude, mit der lustigen Musik. Solange der Rand des Bechers noch nicht die Lippen berührt, kann der kostbare Trank noch immer verschüttet werden. Ein düsterer Hochzeitsgast kann eintreten, den niemand gebeten hat, und 20 den doch keiner den Mut hat fortzuweisen. Er sagt der Braut ein Wort ins Ohr, und sie erbleicht. Er gibt dem Bräutigam einen leisen Wink, und dieser folgt ihm aus dem Saale, wandelt mit ihm weit hinaus in die wehende Nacht und kehrt nimmermehr heim. Gewöhnlich ist es 25 ein früheres Liebesversprechen, weshalb plötzlich eine kalte Geisterhand die Braut und den Bräutigam trennt. Als Herr Peter von Staufenberg beim Hochzeitsmahle saß und zufällig aufwärts schaute, erblickte er einen kleinen weißen Fuß, der durch die Saalesdecke hervor- 30 trat. Er erkannte den Fuß jener Nixe, womit er früher im zärtlichsten Liebesbündnisse gestanden, und an diesem Wahrzeichen merkte er wohl, daß er durch seine Treulosigkeit das Leben verwirkt. Er schickt zum Beichtiger, läßt sich das Abendmahl reichen und bereitet sich 35 zum Tode. Von dieser Geschichte wird in deutschen Landen noch viel gesagt und gesungen. Es heißt auch, die beleidigte Nixe habe den ungetreuen Ritter unsichtbar umarmt und in dieser Umarmung erwürgt. Tief gerührt werden die Frauen bei dieser tragischen Erzäh- 40 lung. Aber unsere jungen Freigeister lächeln darüber spöttisch und wollen nimmermehr glauben, daß die

Nixen so gefährlich sind. Sie werden späterhin ihre
Ungläubigkeit bitter bereuen.
  Die Nixen haben die größte Ähnlichkeit
mit den Elfen. Sie sind beide verlockend, anreizend und
5 lieben den Tanz. Die Elfen tanzen auf Moorgründen,
grünen Wiesen, freien Waldplätzen und am liebsten
unter alten Eichen. Die Nixen tanzen bei Teichen und
Flüssen; man sah sie auch wohl auf dem Wasser tanzen,
den Vorabend, wenn jemand dort ertrank. Auch kom-
10 men sie oft zu den Tanzplätzen der Menschen und
tanzen mit ihnen ganz wie unsereins. Die weiblichen
Nixen erkennt man an dem Saum ihrer weißen Kleider,
der immer feucht ist. Auch wohl an dem feinen Gespinste ihrer Schleier und an der vornehmen Zierlichkeit
15 ihres geheimnisvollen Wesens. Den männlichen Nix
erkennt man daran, daß er grüne Zähne hat, die fast
wie Fischgräten gebildet sind. Auch empfindet man
einen inneren Schauer, wenn man seine außerordentlich
weiche, eiskalte Hand berührt. Gewöhnlich trägt er
20 einen grünen Hut. Wehe dem Mädchen, das, ohne ihn
zu kennen, gar zu sorglos mit ihm tanzt. Er zieht sie
hinab in sein feuchtes Reich. Marsk Stig, der Königs-
mörder, hatte zwei schöne Töchter, wovon die jüngste
in des Wassermanns Gewalt geriet, sogar während sie
25 in der Kirche war. Der Nix erschien als ein stattlicher
Ritter; seine Mutter hatte ihm ein Roß von klarem
Wasser und Sattel und Zaum von dem weißesten Sande
gemacht, und die arglose Schöne reichte ihm freudig
ihre Hand. Wird sie ihm da unten im Meere die ver-
30 sprochene Treue halten? Ich weiß nicht; aber ich kenne
eine Sage von einem anderen Wassermann, der sich
ebenfalls eine Frau vom festen Lande geholt hat und
aufs listigste von ihr betrogen ward. Es ist die Sage von
Roßmer, dem Wassermann, der, ohne es zu wissen,
35 seine eigne Frau in einer Kiste auf den Rücken nahm
und sie ihrer Mutter zurückbrachte. Er vergoß darüber
nachher die bitterlichsten Tränen.
  Die Nixen haben ebenfalls oft dafür zu
büßen, daß sie an dem Umgang der Menschen Gefallen
40 fanden. Auch hierüber weiß ich eine Geschichte, die von
deutschen Dichtern vielfach besungen worden. Aber am
rührendsten klingt sie in folgenden schlichten Worten,

Glosses (right margin):

bereuen *leid tun*

anreizend *verführerisch*

Teich *kleiner See*

Vorabend *am Abend vorher*
ertrinken *untergehen*

unsereins *wir*
der Saum '*hem*'
feucht *etwas naß*
das Gespinste *Gewebe*
vornehme Zierlichkeit
elegante Grazie

die Gräte *das Bein*
empfindet *fühlt* außer-
ordentlich *ungewöhnlich*

sorglos *achtlos*

geriet *fiel, kam*
stattlich *schön*

der Zaum '*bridle*'

listig *schlau* betrogen
beschwindelt
die Kiste *Behälter aus Holz*
vergoß *weinte*

büßen *leiden, bezahlen* der
Gefallen *vgl. es gefällt mir*
hierüber *darüber*
vielfach *oft*
rührend *zu Herzen gehend*
schlicht *einfach*

129

wie sie die Gebrüder Grimm in ihren Sagen mitteilen:

„Zu Epfenbach bei Sinzheim traten seit der Leute Gedenken jeden Abend drei wunderschöne, weißgekleidete Jungfrauen in die Spinnstube[10] des Dorfs. Sie brachten immer neue Lieder und Weisen mit, wußten hübsche Märchen und Spiele, auch ihre Rocken und Spindeln hatten etwas Eigenes, und keine Spinnerin konnte so fein und behend den Faden drehen. Aber mit dem Schlag elf standen sie auf, packten ihre Rocken zusammen und ließen sich durch keine Bitte einen Augenblick länger halten. Man wußte nicht, woher sie kamen, noch wohin sie gingen: man nannte sie nur die Jungfern aus dem See oder die Schwestern aus dem See. Die Burschen sahen sie gern und verliebten sich in sie, zu allermeist des Schulmeisters Sohn. Der konnte nicht satt werden, sie zu hören und mit ihnen zu sprechen, und nichts tat ihm leider, als daß sie jeden Abend schon so früh aufbrachen. Da verfiel er einmal auf den Gedanken und stellte die Dorfuhr eine Stunde zurück, und abends im steten Gespräch und Scherz merkte kein Mensch den Verzug der Stunde. Und als die Glocke elf schlug, es aber schon eigentlich zwölf war, standen die drei Jungfrauen auf, legten ihre Rocken zusammen und gingen fort. Den folgenden Morgen kamen etliche Leute am See vorbei; da hörten sie Wimmern und sahen drei blutige Stellen oben auf der Fläche. Seit der Zeit kamen die Schwestern nimmermehr zur Stube. Des Schulmeisters Sohn zehrte ab und starb kurz danach."

Es liegt etwas so Geheimnisvolles in dem Treiben der Nixen. Der Mensch kann sich unter dieser Wasserdecke so viel Süßes und zugleich so viel Entsetzliches denken. Die Fische, die allein etwas davon wissen können, sind stumm. Oder schweigen sie etwa aus Klugheit? Fürchten sie grausame Ahndung, wenn sie die Heimlichkeiten des stillen Wasserreichs verrieten? ...

Dann gibt es auch Abnormitäten, Nixen, welche nur bis zur Hüfte menschliche Bildung tragen,

---

[10]In ihrer Freizeit kamen die Dorfleute in der „Spinnstube" zusammen, arbeiteten und erzählten, sangen und tanzten. Die Spinnstubentradition ist besonders für die Volkskunde (Folkloristik) sehr wichtig.

Glossar (Randspalte):

mitteilen *erzählen*

zu *in* seit der Leute Gedenken *seit alter Zeit*

die Weise *Melodie*
der Rocken *'distaff'*
Eigenes *Besonderes*
behend *leicht und schnell*
Faden *'thread'*

Augenblick *Moment*

Jungfer (von Jungfrau)
Bursche *junger Mann*
zu allermeist *am meisten*
satt werden *genug bekommen*

aufbrechen *weggehen*
verfiel *kam* Dorfuhr *Kirchturmsuhr*

Verzug *Verspätung*

etliche *mehrere*

die Stelle *der Platz, Punkt*
auf der Fläche *auf dem Wasser*
zehrte ab *verlor Gewicht und Gesundheit*
das Treiben *Tun*
entsetzlich *furchtbar*

stumm *stimmlos, ohne Sprache*
klug *weise*
Ahndung *Strafe, Rache*
Heimlichkeit *das Geheimnis*

Hüfte *Körpermitte* Bildung *Form*

unten aber in einem Fischschweif endigen, oder mit der Oberhälfte ihres Leibes als eine wunderschöne Frau und mit der Unterhälfte als eine schuppige Schlange erscheinen, wie Eure Melusine, die Geliebte des Grafen Raimund von Poitiers.

Glücklicher Raimund, dessen Geliebte nur zur Hälfte eine Schlange war!

Auch kommt es oft vor, daß die Nixen, wenn sie sich mit Menschen in ein Liebesbündnis einlassen, nicht bloß Verschwiegenheit verlangen, sondern auch bitten, man möge sie nie befragen nach ihrer Herkunft, nach Heimat und Sippschaft. Auch sagen sie nicht ihren rechten Namen, sondern sie geben sich unter den Menschen sozusagen einen *nom de guerre*. Der Gatte der klevschen Prinzessin nannte sich Helias. War er ein Nix oder eine Elfe? Wie oft, wenn ich den Rhein hinabfuhr und an dem Schwanenturm von Kleve vorüberkam, dachte ich an den geheimnisvollen Ritter, der so wehmütig streng sein Inkognito bewahrte, und den die bloße Frage nach seiner Herkunft aus den Armen der Liebe vertreiben konnte. Als die Prinzessin ihre Neugier nicht bemeistern konnte und einst in der Nacht zu ihrem Gemahl die Worte sprach: „Herr, solltet Ihr nicht unserer Kinder wegen sagen, wer Ihr seid?", da stieg er seufzend aus dem Bette, setzte sich wieder auf sein Schwanenschiff, fuhr den Rhein hinab und kam nimmermehr zurück. Aber es ist auch wirklich verdrießlich, wenn die Weiber zu viel fragen. Braucht eure Lippen zum Küssen, nicht zum Fragen, ihr Schönen. Schweigen ist die wesentliche Bedingung des Glückes. Wenn der Mann die Gunstbezeugungen seines Glückes ausplaudert, oder wenn das Weib nach den Geheimnissen ihres Glückes neugierig forscht, dann gehen sie beide ihres Glückes verlustig.

Elfen und Nixen können zaubern, können sich in jede beliebige Gestalt verwandeln; indessen manchmal sind auch sie selber von mächtigeren Geistern und Nekromanten in allerlei häßliche Mißgebilde verwünscht worden. Sie werden aber erlöst durch Liebe. Das krötige Ungeheuer muß dreimal geküßt werden, und es verwandelt sich in einen schönen Prinzen. Sobald du deinen Widerwillen gegen das Häßliche überwindest

---

der Schweif *Schwanz*

schuppig *'scaled'* Schlange *Viper* Melusine *berühmte franz. Sagenfigur* Poitiers *Stadt in Frankreich*

Verschwiegenheit *Diskretion*

Sippschaft *Verwandtschaft, Familie*

nom de guerre (franz.) das Pseudonym Kleve *bei Düsseldorf am Rhein*

wehmütig streng *melancholisch strikt* bloß *nur*

bemeistern *kontrollieren*

Gemahl *Mann* Ihr (altmodische Höflichkeitsform)

verdrießlich *ärgerlich, störend*

wesentliche Bedingung *wichtige Kondition* Gunstbezeugungen seines Glückes ausplaudert *sein Liebesglück andern erzählt* forscht *fragt* verlustig gehen *verlieren*

beliebige *irgendeine* verwandeln *verändern* indessen *jedoch, aber* häßliche ... *Monstrositäten* verwünscht *verzaubert* erlöst *befreit* die Kröte *'toad'* Ungeheuer *Monstrum* Widerwillen *die Aversion* überwinden *überkommen* liebgewinnen *zu lieben beginnen*

weichen *sich zurückziehen*
Gewalt *Macht*

seltsam *merkwüdig*

Weltbeschreibung *Kosmographie* wunderbar *kurios*

Magdeburg *Stadt an der Elbe*
Jüngster Tag *Ende von Welt und Zeit*
überzeugt *glaube sicher*
zweifeln *nicht glauben*
Gazette de France: konservative franz. Zeitung

Anhänger *Mitglieder, Freunde*
Anzahl *Zahl*

Mitteilung *Kommunikation*

verlangt es *will (fordert) es*
gründlich *'thorough'*
erwähnen *davon sprechen*

namens *mit dem Namen*

ganz im geringsten *gar*

darreichen *geben*

gegen *bei*

und das Häßliche sogar liebgewinnst, so verwandelt es sich in etwas Schönes. Keine Verwünschung widersteht der Liebe. Liebe ist ja selber der stärkste Zauber, jede andere Verzauberung muß ihr weichen. Nur gegen eine Gewalt ist sie ohnmächtig. Welche ist das? Es ist 5 nicht das Feuer, nicht das Wasser, nicht die Luft, nicht die Erde mit allen ihren Metallen; es ist die Zeit.

Die seltsamsten Sagen in betreff der Elementargeister findet man bei dem alten guten Johannes Prätorius, dessen *Anthropodemus plutonicus, oder neue Welt-* 10 *beschreibung von allerlei wunderbaren Menschen* im Jahr 1666 zu Magdeburg erschienen ist. Schon die Jahreszahl ist merkwürdig; es ist das Jahr, dem der Jüngste Tag prophezeit worden.

Ich bin überzeugt, ihr alle wißt nicht, daß 15 es Meerbischöfe gibt? Ich zweifle sogar, ob die *Gazette de France* es weiß. Und doch wäre es wichtig für manche Leute zu wissen, daß das Christentum sogar im Ozean seine Anhänger hat und gewiß in großer Anzahl. Vielleicht die Majorität der Meergeschöpfe sind Christen, 20 wenigstens ebenso gute Christen wie die Majorität der Franzosen. Ich möchte dieses gern verschweigen, um der katholischen Partei in Frankreich durch diese Mitteilung keine Freude zu machen, aber da ich hier von Nixen, von Wassermenschen, zu sprechen habe, ver- 25 langt es die deutsch-gewissenhafte Gründlichkeit, daß ich der Seebischöfe erwähne. Prätorius erzählt nämlich folgendes:

„In den holländischen Chroniken liest man, Cornelius von Amsterdam habe an einen Medikus, 30 namens Gelbert, nach Rom geschrieben: daß im Jahre 1531 in dem nordischen Meere, nahe bei Elpach ein Meermann sei gefangen worden, der wie ein Bischof von der römischen Kirche ausgesehen habe. Den habe man dem König von Polen zugeschickt. Weil er aber ganz 35 im geringsten nichts essen wollte von allem, was ihm dargereicht, sei er am dritten Tage gestorben, habe nichts geredet, sondern nur große Seufzer geholet."

Eine Seite weiter hat Prätorius ein anderes Beispiel mitgeteilt: 40

„Im Jahre 1433 hat man in dem Baltischen Meere, gegen Polen, einen Meermann gefunden, welcher

einem Bischof ganz ähnlich gewesen. Er hatte einen Bischofshut auf dem Haupte, seinen Bischofstab in der Hand und ein Meßgewand an. Er ließ sich berühren, sonderlich von den Bischöfen des Ortes, und erwies
5 ihnen Ehre, jedoch ohne Rede. Der König wollte ihn in einem Turm verwahren lassen, darwider setzte er sich mit Gebärden und die Bischöfe baten, daß man ihn wieder in sein Element lassen wolle, welches auch geschehen, und er wurde von zweien Bischöfen dahin begleitet
10 und erwies sich freudig. Sobald er in das Wasser kam, machte er ein Kreuz und tauchte hinunter, wurde auch künftig nicht mehr gesehen. Dieses ist zu lesen in *Flandr. Chronic.*, in *Hist. Ecclesiast. Spondani*, wie auch in den *Memorabilibus Wolfii.*"
15 Ich habe beide Geschichten wörtlich mitgeteilt und meine Quelle genau angegeben, damit man nicht etwa glaube, ich hätte die Meerbischöfe erfunden. Ich werde mich wohl hüten, noch mehr Bischöfe zu erfinden.
20 Einigen Engländern, mit denen ich mich gestern über die Reform der anglikanisch-episkopalen Kirche unterhielt, habe ich den Rat gegeben, aus ihren Landbischöfen lauter Meerbischöfe zu machen.
Zur Ergänzung der Sagen von Nixen und
25 Elfen habe ich noch der Schwanenjungfrauen zu erwähnen. Die Sage ist hier sehr unbestimmt und mit einem allzu geheimnisvollen Dunkel umwoben. Sind sie Wassergeister? Sind sie Luftgeister? Sind sie Zauberinnen? Manchmal kommen sie aus den Lüften als Schwäne
30 herabgeflogen, legen ihre weiße Federhülle von sich wie ein Gewand, sind dann schöne Jungfrauen und baden sich in stillen Gewässern. Überrascht sie dort irgendein neugieriger Bursche, dann springen sie rasch aus dem Wasser, hüllen sich geschwind in ihre Federhaut und
35 schwingen sich dann als Schwäne wieder empor in die Lüfte. Der vortreffliche Musäus erzählt in seinen *Volksmärchen* die schöne Geschichte von einem jungen Ritter, dem es gelang, eins von jenen Federgewändern zu stehlen; als die Jungfrauen aus dem Bade stiegen, sich
40 schnell in ihre Federkleider hüllten und davonflogen, blieb eine zurück, die vergebens ihr Federkleid suchte. Sie kann nicht fortfliegen, weint beträchtlich, ist wunder-

das Meßgewand *Meßkleidung* berühren *befühlen* sonderlich *besonders* erwies *bezeigte, gab*

verwahren *sicherhalten* da(r)wider setzte er sich *dagegen protestierte er* die Gebärde *Gestikulation*

künftig *vgl. Zukunft, später*

wörtlich *Wort für Wort* angeben *zitieren* etwa *vielleicht* sich hüten *aufpassen*

Ergänzung *das Komplement*

unbestimmt *unklar* umwoben *bedeckt*

Hülle *das Kleid, Gewand*

die Gewässer *Seen, Flüsse*

geschwind *schnell* empor *hinauf* vortrefflich *ausgezeichnet* Musäus (1735–1787), *Märchensammler vor der Romantik* gelingen *Erfolg haben*

davon *fort, weg* vergebens *erfolglos* beträchtlich *sehr*

in der Abwesenheit des Gemahls *während ihr Mann fort ist* kramt *sucht*

Heidentum *vor dem Christentum* edel *nobel*

verstehen zu *wissen wie*

als ... *als eine Schlechtigkeit der Hexerei interpretiert*

bedeutsame Spuren *wichtige Reste*

schildern *beschreiben*

Schlacht *der Kampf* rätselhaft *mysteriös* voraussagten *prophezeiten*

Blätter *Seiten*

flüchtig *kurz*

Betrachtung *Reflexion* bändereicher Stoff *Material für mehrere Bücher* vertilgen *vernichten*

die Gesetze (*pl.*) *das Recht*

Andacht verrichten *beten, meditieren* ... Irrwahn *in häretischem Unglauben*

schön, und der schlaue Ritter heiratet sie. Sieben Jahre leben sie glücklich, aber einst, in der Abwesenheit des Gemahls, kramt die Frau in verborgenen Schränken und Truhen und findet dort ihr altes Federgewand; geschwind schlüpft sie hinein und fliegt davon. 5

Zur Zeit des Heidentums waren es Königinnen und edle Frauen, von welchen man sagte, daß sie in den Lüften zu fliegen verstünden, und diese Zauberkunst, die damals für etwas Ehrenwertes galt, wurde später, in christlicher Zeit, als eine Abscheulichkeit des 10 Hexenwesens dargestellt.

Die Schwanenjungfrauen, von welchen ich geredet, halten manche für die Walküren der Skandinavier. Auch von diesen haben sich bedeutsame Spuren im Volksglauben erhalten. Die Hexen, die Shakespeare 15 in seinem „Macbeth" auftreten läßt, werden in der alten Sage, die der Dichter benutzt hat, weit edler geschildert. Nach dieser Sage sind dem Helden im Walde, kurz vor der Schlacht, drei rätselhafte Jungfrauen begegnet, die ihm sein Schicksal voraussagten und spurlos verschwan- 20 den. Es waren Walküren oder gar die Nornen, die Parzen des Nordens.[11]

Ich habe in diesen Blättern immer nur flüchtig ein Thema berührt, welches zu den interessantesten Betrachtungen einen bändereichen Stoff bieten 25 könnte; nämlich die Art und Weise, wie das Christentum die altgermanische Religion entweder zu vertilgen oder in sich aufzunehmen suchte, und wie sich die Spuren derselben im Volksglauben erhalten haben.

In den altdeutschen Gesetzen gibt's noch 30 viele Verbote: daß man bei den Flüssen, den Bäumen und Steinen nicht seine Andacht verrichten solle, in ketzerischem Irrwahn, daß eine Gottheit darin wohne.

Diese drei, Steine, Bäume und Flüsse, erscheinen als Hauptmomente des germanischen Kultus, 35 und damit korrespondiert der Glaube an Wesen, die in den Steinen wohnen, nämlich Zwerge, an Wesen, die in

---

[11]*Walküren* in der nordischen Sage sind die Schlachtenjungfrauen, sie tragen die toten Krieger nach Walhalla; *Nornen* sind die drei Schicksalsgöttinnen der nordischen Sage, sie spinnen und weben die Fäden des Schicksals; *Parzen* (auch *Moiren*) sind die drei antiken Schicksalsgöttinnen.

den Bäumen wohnen, nämlich Elfen, und Wesen, die im
Wasser wohnen, nämlich Nixen. Will man einmal
systematisieren, so ist diese Art weit zweckmäßiger als
das Systematisieren nach den verschiedenen Elementen,
5 wo man noch für das Feuer eine vierte Klasse Elementargeister, nämlich die Salamander, annimmt. Das Volk
aber, welches immer systemlos, hat nie etwas von dergleichen gewußt. Es gibt unter dem Volke eigentlich
nur die Sage von einem Tiere, welches im Feuer leben
10 könne und Salamander heiße.

    Die feurigen Männer, die des Nachts um-
herwandeln, sind keine Elementargeister, sondern Gespenster von verstorbenen Menschen, toten Wucherern,
unbarmherzigen Amtmännern und Bösewichtern, die
15 einen Grenzstein verrückt haben. Die Irrwische sind
auch keine Geister. Man weiß nicht genau, was sie sind;
sie verlocken den Wandrer in Moorgrund und Sümpfe.
Wie gesagt, eine ganze Klasse Feuergeister, wie Paracelsus sie beschreibt, kennt das Volk nicht. Es spricht
20 höchstens nur von einem einzigen Feuergeist, und das
ist kein anderer als Luzifer, Satan, der Teufel. In alten
Balladen erscheint er unter dem Namen „der Feuer-
könig“, und im Theater, wenn er auftritt oder abgeht,
fehlen nie die obligaten Flammen. Da er also der einzige
25 Feuergeist ist und uns für eine ganze Klasse solcher
Geister schadlos halten muß, wollen wir ihn näher
besprechen.

    In der Tat, wenn der Teufel kein Feuer-
geist wäre, wie könnte er es denn in der Hölle aushalten?
30 Er ist ein Wesen von so kalter Natur, daß er sogar nirgends anders als im Feuer sich behaglich fühlen kann.
Über diese kalte Natur des Teufels haben sich alle die
armen Frauen beklagt, die mit ihm in nähere Berührung
gekommen. Merkwürdig übereinstimmend sind in dieser
35 Hinsicht die Aussagen der Hexen, wie wir sie in den
Hexenprozessen aller Lande finden können. Diese Da-
men, die ihre fleischlichen Verbindungen mit dem Teufel eingestanden, sogar auf der Folter, erzählen immer
von der Kälte seiner Umarmungen; eiskalt, klagten sie,
40 waren die Ergüsse dieser teuflischen Zärtlichkeit.

    Der Teufel ist kalt, selbst als Liebhaber.
Aber häßlich ist er nicht, denn er kann ja jede Gestalt

zweckmäßig *adäquat,*
praktisch

annimmt *sich denkt*

toten . . .   . . . *Profitmachern,*
herzlosen Beamten und
schlechten Kerls
verrücken *versetzen* Irrwisch *(Irrlicht) ein*
Nachtphänomen
der Sumpf *nasser bodenloser*
Grund

schadlos halten *stehen muß*
besprechen *diskutieren*

behaglich *komfortabel*

Berührung *der Kontakt*
übereinstimmend (*fast*)
gleich Hinsicht *der Punkt*

der Prozeß '*trial*'

(ein)gestehen *zugeben,*
bejahen Folter *Tortur*

der Erguß *Ausströmung*
Zärtlichkeit *Liebe*
als Liebhaber *in der Liebe*

weiblicher Liebreiz
femininer Charme
Klosterbruder *Mönch*
die Buße *'penance'*
sinnliche Freude *Erotik*

Gesellen *Bande* vergnügt
fröhlich geschlemmt und
gebechert *viel gegessen und
getrunken* das Vieh *Tier,
Biest*
das Gastmahl *Gala-Diner*

angerichtet *fertig*

darob *darüber*
entfahren *entschlüpfen*

Unmut zu verschmerzen
Ärger zu vergessen
mittlerweile *inzwischen*
heißen *befehlen, lassen*
anzeigen *sagen*
anlangen *ankommen*

Mut *die Courage*

besoffen *betrunken*

die Pfote *'paw'*
glänzen *scheinen*

allgemein *überall, generell*

Eigentümlichkeit *das
Charakteristikum*
kundgab *zeigte*
Sucht *Manie*
versteht sich auf Logik
kennt die Logik
zu seinem Schaden erfahren
leider herausfinden müssen
Cordova *Stadt in Spanien*
Bund *(das Bündnis) Pakt*
Pflanzenkunde *Botanik*
Kunststücke *Tricks*

annehmen. Nicht selten hat er sich ja auch mit weibli-
chem Liebreiz bekleidet, um irgend einen frommen Klosterbruder von seinen Bußübungen abzuhalten oder gar
zur sinnlichen Freude zu verlocken. Bei anderen, die er
nur schrecken wollte, erschien er in Tiergestalt, er und 5
seine höllischen Gesellen. Besonders wenn er vergnügt ist
und viel geschlemmt und gebechert hat, zeigt er sich gern
als ein Vieh. Da war ein Edelmann in Sachsen, der hatte
seine Freunde eingeladen zu einem Gastmahl. Als nun
der Tisch gedeckt und die Stunde der Mahlzeit gekom- 10
men und alles angerichtet war, fehlten ihm seine Gäste,
die sich einer nach dem anderen entschuldigen ließen.
Darob zornig, entfuhren ihm die Worte: „Wenn kein
Mensch kommen will, so mag der Teufel bei mir essen
mit der ganzen Hölle!" und er verließ das Haus, um 15
seinen Unmut zu verschmerzen. Mittlerweile kommen
in den Hof hereingeritten große und schwarze Reiter
und heißen des Edelmanns Knecht seinen Herrn suchen,
um ihm anzuzeigen, daß die zuletzt geladenen Gäste
angelangt seien. Der Knecht, nach langem Suchen, 20
findet endlich seinen Herrn, kehrt mit diesem zurück,
haben aber beide nicht den Mut, ins Haus hinein-
zugehen. Denn sie hören, wie drinnen das Schlemmen,
Schreien und Singen immer toller wird, und endlich
sehen sie, wie die besoffenen Teufel in der Gestalt von 25
Bären, Katzen, Böcken, Wölfen und Füchsen ans offene
Fenster traten, in den Pfoten die vollen Becher oder die
dampfenden Teller, und mit glänzenden Schnauzen und
lachenden Zähnen heruntergrüßend.

Daß der Teufel in Gestalt eines schwarzen 30
Bockes dem Konvente der Hexen präsidiert, ist allgemein
bekannt.

Eine Eigentümlichkeit des Teufels, die sich
schon frühe kundgab und bis auf den heutigen Tag sich
erhalten hat, ist seine Disputiersucht, seine Sophistik, 35
seine „Syllogismen". Der Teufel versteht sich auf Logik,
und schon vor achthundert Jahren hat der Papst Syl-
vester solches zu seinem Schaden erfahren. Dieser hatte
nämlich, als er zu Cordova studierte, mit Satan einen
Bund geschlossen, und durch seine höllische Hilfe lernte 40
er Geometrie, Algebra, Astronomie, Pflanzenkunde, allerlei nützliche Kunststücke, unter anderen die Kunst,

Papst zu werden. In Jerusalem sollte vertragsgemäß
sein Leben enden. Er hütete sich wohl, hinzugehen. Als
er aber einst in einer Kapelle zu Rom Messe las, kam
der Teufel, um ihn abzuholen, und indem der Papst sich
5 dagegen sträubt, beweist ihm jener, daß die Kapelle,
worin sie sich befänden, den Namen Jerusalem führe,
daß die Bedingungen des alten Bündnisses erfüllt seien
und daß er ihm nun zur Hölle folgen müsse. Und der
Teufel holte den Papst, indem er ihm lachend ins Ohr
10 flüsterte:

„Tu non pensavi ch'io loico fossi!"
    (Dante, Inferno, c. 28.)
„Du dachtest nicht daran, daß ich ein Logiker bin!"

        Der Teufel versteht Logik, er ist Meister
15 in der Metaphysik, und mit seinen Spitzfindigkeiten und
Ausdeuteleien überlistet er alle seine Verbündeten.
Wenn sie nicht genau aufpaßten und den Kontrakt
später nachlasen, fanden sie zu ihrem Erschrecken, daß
der Teufel anstatt Jahre nur Monate oder Wochen oder
20 gar Tage geschrieben, und er kommt ihnen plötzlich
über den Hals und beweist ihnen, daß die Frist abgelaufen. In einem der älteren Puppenspiele, welche das
Satansbündnis, Schandleben und erbärmliche Ende des
Doktor Faustus vorstellen, findet sich ein ähnlicher Zug.

vertragsgemäß *nach dem*
    Kontrakt
sich hüten *aufpassen*

sich sträubt *sich wehrt, sich*
    verteidigt

sich befinden *sein*
führe *trage, habe*
Bedingung *Kondition*

mit ... *mit Finessen und*
    Tricks überlisten *schlauer*
    sein als, beschwindeln Ver-
    bündete *Alliierte*

gar *sogar*

... Hals *er packt sie plötzlich*
    Frist *Kontraktzeit*

die Schande *Unehre*
vorstellen *zeigen* ... Zug
    eine Parallele

Peter von Cornelius: Tod Valentins. Aus dem „Faust"-Zyklus (um 1811)

Befriedigung *Erfüllung*
irdisch *weltlich* begehren
sich wünschen
sich . . . *angeboten, verspro-*
chen begangen *getan*

umbringen *töten*
verfallen *eigen*
der Totschlag *Mord*

beurteilen *erkennen* ergötzlich *lustig*
Lektüre *das Lesen*

Sinnenfreude *Sensualität,*
Erotik
Vernunft *Ratio*
Gegensatz *die Opposition,*
Kontradiktion

Entsinnlichung *Spirituali-*
sierung Heil *Glück*

sich stützen auf *bauen auf,*
vertrauen blindlings *blind*

entsetzlich *furchtbar*
die Teufelei *das Teufelswerk*

beleuchten *Licht darauf*
werfen

Grabbe *(1801–1836),*
Dramatiker
in jener Beziehung *von*
diesem Gesichtspunkt aus

Faust, welcher vom Teufel die Befriedigung aller irdischen Genüsse begehrte, hat ihm dafür seine Seele
verschrieben und sich anheischig gemacht, zur Hölle
zu fahren, sobald er die dritte Mordtat begangen habe.
Er hat schon zwei Menschen getötet und glaubt, ehe er 5
zum dritten Male jemanden umbringe, sei er dem Teufel
noch nicht verfallen. Dieser aber beweist ihm, daß eben
sein Teufelsbündnis, sein Seelentotschlag, als dritte
Mordtat zähle, und mit dieser verdammten Logik führt
er ihn zur Hölle. Wie weit Goethe in seinem Mephisto 10
jenen Charakterzug der Sophistik exploitiert hat, kann
jeder selbst beurteilen.[12] Nichts ist ergötzlicher als die
Lektüre von Teufelskontrakten, die sich aus der Zeit der
Hexenprozesse erhalten haben und worin der Kontrahent sich vorsichtig gegen alle Schikanen verklausuliert 15
und alle Stipulationen aufs ängstlichste paraphrasiert.

Der Teufel ist ein Logiker. Er ist nicht
bloß der Repräsentant der weltlichen Herrlichkeit, der
Sinnenfreude, des Fleisches, er ist auch Repräsentant
der menschlichen Vernunft, eben weil diese alle Rechte 20
der Materie vindiziert; und er bildet somit den Gegensatz zu Christus, der nicht bloß den Geist, die asketische
Entsinnlichung, das himmlische Heil, sondern auch den
Glauben repräsentiert. Der Teufel glaubt nicht, er
stützt sich nicht blindlings auf fremde Autoritäten, er 25
will vielmehr dem eignen Denken vertrauen, er macht
Gebrauch von der Vernunft! Dieses ist nun freilich
etwas Entsetzliches, und mit Recht hat die römisch-
katholisch-apostolische Kirche das Selbstdenken als Teufelei verdammt und den Teufel, den Repräsentanten 30
der Vernunft, für den Vater der Lüge erklärt.

Etwas Zynisches hat der Teufel freilich,
und diesen Charakterzug hat niemand besser beleuchtet
wie unser Dichter Wolfgang Goethe. Ein anderer
deutscher Schriftsteller, Herr Grabbe, hat den Teufel 35
in jener Beziehung ebenfalls vortrefflich gezeichnet.
Auch die Kälte in der Natur des Teufels hat er ganz

---

[12]Heine besucht 1824 den alten Goethe in Weimar. „Woran
arbeiten Sie jetzt?" fragt Goethe freundlich. „An meinem *Faust*",
sagt Heine. Goethe darauf sehr kühl: „Wie lange bleiben Sie
noch in Weimar, Herr Heine?" — Erst 1847 beendet Heine seinen
„Doktor Faust", aber nicht als Drama, sondern als Tanzpoem.
Werner Egks „Abraxas", ein Ballett, ist auf Heines Text basiert.

richtig begriffen. In einem Drama dieses genialen Schriftstellers erscheint der Teufel auf Erden, weil seine Mutter in der Hölle schruppt; letzteres ist eine bei uns gebräuchliche Art, die Zimmer zu reinigen, wobei das
5 Estrich mit heißem Wasser übergossen und mit einem groben Tuche gerieben wird, so daß ein quiekender Mißton und lauwarmer Dampf entsteht, der es einem vernünftigen Wesen unmöglich macht, unterdessen zu Hause zu bleiben. Der Teufel muß deshalb aus der
10 wohlgeheizten Hölle sich in die kalte Oberwelt hinauf-flüchten, und hier, obgleich es ein heißer Julitag ist, empfindet der arme Teufel dennoch einen so großen Frost, daß er fast erfriert und nur mit ärztlicher Hilfe aus dieser Erstarrung gerettet wird.
15   Wir sahen eben, daß der Teufel eine Mut-ter hat; viele behaupten, er habe eigentlich nur eine Großmutter. Auch diese kommt zuweilen zur Oberwelt, und auf sie bezieht sich vielleicht das Sprichwort: „Wo der Teufel selbst nichts ausrichten kann, da schickt er
20 ein altes Weib." Gewöhnlich aber ist sie in der Hölle mit der Küche beschäftigt, oder sitzt in ihrem roten Lehnsessel, und wenn der Teufel des Abends, müde von den Tagesgeschäften, nach Hause kommt, frißt er in schlingender Hast, was ihm die Mutter gekocht hat, und
25 dann legt er seinen Kopf in ihren Schoß und läßt sich von ihr lausen und schläft ein. Die Alte pflegt ihm auch wohl dabei ein Lied vorzuschnurren, welches mit den folgenden Worten beginnt:

    „Im Thume, im Thume,[13]
30   Da steht eine Rosenblume,
    Rose rot wie Blut."

---

[13]das Thum, völlig obsolet, nur noch als Suffix -tum, wie in König-tum; hier vielleicht: Irgendwo im Lande/Da steht . . . .

Marginal glosses:

begreifen *verstehen*

schruppen *aufwaschen*

gebräuchlich *traditionell*

das (der) Estrich *der Fußboden* grob *rauh*

vernünftig *normal* unterdessen *inzwischen, zu der Zeit*

empfindet *fühlt*

dennoch *trotzdem*

erstarren *steif werden vor Kälte*

zuweilen *manchmal*

sich beziehen *basiert sein auf* Sprichwort *Proverb* ausrichten *tun*

frißt . . . *ißt er hastig wie ein Tier*

Schoß 'lap'

lausen *Läuse suchen* pflegt *tut oft* vorschnurren *vorbrummen, schlecht vorsingen*

Diskussionsthemen

GEBRÜDER GRIMM: *Vorrede zu den Kinder- und Hausmärchen*

1. Menschentypen im Märchen. 2. Mensch und Natur im Märchen. 3. Haben die didaktischen Elemente im Märchen eine primäre Funktion? 4. Hätten die Gebrüder Grimm wohl das ästhetische Prinzip *l' art pour l' art* (engl. art for art's sake) gutgeheißen? 5. Hat das Märchen einen Autor? (Vgl. dazu auch Kapitel IV, „Volkspoesie und Kunstpoesie".)

HEINE: *Elementargeister*

1. Die „Elementargeister" wurden zuerst in französischer Sprache und für Franzosen geschrieben. Kann man das auch an der deutschen Version noch hier und da erkennen? 2. Ohne die historischen Arbeiten der Gebrüder Grimm sind die „Elementargeister" kaum denkbar. Wie steht Heine zu ihnen und zu seiner anderen Hauptquelle, Paracelsus? 3. Die Liebe in den „Elementargeistern". 4. Heines Ironie. 5. Christentum und Volksglaube. 6. Heine und die katholische Kirche. 7. Wie reflektiert sich der Stoff (Volksglaube, Teufel, usw.) in Heines Stil?

PATRIOTISCHE ROMANTIK

Antoine-Jean Gros: Napoleon und Franz II. nach der Schlacht von Austerlitz

Heinrich von Kleist

Katechismus der Deutschen
Zum Gebrauch für Kinder und Alte

ERSTES KAPITEL
Von Deutschland überhaupt

FRAGE   Sprich, Kind, wer bist du?

ANTWORT   Ich bin ein Deutscher.

FRAGE   Ein Deutscher? Du scherzest. Du bist in Meißen geboren, und das Land, dem Meißen angehört,
5   heißt Sachsen!

der Scherz *Spaß, Witz*
Meißen *Stadt des Porzellans*

ANTWORT   Ich bin in Meißen geboren, und das Land, dem Meißen angehört, heißt Sachsen; aber mein Vaterland, das Land, dem Sachsen angehört, ist Deutschland, und dein Sohn, mein Vater, ist ein
10   Deutscher.

FRAGE   Du träumst! Ich kenne kein Land, dem Sachsen angehört, es müsse denn das rheinische Bundesland sein.[1] Wo find' ich es, dies Deutschland, von dem du sprichst, und wo liegt es?

15 ANTWORT   Hier, mein Vater. — Verwirre mich nicht.

verwirre mich nicht *mach mich nicht konfus*

FRAGE   Wo?

ANTWORT   Auf der Karte!

Karte *Landkarte*

FRAGE   Ja, auf der Karte! — Diese Karte ist vom Jahre 1805. — Weißt du nicht, was geschehn ist im Jahre
20   1805, da der Friede von Preßburg[2] abgeschlossen war?

ANTWORT   Napoleon, der korsische Kaiser, hat es, nach dem Frieden, durch eine Gewalttat zertrümmert.

zertrümmern *zerstören*

FRAGE   Nun? Und gleichwohl wäre es noch vorhanden?

gleichwohl *trotzdem*
vorhanden *da, hier*

25 ANTWORT   Gewiß! — Was fragst du mich doch?

---

[1]Der „Rheinbund", 1806–1813, Konföderation deutscher Kleinstaaten unter Napoleons Protektorat.
[2]Friede von Preßburg, 1805, nach Napoleons Sieg über Österreich und Rußland in der „Dreikaiserschlacht" bei Austerlitz (Tschechoslowakei).

FRAGE Seit wann?

Franz II. von Österreich
(1792–1806)

Feldherr Generalfeld-
marschall den er bestellte
dem er das Kommando
übergab das Heer die
Amree

ANTWORT Seit Franz der Zweite, der alte Kaiser der
Deutschen, wieder aufgestanden ist, um es her-
zustellen, und der tapfre Feldherr,[3] den er bestellte,
das Volk aufgerufen hat, sich an die Heere, die er   5
anführt, zur Befreiung des Landes, anzuschließen.

ZWEITES KAPITEL
Von der Liebe zum Vaterlande

FRAGE Du liebst dein Vaterland, nicht wahr, mein
Sohn?

ANTWORT Ja, mein Vater, das tu' ich.

FRAGE Warum liebst du es?   10

ANTWORT Weil es mein Vaterland ist.

gesegnet beschenkt

schmücken verschönern
Helden Heroen anführen
nennen verherrlicht
berühmt gemacht
verführen irreführen

FRAGE Du meinst, weil Gott es gesegnet hat mit vielen
Früchten, weil viele schönen Werke der Kunst es
schmücken, weil Helden, Staatsmänner und Weise,
deren Namen anzuführen kein Ende ist, es ver-   15
herrlicht haben?

ANTWORT Nein, mein Vater, du verführst mich.

FRAGE Ich verführte dich?

ANTWORT — Denn Rom und das ägyptische Delta sind,
wie du mich gelehrt hast, mit Früchten und schönen   20
Werken der Kunst, und allem, was groß und herrlich sein mag, weit mehr gesegnet, als Deutschland.

das Schicksal Fatum

traurig nicht froh

nimmermehr nie

Gleichwohl, wenn deines Sohnes Schicksal wollte,
daß er darin leben sollte, würde er sich traurig
fühlen, und es nimmermehr so lieb haben, wie   25
jetzt Deutschland.

FRAGE Warum also liebst du Deutschland?

ANTWORT Mein Vater, ich habe es dir schon gesagt!

FRAGE Du hättest es mir schon gesagt?

ANTWORT Weil es mein Vaterland ist.   30

---

[3]Erzherzog Karl (1771–1847), Bruder des Kaisers. 1809 gewinnt
er bei Aspern gegen Napoleon. Voll Hoffnung schreibt Kleist
darauf seinen „Katechismus", doch kurz nach Aspern besiegt
Napoleon die kaiserliche Armee bei Wagram.

144

Georg Friedrich Kersting: Auf Vorposten (Der Freiheitsdichter Theodor Körner mit Kameraden des Lützowschen Freikorps) – (1815).

DRITTES KAPITEL
Von der Zertrümmerung des Vaterlandes

FRAGE Was ist deinem Vaterlande jüngsthin wider-
fahren?

jüngsthin wiederfahren in jüngster Zeit geschehen

ANTWORT Napoleon, Kaiser der Franzosen, hat es,
mitten im Frieden, zertrümmert, und mehrere
5 Völker, die es bewohnen, unterjocht.

unterjocht unterdrückt

FRAGE Warum hat er dies getan?

ANTWORT Das weiß ich nicht.

FRAGE Das weißt du nicht?

ANTWORT Weil er ein böser Geist ist.

10 FRAGE Ich will dir sagen, mein Sohn: Napoleon behauptet, er sei von den Deutschen beleidigt worden.

behauptet sagt im Ernst

beleidigt insultiert

ANTWORT Nein, mein Vater, das ist er nicht.

FRAGE Warum nicht?

ANTWORT Die Deutschen haben ihn niemals beleidigt.

15 FRAGE Kennst du die ganze Streitfrage, die dem
Kriege, der entbrannt ist, zum Grunde liegt?

Streitfrage das Objekt des Disputs

145

ANTWORT   Nein, keineswegs.

FRAGE   Warum nicht?

weitläufig und umfassend *komplex* schließen *logisch folgern* gerecht *auf Recht gegründet*

ANTWORT   Weil sie zu weitläufig und umfassend ist.

FRAGE   Woraus also schließest du, daß die Sache, die die Deutschen führen, gerecht sei?   5

ANTWORT   Weil Kaiser Franz von Österreich es versichert hat.

FRAGE   Wo hat er dies versichert?

erlassenen Aufruf *gegebenen Proklamation* Angaben *Aussagen*

ANTWORT   In dem, von seinem Bruder, dem Erzherzog Karl, an die Nation erlassenen Aufruf.   10

FRAGE   Also, wenn zwei Angaben vorhanden sind, die eine von Napoleon, dem Korsenkaiser, die andere von Franz, Kaiser von Österreich: welcher glaubst du?

ANTWORT   Der Angabe Franzens, Kaisers von Öster-   15 reich.

FRAGE   Warum?

wahrhaftig *ehrlich*

ANTWORT   Weil er wahrhaftiger ist.

VIERTES KAPITEL
Vom Erzfeind

FRAGE   Wer sind deine Feinde, mein Sohn?

ANTWORT   Napoleon, und solange er ihr Kaiser ist, die   20 Franzosen.

FRAGE   Ist sonst niemand, den du hassest?

ANTWORT   Niemand, auf der ganzen Welt.

FRAGE   Gleichwohl, als du gestern aus der Schule kamst, hast du dich mit jemand, wenn ich nicht irre,   25

entzweien *streiten*

entzweit?

ANTWORT   Ich, mein Vater? — Mit wem?

FRAGE   Mit deinem Bruder. Du hast es mir selbst erzählt.

auftragen *bitten, befehlen*

ANTWORT   Ja, mit meinem Bruder! Er hatte meinen   30 Vogel nicht, wie ich ihm aufgetragen hatte, gefüttert.

FRAGE   Also ist dein Bruder, wenn er dies getan hat, dein Feind, nicht Napoleon, der Korse, noch die Franzosen, die er beherrscht?   35

ANTWORT Nicht doch, mein Vater! — Was sprichst
    du da?

FRAGE Was ich da spreche?

ANTWORT Ich weiß nicht, was ich darauf antworten soll.

5 FRAGE Wozu haben die Deutschen, die erwachsen sind,
    jetzt allein Zeit?

ANTWORT Das Reich, das zertrümmert ward, wieder-   ward *wurde*
    herzustellen.

FRAGE Und die Kinder?

10 ANTWORT Dafür zu beten, daß es ihnen gelingen möge. es gelingt *es ist erfolgreich*

FRAGE Wenn das Reich wiederhergestellt ist: was magst
    du dann mit deinem Bruder, der deinen Vogel
    nicht fütterte, tun?

ANTWORT Ich werde ihn schelten; wenn ich es nicht schelten *böse Worte geben*
15   vergessen habe.

FRAGE Noch besser aber ist es, weil er dein Bruder ist?

ANTWORT Ihm zu verzeihn.

FÜNFTES KAPITEL
Von der Wiederherstellung Deutschlands

FRAGE Aber sage mir, wenn ein fremder Eroberer ein Eroberer *Sieger*
    Reich zertrümmert, mein Sohn: hat irgend jemand,
20   wer es auch sei, das Recht, es wiederherzustellen?

ANTWORT Ja, mein Vater, das denk' ich.

FRAGE Wer hat ein solches Recht, sag' an?

ANTWORT Jedweder, dem Gott zwei Dinge gegeben jedweder *jeder*
    hat: den guten Willen dazu und die Macht, es zu
25   vollbringen.   vollbringen *tun, zu Ende*
                     führen beweisen *mit*
                     Gründen klar machen

FRAGE Wahrhaftig? — Kannst du mir das wohl be-
    weisen?

ANTWORT Nein, mein Vater, das erlaß mir.   erlassen *ersparen*

FRAGE So will ich es dir beweisen.

30 ANTWORT Das will ich d i r erlassen, mein Vater.

FRAGE Warum?

ANTWORT Weil es sich von selbst versteht.

FRAGE Gut! — Wer nun ist es in Deutschland, der die
    Macht und den guten Willen und mithin auch das mithin *deshalb, damit*
35   Recht hat, das Vaterland wiederherzustellen?

ANTWORT Franz der Zweite, der alte Kaiser der
    Deutschen.

SECHSTES KAPITEL

Von dem Krieg Deutschlands gegen Frankreich

FRAGE Wer hat diesen Krieg angefangen, mein Sohn?

ANTWORT Franz der Zweite, der alte Kaiser der Deutschen.

FRAGE In der Tat? — Warum glaubst du dies?

ANTWORT Weil er seinen Bruder, den Erzherzog Karl, 5 ins Reich geschickt hat mit seinen Heeren, und die Franzosen, da sie bei Regensburg standen, angegriffen hat.

der Angriff die Attacke

FRAGE Also, wenn ich mit Gewehr und Waffen neben dir stehe, den Augenblick erlauernd, um dich zu 10 ermorden, und du, ehe ich es vollbracht habe, den Stock ergreifst, um mich zu Boden zu schlagen; so hast du den Streit angefangen?

erlauern erwarten
ermorden töten

ANTWORT Nicht doch, mein Vater; was sprach ich!

FRAGE Wer also hat den Krieg angefangen? 15

ANTWORT Napoleon, Kaiser der Franzosen.

SIEBENTES KAPITEL

Von der Bewunderung Napoleons

FRAGE Was hältst du von Napoleon, dem Korsen, dem berühmtesten Kaiser der Franzosen?

halten von denken von

ANTWORT Mein Vater, vergib, das hast du mich schon gefragt. 20

FRAGE Das hab' ich dich schon gefragt? — Sage es noch einmal, mit den Worten, die ich dich gelehrt habe.

die Abscheu stärkste Antipathie

ANTWORT Für einen verabscheuungswürdigen Menschen; für den Anfang alles Bösen und das Ende alles Guten; für einen Sünder, den anzuklagen, die 25 Sprache der Menschen nicht hinreicht, und den Engeln einst, am jüngsten Tage, der Odem vergehen wird.

anklagen 'indict'

jüngster Tag Tag des Weltenendes Odem vergehen Atem verlieren

FRAGE Sahst du ihn je?

ANTWORT Niemals, mein Vater. 30

FRAGE Wie sollst du ihn dir vorstellen?

vorstellen ausdenken

ANTWORT Als einen, der Hölle entstiegenen, Vatermördergeist, der herumschleicht, in dem Tempel der Natur, und an allen Säulen rüttelt, auf welchen er gebaut ist.

FRAGE   Wann hast du dies im stillen für dich wiederholt?

5 ANTWORT   Gestern abend, als ich zu Bette ging, und heute morgen, als ich aufstand.

FRAGE   Und wann wirst du es wieder wiederholen?

ANTWORT   Heute abend, wenn ich zu Bette gehe, und morgen früh, wenn ich aufstehe.

10 FRAGE   Gleichwohl, sagt man, soll er viel Tugenden besitzen. Das Geschäft der Unterjochung der Erde soll er mit List, Gewandtheit und Kühnheit vollziehn, und besonders, an dem Tage der Schlacht, ein großer Feldherr sein.

15 ANTWORT   Ja, mein Vater; so sagt man.

FRAGE   Man sagt es nicht bloß; er ist es.

ANTWORT   Auch gut; er ist es.

FRAGE   Meinst du nicht, daß er, um dieser Eigenschaften willen, Bewunderung und Verehrung ver-

20 diene?

ANTWORT   Du scherzest, mein Vater.

FRAGE   Warum nicht?

ANTWORT   Das wäre ebenso feig, als ob ich die Geschicklichkeit, die einem Menschen im Ringen beiwohnt,

25 in dem Augenblick bewundern wollte, da er mich in den Kot wirft und mein Antlitz mit Füßen tritt.

FRAGE   Wer also, unter den Deutschen, mag ihn bewundern?

ANTWORT   Die obersten Feldherrn etwa, und die Kenner

30 der Kunst.

FRAGE   Und auch diese, wann mögen sie es erst tun?

ANTWORT   Wenn er vernichtet ist.

NEUNTES KAPITEL

Eine Nebenfrage

FRAGE Sage mir, mein Sohn, wohin kommt der, welcher liebt? In den Himmel oder in die Hölle?

ANTWORT In den Himmel.

FRAGE Und der, welcher haßt?

ANTWORT In die Hölle. 5

FRAGE Aber derjenige, welcher weder liebt noch haßt: wohin kommt der?

ANTWORT Welcher weder liebt noch haßt?

FRAGE Ja! — Hast du die schöne Fabel vergessen?

ANTWORT Nein, mein Vater. 10

FRAGE Nun? Wohin kommt er?

ANTWORT Der kommt in die siebente, tiefste und unterste Hölle.

FÜNFZEHNTES KAPITEL

Vom Hochverrate

begeht tut

das Aufgebot der Aufruf

gehorcht folgt wohl gar sogar, darüber hinaus

FRAGE Was begeht derjenige, mein Sohn, der dem Aufgebot, das der Erzherzog Karl an die Nation 15 erlassen hat, nicht gehorcht, oder wohl gar, durch Wort und Tat, zu widerstreben wagt?

ANTWORT Einen Hochverrat, mein Vater.

FRAGE Warum?

verderblich schädlich, feindlich

ANTWORT Weil er dem Volk, zu dem er gehört, verderb- 20 lich ist.

FRAGE Was hat derjenige zu tun, den das Unglück unter die verräterischen Fahnen geführt hat, die,

die Fahne Flagge

den Franzosen verbunden, der Unterjochung des

wehen flattern

Vaterlandes wehen? 25

ANTWORT Er muß seine Waffen schamrot wegwerfen, und zu den Fahnen der Österreicher übergehen.

FRAGE Wenn er dies nicht tut, und mit den Waffen in der Hand ergriffen wird: was hat er verdient?

ANTWORT Den Tod, mein Vater. 30

FRAGE Und was kann ihn einzig davor schützen?

Gnade Milde

der Vormund Protektor

ANTWORT Die Gnade Franzens, Kaisers von Öster-reich, des Vormunds, Retters und Wiederherstellers der Deutschen.

SECHZEHNTES KAPITEL

Schluß

FRAGE Aber sage mir, mein Sohn, wenn es dem hoch-
herzigen Kaiser von Österreich, der für die Freiheit
Deutschlands die Waffen ergriff, nicht gelänge, das
Vaterland zu befreien: würde er nicht den Fluch   Fluch *die Verdammung*
5 der Welt auf sich laden, den Kampf überhaupt
unternommen zu haben?
ANTWORT Nein, mein Vater.
FRAGE Warum nicht?
ANTWORT Weil Gott der oberste Herr der Heerscharen
10 ist, und nicht der Kaiser, und es weder in seiner,
noch in seines Bruders, des Erzherzog Karls Macht
steht, die Schlachten so, wie sie es wohl wünschen
mögen, zu gewinnen.
FRAGE Gleichwohl ist, wenn der Zweck des Kriegs nicht   Zweck *das Ziel*
15 erreicht wird, das Blut vieler tausend Menschen
nutzlos geflossen, die Städte verwüstet und das   verwüstet *verheert, zerstört*
Land verheert worden.
ANTWORT Wenn gleich, mein Vater.   wenn gleich *so oder so, das*
FRAGE Was? wenn gleich! — Also auch, wenn alles   *spielt keine Rolle*
20 unterginge, und kein Mensch, Weiber und Kinder
mit eingerechnet, am Leben bliebe, würdest du
den Kampf noch billigen?   billigen *gutheißen*
ANTWORT Allerdings, mein Vater.   allerdings *doch, trotzdem*
FRAGE Warum?
25 ANTWORT Weil es Gott lieb ist, wenn Menschen, ihrer   lieb ist *gern hat*
Freiheit wegen, sterben.
FRAGE Was aber ist ihm ein Greuel?   ein Greuel *verhaßt*
ANTWORT Wenn Sklaven leben.

Ernst Moritz Arndt
1769–1860

Arndts Heimat ist die Insel Rügen an der
Ostseeküste. Er beginnt als protestantischer Pfarrer, wird aber
dann Historiker und Universitätsprofessor. Wegen seines anti-
napoleonischen Buches „Geist der Zeit" (1807) muß er nach
Schweden fliehen, kehrt aber bald wieder unter falschem Namen
nach Preußen zurück, um den Freiheitskampf mit vorzubereiten.
Seine Pamphlete und Gedichte entflammen das patriotische Feuer.
Arndts Pathos ist von biblischer Kraft, und seine rhythmisierte
Prosa nähert sich der Lyrik. Nach den Befreiungskriegen (1813/
1815) ist er einer der schärfsten Kritiker der reaktionären deutschen
Politik. Man hat ihn den „Deutschesten aller Deutschen" genannt.

Von Vaterland und Freiheit (1812)

Und es sind elende und kalte Klügler aufgestanden in diesen Tagen, die sprechen in der Nichtigkeit ihrer Herzen:

„Vaterland und Freiheit, leere Namen ohne Sinn, schöne
5 Klänge, womit man die Einfältigen betört! Wo es dem Menschen wohl geht, da ist sein Vaterland, wo er am wenigsten geplagt wird, da blüht seine Freiheit."

Diese sind wie die dummen Tiere nur auf den Bauch und auf seine Gelüste gerichtet und vernehmen nichts
10 von dem Wehen des himmlischen Geistes.

Sie grasen wie das Vieh nur die Speise des Tages, und was ihnen Wollust bringt, deucht ihnen das Einziggewisse.

Darum heckt Lüge in ihrem eitlen Geschwätz, und die
15 Strafe der Lüge brütet aus ihren Lehren.

Auch ein Tier liebt; solche Menschen aber lieben nicht, die Gottes Ebenbild und das Siegel der göttlichen Vernunft nur äußerlich tragen.

Der Mensch aber soll lieben bis in den Tod und von
20 seiner Liebe nimmer lassen noch scheiden.

Das kann kein Tier, weil es leicht vergißt, und kein tierischer Mensch, weil ihm Genuß nur behagt.

Darum, o Mensch, hast du ein Vaterland, ein heiliges Land, ein geliebtes Land, eine Erde, wonach deine
25 Sehnsucht ewig dichtet und trachtet.

Wo dir Gottes Sonne zuerst schien, wo dir die Sterne des Himmels zuerst leuchteten, wo seine Blitze dir zuletzt seine Allmacht offenbarten und seine Sturmwinde dir mit heiligen Schrecken durch die Seele brausten, da ist
30 deine Liebe, da ist dein Vaterland.

Wo das erste Menschenaug' sich liebend über deine Wiege neigte, wo deine Mutter dich zuerst mit Freuden auf dem Schoße trug und dein Vater dir die Lehren der Weisheit ins Herz grub, da ist deine Liebe, da ist dein
35 Vaterland.

Und seien es kahle Felsen und öde Inseln und wohne

Marginalien:

elend *schlecht* Klügler *Besserwisser, Sophist*

Klänge *Töne* die Einfältigen betört *die Einfachen, Dummen beschwindelt*

auf Gelüste gerichtet *auf Vergnügungen orientiert* vernehmen *hören* das Wehen *der Atem* Speise *Essen* die Wollust *das Vergnügen (des Fleisches)* deucht *scheint*

heckt *nistet, wohnt* eitel *leer* Strafe *der Lohn* brütet *wächst*

Gottes Ebenbild *das Aussehen wie Gott* die Vernunft *Ratio*

scheiden *weggehen*

der Genuß *von: genießen* behagt *gefällt*

Sehnsucht *Wünsche und Hoffnungen* dichtet und trachtet *zielt und strebt*

offenbaren *zeigen, beweisen* Schrecken *Angst und Furcht*

Wiege *das Kinderbett* neigen *beugen* auf dem Schoße *auf den Knien*

kahle Felsen *nackte Steine* öd *unfruchtbar*

Armut ... *die Misere*

Armut und Mühe dort mit dir, du mußt das Land ewig liebhaben; denn du bist ein Mensch und sollst nicht vergessen, sondern behalten in deinem Herzen.

wüster Wahn *schlechte Illusion*
Mut und Stolz *die Courage und der Selbstrespekt*

Auch ist die Freiheit kein leerer Traum und kein wüster Wahn, sondern in ihr lebt dein Mut und dein Stolz und die Gewißheit, daß du vom Himmel stammst. 5

Sitten und Weisen *Traditionen und Formen*

Da ist Freiheit, wo du leben darfst, wie es dem tapfern Herzen gefällt; wo du in den Sitten und Weisen und Gesetzen deiner Väter leben darfst; wo dich beglückt, was schon deinen Ureltervater beglückte; wo keine 10 fremden Henker über dich gebieten und keine fremden Treiber dich treiben, wie man das Vieh mit dem Stecken treibt.

der Henker 'hangman' gebieten *herrschen, regieren*

der Stecken *Stock*

das Allerheiligste *das Heiligste vom Heiligen* der Schatz *wertvoller Besitz*

Dieses Vaterland und diese Freiheit sind das Allerheiligste auf Erden, ein Schatz, der eine unendliche 15 Liebe und Treue in sich verschließt, das edelste Gut, was ein guter Mensch auf Erden besitzt und zu besitzen begehrt.

begehrt *wünscht*

gemein *nieder, klein* ein Wahn und eine Torheit *eine Illusion und Dummheit*
empor *hinauf*

Darum auch sind sie gemeinen Seelen ein Wahn und eine Torheit allen, die für den Augenblick leben. 20

wirken *schaffen, kreieren* der Einfältige *einfacher Mensch* redlich *ehrlich, gut*

die Zuversicht *Hoffnung*

Aber die Tapfern heben sie zum Himmel empor und wirken Wunder in dem Herzen der Einfältigen.

Auf denn, redlicher Deutscher! Bete täglich zu Gott, daß er dir das Herz mit Stärke fülle und deine Seele entflamme mit Zuversicht und Mut. 25

Daß keine Liebe dir heiliger sei als die Liebe des Vaterlandes und keine Freude dir süßer als die Freude der Freiheit.

Verräter 'traitor'

Damit du wiedergewinnst, worum dich Verräter betrogen, und mit Blut erwerbest, was Toren versäumten. 30

erwerben *gewinnen* was Toren versäumten *was Dummköpfe verloren*
Sklave 'slave' listig *falsch und schlau* geizig *selbstisch* unselig *unglücklich*

Denn der Sklav ist ein listiges und geiziges Tier, und der Mensch ohne Vaterland der unseligste von allen.

Johann Gottlieb Fichte

1762–1814

Wilhelm Henschel: Fichte, Vorlesung haltend

Wie Lessing vor ihm und Nietzsche nach ihm, so stammt auch Fichte aus Sachsen. Von Lessing, dem Wegbereiter der deutschen Klassik, hat er die kristallklare Diktion und die Kraft der Kritik und Polemik. Jahrelang studiert er Kants Philosophie und wird ihr bester Kenner und Interpret. 1794 erhält er den Lehrstuhl für Philosophie der Universität Jena. Nachdem 1797 auch die Brüder August Wilhelm und Friedrich Schlegel nach Jena kommen, finden wir hier das Zentrum der philosophisch und kritisch orientierten Frühromantik. Vor Hunderten von begeisterten Studenten entwickelt Fichte in dialektischer Methode seinen extremen philosophischen Idealismus. Im Mittelpunkt seines Systems steht das absolute ICH, der unpersönliche Weltgeist, der in seiner unendlichen Aktivität das Nicht-Ich, die Welt, hervorbringt. Durch intellektuelle Intuition erkennt das Einzel-Ich, das Individuum, das absolute ICH, das in allem existiert. Was Fichte vom absoluten ICH sagt, übertragen die Jenaer Romantiker auf das Individuum. Das persönliche Ich wird souverän und gibt sich seine eigenen Gesetze. — Die napoleonische Zeit macht aus dem kosmopolitischen Denker Fichte einen radikal nationalen. 1807/08 hält er mitten in dem von französischen Truppen besetzten Berlin seine flammenden „Reden an die deutsche Nation". Sie stehen mit am Anfang politischer deutscher Prosa.

Die Reden, welche ich hierdurch be-
schließe, haben freilich ihre laute Stimme zunächst an
Sie gerichtet, aber sie haben im Auge gehabt die ganze
deutsche Nation.

5   Es sind Jahrhunderte herabgesunken,
seitdem ihr nicht also zusammenberufen worden seid
wie heute: in solcher Anzahl, in einer so großen, so
dringenden, so gemeinschaftlichen Angelegenheit, so
durchaus als Nation und Deutsche. Auch wird es euch
10 niemals wiederum also geboten werden. Merket ihr
jetzt nicht auf und gehet in euch, lasset ihr auch diese
Reden wieder als einen leeren Kitzel der Ohren, oder
als ein wunderliches Ungetüm an euch vorübergehen,
so wird kein Mensch mehr auf euch rechnen. Endlich
15 einmal höret, endlich einmal besinnet euch. Geht nur
diesesmal nicht von der Stelle, ohne einen festen Entschluß gefaßt zu haben; und jedweder, der diese Stimme
vernimmt, fasse diesen Entschluß bei sich selbst und für
sich selbst, gleich als ob er allein da sei und alles allein
20 tun müsse. Wenn recht viele einzeln so denken, so wird
bald ein großes Ganzes dastehen, das in eine einige
engverbundene Kraft zusammenfließe. Wenn dagegen
jedweder, sich selbst ausschließend, auf die übrigen
hofft und den andern die Sache überläßt, so gibt es
25 gar keine andern, und alle zusammen bleiben so, wie sie
vorher waren. — Fasset ihn auf der Stelle, diesen Entschluß. Saget nicht, laß uns noch ein wenig ruhen, noch
ein wenig schlafen und träumen, bis etwa die Besserung
von selber komme. Sie wird niemals von selbst kommen.
30 Wer, nachdem er einmal das Gestern versäumt hat, das
noch bequemer gewesen wäre zur Besinnung, selbst
heute noch nicht wollen kann, der wird es morgen noch
weniger können. Jeder Verzug macht uns nur noch
träger und wiegt uns nur noch tiefer ein in die freund-
35 liche Gewöhnung an unsern elenden Zustand. Auch
können die äußern Antriebe zur Besinnung niemals
stärker und dringender werden. Wen diese Gegenwart
nicht aufregt, der hat sicher alles Gefühl verloren. — Ihr

freilich *zwar*

also *so*
die Anzahl *Zahl*
dringend *wichtig und akut*
gemeinschaftliche An-
gelegenheit *Sache des*
Volkes wiederum *wieder*
aufmerken *zuhören*

Kitzel der Ohren *Ohren-*
genuß wunderliches
Ungetüm *die Kuriosität*
rechnen *zählen*

sich besinnen *nachdenken*

Stelle *der Platz* Entschluß
die Resolution jedweder
jeder
vernimmt *hört*

recht *sehr*

dagegen *jedoch*

auf der Stelle *hier und jetzt*

versäumt *verloren*

bequem *angenehm*

Verzug *das Warten*
träg *faul* einwiegen *ein-*
schläfern sich gewöhnen
sich einleben elender Zustand *miserable Situa-*
tion der Antrieb *Mo-*
tivierung
aufregt *nervös macht*

159

Beschluß und Entschluß (synonym)

reicht hin *genügt* hierbei *in diesem Fall* gefordert *verlangt* unmittelbar *direkt*

inwendige Tat *innere Aktion* Wanken oder Erkältung *schwach und indifferent zu werden* fortdaure und fortwalte *weitergehe und wirke* Wurzel *'root'* ausrotten *herausreißen*

Wesen *die Natur, Existenz*

das Zeitalter *die Epoche*

auch immer *vielleicht*

Verworrenheit *Konfusion*

die Weise *Art, Form*

das Dasein und Fortbestehen *die Existenz und das Weiterleben* sich ergab *von selbst kam* Probe *der Test*

die Täuschungen, die Blendwerke *die Illusionen* Trost *Hoffnung* gegenseitig verwirrten *einander konfus machten* die Hülle *Maske, das Äußere*

der Schriftsteller *der Autor*
Auftrag, Beruf *die Mission*
eindringen *einreden*

seid zusammenberufen, einen letzten und festen Entschluß und Beschluß zu fassen, den jedweder nur durch sich selbst und in seiner eigenen Person ausführen kann. Es reicht hierbei nicht hin jenes Wollen, irgendeinmal zu wollen, sondern es wird von euch gefordert ein solcher Entschluß, der zugleich unmittelbar Leben sei und inwendige Tat, und der da ohne Wanken oder Erkältung fortdaure und fortwalte, bis er am Ziele sei.

Oder ist vielleicht in euch die Wurzel, aus der ein solcher in das Leben eingreifender Entschluß allein hervorwachsen kann, völlig ausgerottet und verschwunden? Ist wirklich und in der Tat euer ganzes Wesen verdünnt und zerflossen zu einem hohlen Schatten, ohne Saft und Blut und eigene Bewegkraft? Es ist dem Zeitalter seit langem unter die Augen gesagt worden, daß man ungefähr also von ihm denke.

So schwach und so kraftlos ihr auch immer sein möget, man hat in dieser Zeit euch die klare und ruhige Besinnung so leicht gemacht, als sie vorher niemals war. Das, was eigentlich in die Verworrenheit über unsere Lage, in unsere Gedankenlosigkeit, in unser blindes Gehenlassen uns stürzte, war die süße Selbstzufriedenheit mit uns und unserer Weise dazusein. Es war bisher gegangen, und ging eben so fort; wer uns zum Nachdenken aufforderte, dem zeigten wir triumphierend unser Dasein und Fortbestehen, das sich ohne alles unser Nachdenken ergab. Es ging aber nur darum, weil wir nicht auf die Probe gestellt wurden. Wir sind seitdem durch sie hindurchgegangen. Seit dieser Zeit sollten doch wohl die Täuschungen, die Blendwerke, der falsche Trost, durch die wir alle uns gegenseitig verwirrten, zusammengestürzt sein! Jetzt stehen wir da, rein, leer, ausgezogen von allen fremden Hüllen, bloß als das, was wir selbst sind. Jetzt muß es sich zeigen, was dieses Selbst ist oder nicht ist.

Es dürfte jemand unter euch hervortreten und mich fragen: was gibt gerade dir, dem einzigen unter allen deutschen Männern und Schriftstellern, den besondern Auftrag, Beruf und das Vorrecht, uns zu versammeln und auf uns einzudringen? Hätte nicht jeder unter den Tausenden der Schriftsteller Deutschlands ebendasselbe Recht dazu wie du, von denen keiner es tut? Ich antworte: daß allerdings jeder dasselbe Recht gehabt hätte wie ich, und daß ich gerade darum es tue, weil keiner unter ihnen es vor mir getan hat, und daß ich schweigen würde, wenn ein anderer es früher getan hätte. Dies war der erste Schritt zu dem Ziele einer durchgreifenden Verbesserung; irgendeiner mußte ihn tun. Ich war der, der es zuerst lebendig einsah; darum wurde ich der, der es zuerst tat. Es wird nach diesem irgendein anderer Schritt der zweite sein; diesen zu tun haben jetzt alle dasselbe Recht, wirklich tun aber wird ihn abermals nur ein einzelner. Einer muß immer der erste sein, und wer es sein kann, der sei es eben!

Lasset vor euch vorübergehen die verschiedenen Zustände, zwischen denen ihr eine Wahl zu treffen habt. Geht ihr ferner so hin in eurer Dumpfheit und Achtlosigkeit, so erwarten euch zunächst alle Übel der Knechtschaft. Ihr werdet herumgestoßen werden in allen Winkeln, so lange, bis ihr durch Aufopferung eurer Nationalität und Sprache euch irgendein untergeordnetes Plätzchen erkauft, und bis auf diese Weise allmählich euer Volk auslischt. Wenn ihr euch dagegen ermannt, so findet ihr eine erträgliche und ehrenvolle Fortdauer, und seht noch unter euch und um euch herum ein Geschlecht aufblühen, das den deutschen Namen zum glorreichsten unter allen Völkern erheben wird; ihr seht diese Nation als Wiedergebärerin und Wiederherstellerin der Welt.

Es hängt von euch ab, ob ihr das Ende sein wollt und die letzten eines nicht achtungswürdigen Geschlechts; oder ob ihr der Anfang sein wollt einer neuen, herrlichen Zeit. Bedenkt, daß ihr die letzten seid, in deren Gewalt diese große Veränderung steht.

Was von euch gefordert wird, ist nicht viel. Ihr sollt nur euch auf kurze Zeit zusammennehmen und denken über das, was euch unmittelbar und offenbar vor den Augen liegt. Darüber nur sollt ihr euch eine feste Meinung bilden, derselben treu bleiben, und sie in eurer nächsten Umgebung auch äußern und aussprechen. Dieses Denken aber wird denn auch in der Tat gefordert von jedem unter euch. Lasset, o lasset euch ja nicht lässig machen durch das Verlassen auf andere, oder auf irgendetwas, das außerhalb eurer selbst liegt,

allerdings *sicherlich*

schweigen *nichts sagen*

durchgreifend *von Grund auf, radikal* lebendig *essentiell*

abermals *wieder*

der Zustand *die Lage, Situation* Wahl zu treffen habt *wählen, entscheiden müßt* ferner *weiter* Dumpfheit *Apathie* Knechtschaft *Tyrannei* in allen Winkeln *überall* aufopfern *aufgeben*

auslischt *untergeht* sich ermannen *aufstehen und kämpfen* Fortdauer *das Weiterleben* das Geschlecht *die Generation*

wiederherstellen *erneuern*

es hängt von euch ab *es ist eure Sache*

Gewalt *Macht*

gefordert *erwartet*

unmittelbar *direkt*

Umgebung *Nachbarschaft*

lässig *indifferent*

vermittels *durch*
einschärfen *klar machen*

ganz eigentümliche *spezi-*
fische Verhältnisse
Situationen
schlechthin *fraglos, ganz klar*
befindlich *stehend*

insgesamt *zusammen*
verborgen *geheim, dunkel*
anheimfallen *in die Hände*
fallen

verschaffen *erarbeiten,*
erkämpfen

lediglich *nur* Heil *die*
Wohlfahrt künftig *kom-*
mend

säumen *warten*
beschwören *aufrufen, bitten,*
befehlen Schmelz *Glanz,*
Schönheit die Einbil-
dungskraft *Phantasie, Ima-*
gination aufhören *zu*
Ende kommen sich ernäh-
ren *sich erhalten* ver-
dichten *konzentrieren* an
jenem *mit diesem* Quelle
der Kraftstrom
ewig *beständig, dauernd*

ohne Wandel *immer gleich*
(fest)

Mitwelt *die Menschen dieser*
Zeit vollkommen *per-*
fekt

der Vorsatz *Wille, die*
Intention

noch durch die unverständige Weisheit der Zeit, daß
die Zeitalter sich selbst machen, ohne alles menschliche
Zutun, vermittels irgendeiner unbekannten Kraft. Diese
Reden sind nicht müde geworden, euch einzuschärfen,
daß euch durchaus nichts helfen kann denn ihr euch   5
selber, und sie finden nötig, es bis auf den letzten Augenblick zu wiederholen. Wohl mögen Regen und Tau und
unfruchtbare oder fruchtbare Jahre gemacht werden
durch eine uns unbekannte und nicht unter unsrer
Gewalt stehende Macht; aber die ganz eigentümliche   10
Zeit der Menschen, die menschlichen Verhältnisse, machen nur die Menschen sich selber und schlechthin
keine außer ihnen befindliche Macht. Nur wenn sie alle
insgesamt gleich blind und unwissend sind, fallen sie
dieser verborgenen Macht anheim: aber es steht bei   15
ihnen, nicht blind und unwissend zu sein. Ob jemals es
uns wieder wohlgehen soll, dies hängt ganz allein von
uns ab, und es wird sicherlich nie wieder irgendein
Wohlsein an uns kommen, wenn wir nicht selbst es uns
verschaffen: und insbesondere, wenn nicht jeder einzelne   20
unter uns in seiner Weise tut und wirkt, als ob er allein
sei und als ob lediglich auf ihm das Heil der künftigen
Geschlechter beruhe.

Dies ist's, was ihr zu tun habt; dies ohne
Säumen zu tun, beschwören euch diese Reden.   25

Sie beschwören euch Jünglinge. Der
Schmelz der Jugend zwar wird von euch abfallen, und
die Flamme eurer Einbildungskraft wird aufhören, sich
aus sich selber zu ernähren; aber fasset diese Flamme
und verdichtet sie durch klares Denken, macht euch zu   30
eigen die Kunst dieses Denkens. An jenem klaren Denken
erhaltet ihr die Quelle der ewigen Jugendblüte; wie auch
euer Körper altere oder eure Knie wanken, euer Geist
wird stets sich wiedergebären und euer Charakter festste-
hen und ohne Wandel.   35

Diese Reden beschwören euch Alte. Die
ganze Mitwelt hat es mit angesehen, daß jeder, der das
Bessere und Vollkommenere wollte, den schwersten
Kampf mit euch zu führen hatte; daß ihr des festen
Vorsatzes waret, es müsse nichts aufkommen, was ihr   40
nicht ebenso gemacht und gewußt hättet; und daß ihr
keine Kraft ungebraucht ließet, um in der Bekämpfung

des Besseren zu siegen; wie ihr denn gewöhnlich auch wirklich siegtet. So waret ihr die aufhaltende Kraft aller Verbesserungen.

Euch Alte und Erfahrene, die ihr die Aus-
5 nahme macht, euch zuvörderst beschwören diese Reden: bestärkt, beratet in dieser Angelegenheit die jüngere Welt. Euch andere aber, die ihr in der Regel seid, beschwören sie: helfen sollt ihr nicht, stört nur dieses einzigemal nicht, stellt euch nicht wieder, wie bisher immer,
10 in den Weg mit eurer Weisheit und euren tausend Bedenklichkeiten. Diese Sache, sowie jede vernünftige Sache in der Welt, ist nicht tausendfach sondern einfach, welches auch unter die tausend Dinge gehört, die ihr nicht wißt. Wenn eure Weisheit retten könnte, so würde
15 sie uns ja früher gerettet haben, denn ihr seid es ja, die uns bisher beraten haben. Dies ist nun, sowie alles andere, vergeben und soll euch nicht weiter vorgerückt werden. Lernt nur endlich einmal euch selbst erkennen und schweigt.
20 Diese Reden beschwören euch Geschäftsmänner. Mit wenigen Ausnahmen wart ihr bisher dem abgezogenen Denken und aller Wissenschaft, die für sich selbst etwas zu sein begehrte, von Herzen feind. Ihr hieltet die Männer, die dergleichen trieben, und ihre
25 Vorschläge so weit von euch weg, als ihr irgend konntet. Legt ab jene Verachtung für gründliches Denken und Wissenschaft; laßt euch bedeuten und höret und lernet, was ihr nicht wißt.

Diese Reden beschwören euch Denker,
30 Gelehrte und Schriftsteller, die ihr dieses Namens noch wert seid. Jener Tadel der Geschäftsmänner an euch war in gewissem Sinne nicht ungerecht. Ihr gingt oft zu unbesorgt in dem Gebiete des bloßen Denkens fort, ohne euch um die wirkliche Welt zu bekümmern und nach-
35 zusehen, wie jenes an diese angeknüpft werden könne. Ihr beschriebt euch eure eigene Welt und ließt die wirkliche zu verachtet und verschmäht auf der Seite liegen. Zwischen dem Begriff jedoch und der Einführung desselben ins Leben liegt eine große Kluft. Diese Kluft aus-
40 zufüllen ist sowohl das Werk des Geschäftsmannes, der freilich schon vorher so viel gelernt haben soll, um euch zu verstehen, als auch das eurige, die ihr über der

gewöhnlich *meistens*

der Erfahrene *der viel gesehen und gelernt hat* Ausnahme *nicht die Regel* zuvörderst *besonders* Angelegenheit *Sache*

Bedenklichkeit *Vorsicht, der Skrupel* vernünftig *sinnvoll*

vorrücken *entgegenhalten*

Geschäftsmänner *Geschäftsleute*
abgezogen *abstrakt*
begehren *wollen* von Herzen feind *absolut dagegen*
der Vorschlag *die Proposition* Verachtung *snobistische Antipathie* bedeuten *lehren*

Gelehrter *Mann der Wissenschaft* Tadel *die Kritik*

bloß *abstrakt*
sich bekümmern *sich fragen, sich interessieren* anknüpfen *verbinden*

verschmäht *tautologisch mit* verachtet *der Begriff die Idee, Konzeption* Einführung *Übertragung* Kluft *der Abgrund*

das eurige *eueres (euer Werk)*

Gedankenwelt das Leben nicht vergessen sollt. Hier
trefft ihr beide zusammen. Begreift es doch endlich, daß
ihr beide untereinander euch also notwendig seid, wie
Kopf und Arm sich notwendig sind.

Diese Reden beschwören euch Fürsten 5
Deutschlands. Diejenigen, die euch gegenüber so tun,
als ob man euch gar nichts sagen dürfte oder zu sagen
hätte, sind verächtliche Schmeichler, sie sind arge Ver-
leumder eurer selbst; weiset sie weit weg von euch. Die
Wahrheit ist, daß ihr ebenso unwissend geboren werdet 10
als wir andern alle, und daß ihr hören müßt und lernen
wie wir, wenn ihr herauskommen sollt aus dieser natürlichen Unwissenheit. Diese Reden haben euch ein Mittel
der Hilfe vorgeschlagen, das sie für sicher, durchgreifend
und entscheidend halten. Lasset eure Räte sich berat- 15
schlagen, ob sie es auch so finden, oder ob sie ein Besseres
wissen, nur daß es ebenso entscheidend sei. Die Überzeugung aber, daß etwas geschehen müsse, und etwas
Durchgreifendes und Entscheidendes geschehen müsse,
und daß die Zeit der halben Maßregeln vorüber sei: 20
diese Überzeugung möchten sie gern, wenn sie könnten,
bei euch selbst hervorbringen.

Euch Deutsche insgesamt, welchen Platz
in der Gesellschaft ihr einnehmen mögt, beschwören
diese Reden, daß jeder unter euch, der da denken kann, 25
zuvörderst denke über den angeregten Gegenstand, und
daß jeder dafür tue, was gerade ihm an seinem Platze
am nächsten liegt.

Es vereinigen sich mit diesen Reden und
beschwören euch eure Vorfahren. Denket, daß in meine 30
Stimme sich mischen die Stimmen eurer Ahnen aus der
grauen Vorwelt, die mit ihren Leibern sich entgegen-
gestemmt haben der heranströmenden römischen Weltherrschaft, die mit ihrem Blute erkämpft haben die
Unabhängigkeit der Berge, Ebenen und Ströme, welche 35
unter euch den Fremden zur Beute geworden sind. Sie
rufen euch zu: vertretet uns, überliefert unser Andenken
ebenso ehrenvoll der Nachwelt, wie es auf euch gekommen ist. Geht mit euch unser Geschlecht aus, so verwandelt sich unsre Ehre in Schimpf und unsre Weisheit 40
in Torheit. Denn sollte der deutsche Stamm einmal
untergehen in das Römertum, so war es besser, daß es

in das alte geschähe, denn in ein neues. Wir standen
jenem und besiegten es; ihr seid verstäubt worden vor
diesem. Auch sollt ihr nun, nachdem einmal die Sachen
also stehen, sie nicht besiegen mit leiblichen Waffen; nur
5 euer Geist soll sich ihnen gegenüber erheben und aufrecht
stehen. Euch ist das größere Geschick zuteil geworden,
überhaupt das Reich des Geistes und der Vernunft zu
begründen, und die rohe körperliche Gewalt insgesamt
als Beherrschendes der Welt zu vernichten. Werdet ihr
10 dies tun, dann seid ihr würdig der Abkunft von uns.

     Es beschwören euch eure noch ungebore-
nen Nachkommen. Wie das nächste Geschlecht, das von
euch ausgehen wird, sein wird, also wird euer Andenken
ausfallen in der Geschichte: ehrenvoll, wenn dieses
15 ehrenvoll für euch zeugt; schmählich, wenn ihr keine
laute Nachkommenschaft habt und der Sieger eure
Geschichte macht.

     Alle Zeitalter, alle Weisen und Guten, die
jemals auf dieser Erde geatmet haben, alle ihre Gedan-
20 ken und Ahnungen eines Höhern mischen sich in diese
Stimmen und heben flehende Hände zu euch auf; selbst,
wenn man so sagen darf, die Vorsehung und der göttliche
Weltplan bei Erschaffung eines Menschengeschlechts
beschwört euch, seine Ehre und sein Dasein zu retten.
25 Ist in dem, was in diesen Reden dargelegt worden, Wahrheit, so seid unter allen neuern Völkern ihr es, in denen
der Keim der menschlichen Vervollkommnung am ent-
schiedensten liegt. Es ist daher kein Ausweg: wenn ihr
versinkt, so versinkt die ganze Menschheit mit, ohne
30 Hoffnung einer einstigen Wiederherstellung.

     Dies war es, was ich Ihnen als meinen
Stellvertretern der Nation, und durch Sie der gesamten
Nation, am Schlusse dieser Reden noch einschärfen
wollte und sollte.

verstäubt *vernichtet*

leiblich *physisch*

Geschick *Schicksal, Fatum*
zuteil werden *bekommen*
überhaupt *von Grund auf*
Vernunft *Ratio*
beherrschen *dominieren*
die Abkunft *Abstammung*

ausfallen *werden*
zeugt *spricht* schmählich
unehrenhaft

jemals *von Anfang an*
Ahnung *Idee, Hoffnung*
flehen *bitten*
Vorsehung *Gott, das Schicksal*
erschaffen *ins Leben rufen*

darlegen *sagen und erklären*

Keim *die Zelle* Vervoll-
kommnung *Perfektion*
entschieden *definitiv*

einstig *später*

der Stellvertreter *Repräsentant*

Diskussionsthemen

KLEIST: *Katechismus der Deutschen*

A. *Zu den einzelnen Kapiteln*

Kap. 1 – Warum eine Definition Deutschlands? Kap. 2 – Die einfache Logik der Vaterlandsliebe. Kap. 3 – Die propagandistische Logik des Hasses. Kap. 4 – Die symbolische Bedeutung des Bruderkonflikts. Kap. 5 – Auf was liegt der Hauptakzent, auf Recht, Wille oder Macht? Kap. 6 – Darf man aus diesem Kapitel schliessen, daß Kleist für den Präventivkrieg ist? Kap. 7 – Methoden der Propaganda. Kap. 9 – Welchen politischen Zweck verfolgt Kleist mit seiner Verdammung der Indifferenz? Kap. 15 – Warum endet das Kapitel nicht mit der starken Pointe „Den Tod, mein Vater"? (Vgl. dazu das Ende von Kap. 4.) Kap. 16 – Das Absolute, das Irrationale und der Krieg.

B. *Zum Ganzen*

Wie und warum wohl hat Kleist die äußere Form des Katechismus (Artikel und Definition) etwas geändert?

ARNDT: *Von Vaterland und Freiheit*

1. Biblische Stilelemente in Arndts Sprache. 2. In der Werthierarchie der deutschen Klassik steht das Ideal der Humanität an erster Stelle. Gilt das auch für den politischen Romantiker Arndt? 3. Arndts Schriften wurden oft für nationalistische Propagandazwecke mißbraucht. Wie muß man seine quasi religiösen Ideen von Vaterland und Freiheit historisch erklären?

FICHTE: *Reden an die deutsche Nation*

1. „... gleich als ob er allein da sei und alles allein tun müsse."
Die Verantwortung des Individuums und die Existenz der Nation.
2. Fichtes Idee einer Mission des deutschen Geistes in der Welt.
3. Rhetorische Mittel in Fichtes Stil.

4
DIE ROMANTISCHE ANSCHAUUNG
VON DER DICHTUNG

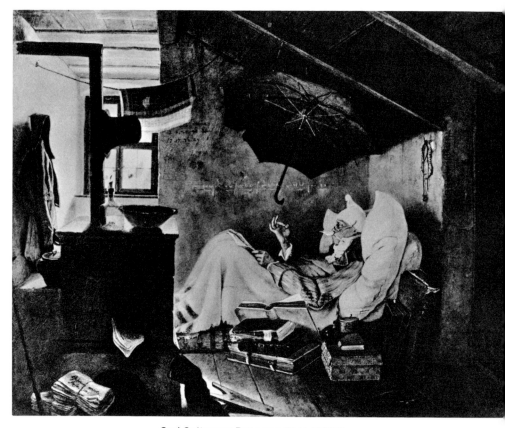

Carl Spitzweg: Der arme Poet (1839)

Dichter und Dichtung

Dichter und Priester waren im Anfang e i n s, und nur spätere Zeiten haben sie getrennt. Der echte Dichter ist aber immer Priester, so wie der echte Priester immer Dichter geblieben. Und sollte nicht die Zukunft 5 den alten Zustand der Dinge wieder herbeiführen?

echt wahr

herbeiführen bringen

Der echte Dichter ist allwissend — er ist eine wirkliche Welt im Kleinen.

Worin eigentlich das Wesen der Poesie bestehe, läßt sich schlechthin nicht bestimmen. Es ist unendlich 10 zusammengesetzt und doch einfach. Schön, romantisch, harmonisch sind nur Teilausdrücke des Poetischen.

schlechthin einfach
bestimmen definieren

Die Poesie schaltet und waltet mit Schmerz und Kitzel — mit Lust und Unlust — Irrtum und Wahrheit — Gesundheit und Krankheit — Sie mischt alles 15 zu ihrem großen Zweck der Zwecke — der Erhebung des Menschen über sich selbst.

schaltet ... Kitzel
arbeitet souverän mit Leiden und Freuden

der Zweck das Ziel, die Intention Erhebung Transzendierung

Die Poesie ist das absolut Reelle. Dies ist der Kern meiner Philosophie. Je poetischer, je wahrer.

Kern Nukleus

aus den „Fragmenten" des Novalis (1798)

Volkspoesie und Kunstpoesie

20 Die Poesie ist, was rein aus dem Gemüt ins Wort kommt ... Die V o l k s poesie tritt aus dem Gemüt des Ganzen hervor; was ich unter K u n s t poesie verstehe, aus dem Einzelnen. Darum nennt die neue Poesie ihre Dichter, die alte weiß keine zu nennen; sie ist 25 durchaus nicht von einem oder zweien oder dreien gemacht worden, sondern eine Summe des Ganzen; wie sich das zusammengefügt und aufgebracht hat, bleibt unerklärlich, aber ist doch nicht geheimnisvoller als das, daß sich die Wasser in einen Fluß zusammentun, um 30 miteinander zu fließen. Mir ist undenkbar, daß es einen Homer oder einen Verfasser der Nibelungen[1] gegeben habe ...

das Gemüt das Innere

durchaus absolut

zusammenfügen verbinden

Jacob Grimm in einem Brief an Achim von Arnim (1811)

---

[1] Das „Nibelungenlied" (12. Jahrhundert) ist das größte mittelhochdeutsche Heldenepos. Der Verfasser ist auch heute noch unbekannt.

169

Märchen

Das Märchen ist gleichsam der Kanon der Poesie. Alles Poetische muß märchenhaft sein. Der Dichter bete den Zufall an.

Ein Märchen ist eigentlich wie ein Traumbild — ohne Zusammenhang — Ein Ensemble wunderbarer 5 Dinge und Begebenheiten — z.B. eine musikalische Fantasie — die harmonischen Folgen einer Äolsharfe — die Natur selbst.

In einem echten Märchen muß alles wunderbar — geheimnisvoll und unzusammenhängend sein — alles 10 belebt. Jedes auf eine andre Art. Die ganze Natur muß auf eine wunderliche Art mit der ganzen Geisterwelt vermischt sein . . .

aus den ,,Fragmenten" des Novalis (1798)

Das Romantische

Wenn man mich aufforderte, eine Definition des 15 Romantischen zu geben, so würde ich das nicht vermögen. Ich weiß zwischen poetisch und romantisch überhaupt keinen Unterschied zu machen.

Ludwig Tieck

Das Romantische ist das Schöne ohne Begrenzung oder das s c h ö n e Unendliche, so wie es ein e r - h a b e n e s gibt ... Ist Dichten Weissagen, so ist Romantisches das Ahnen einer größeren Zukunft als hienie-
5 den Raum hat. *Jean Paul*

Die Welt muß romantisiert werden. So findet man den ursprünglichen Sinn wieder. Romantisieren ist nichts als eine qualitative Potenzierung. Das niedre Selbst wird mit einem bessern Selbst in dieser Operation
10 identifiziert. So wie wir selbst eine solche qualitative Potenzenreihe sind. Diese Operation ist noch ganz unbekannt. Indem ich dem Gemeinen einen hohen Sinn, dem Gewöhnlichen ein geheimnisvolles Ansehn, dem Bekannten die Würde des Unbekannten, dem Endlichen einen
15 unendlichen Schein gebe, so romantisiere ich es. — Umgekehrt ist die Operation für das Höhere, Unbekannte, Mystische, Unendliche — dies wird durch diese Verknüpfung logarithmisiert. — Es bekommt einen geläufigen Ausdruck ...
20 *aus den „Fragmenten" des Novalis (1798)*

Antike und Romantik

Die antike Kunst und Poesie geht auf strenge Sonderung des Ungleichartigen, die romantische gefällt sich in unauflöslichen Mischungen; alle Entgegengesetzten, Natur und Kunst, Poesie und Prosa, Ernst und
25 Scherz, Erinnerung und Ahnung, Geistigkeit und Sinnlichkeit, das Irdische und das Göttliche, Leben und Tod, verschmelzt sie auf das innigste miteinander.

Wie die ältesten Gesetzgeber ihre ordnenden Lehren und Vorschriften in abgemessenen Weisen er-
30 teilten, so ist die gesamte alte Poesie und Kunst gleichsam ein rhythmischer Nomos, eine harmonische Verkündigung einer schön geordneten Welt.

Die romantische hingegen ist der Ausdruck des geheimen Zuges zu dem immerfort nach neuen und
35 wundervollen Geburten ringenden Chaos, welches unter der geordneten Schöpfung, ja in ihrem Schoße sich verbirgt. Jene ist einfacher, klarer; diese, ungeachtet ihres fragmentarischen Ansehens, ist dem Geheimnis des Weltalls näher ... *August Wilhelm Schlegel*

Marginal glosses:

erhaben *sublim*

hienieden *auf Erden*

ursprünglich *primär*
potenzieren *(mathematisch)*
 z.B. $a \cdot a \cdot a = a^3$
Potenz(en)reihe z.B.
 $a_0 + a_1x + a_2x^2 + \ldots$
das Gemeine *Niedere*
Anseh(e)n *Aussehen*
Würde *Dignität*

umgekehrt *anders herum*

verknüpfen *verbinden*
geläufig *bekannt*

strenge Sonderung *strikte Trennung* gefällt sich in *macht gern*
alle ... *alle Polaritäten*

Ahnung *das Vorgefühl*
Sinnlichkeit *Sensualität*
irdisch *von Erde*

der Gesetzgeber *Legislator*
die Vorschrift *Regel*,
Ordnung *in abgemessenen Weisen* harmonisch *formulierten* Nomos *das Gesetz*
Verkündigung *Proklamation*
hingegen *andererseits*

ringen *streben, kämpfen*
Schöpfung *Kreation* in ihrem Schoße sich verbirgt *in ihrem Innersten unsichtbar existiert* ungeachtet *trotz* das Weltall *Kosmos*

171

Philip Otto Runge: Scherenschnitt

Definition der romantischen Poesie

Die romantische Poesie ist eine progressive Universalpoesie. Ihre Bestimmung ist nicht bloß, alle getrennten Gattungen der Poesie wieder zu vereinigen und die Poesie mit der Philosophie und Rhetorik in Berührung zu setzen. Sie will und soll auch Poesie und Prosa, Genialität und Kritik, Kunstpoesie und Naturpoesie bald mischen, bald verschmelzen, die Poesie lebendig und gesellig und das Leben und die Gesellschaft poetisch machen ... Sie umfaßt alles, was nur poetisch ist, vom größten, wieder mehrere Systeme in sich enthaltenden Systeme der Kunst bis zu dem Seufzer, dem Kuß, den das dichtende Kind aushaucht in kunstlosem Gesang ... Andere Dichtarten sind fertig und können nun vollständig zergliedert werden. Die romantische Dichtart ist noch im Werden; ja, das ist ihr eigentliches Wesen, daß sie ewig nur werden, nie vollendet sein kann. Sie kann durch keine Theorie erschöpft werden, und nur eine divinatorische Kritik dürfte es wagen, ihr Ideal charakterisieren zu wollen. Sie allein ist unendlich, wie sie allein frei ist und das als ihr erstes Gesetz anerkennt, daß die Willkür des Dichters kein Gesetz über sich leide. Die romantische Dichtart ist die einzige, die mehr als Art und gleichsam die Dichtkunst selbst ist: denn in einem gewissen Sinn ist oder soll alle Poesie romantisch sein. *aus den ,,Fragmenten'' von Friedrich Schlegel (1798)*

Bestimmung *Aufgabe*
bloß *nur*   Gattung *das Genre*
in Berührung *in Verbindung*

bald, bald *jetzt so, dann so*
gesellig *sozial*
umfaßt *umspannt*

den ... *im Kinderreim*

zergliedern *analysieren*

erschöpft *definitiv beschrieben*

anerkennen *akzeptieren*
Willkür *absolute Freiheit*
leiden *ertragen*

gleichsam *sozusagen*

172

Romantische Ironie

Die Ironie, von der ich spreche, ist ja nicht Spott, Hohn, Persiflage, oder was man sonst derart gewöhnlich darunter zu verstehen pflegt, es ist vielmehr der tiefe Ernst, der zugleich mit Scherz und wahrer Heiterkeit
5 verbunden ist. Sie ist nicht bloß negativ, sondern etwas durchaus Positives. Sie ist die Kraft, die dem Dichter die Herrschaft über den Stoff erhält; er soll sich nicht an denselben verlieren, sondern über ihm stehen. So bewahrt ihn die Ironie vor Einseitigkeiten und leerem
10 Idealisieren. *Ludwig Tieck*

Die wahre Ironie ist die Ironie der Liebe. Sie entsteht aus dem Gefühl der Endlichkeit und der eigenen Beschränkung und dem scheinbaren Widerspruch des Gefühls mit der in jeder Liebe mit eingeschlossnen Idee
15 eines Unendlichen.

Ironie ist klares Bewußtsein der ewigen Beweglichkeit, des unendlich vollen Chaos; durch sie setzt man sich über sich selbst hinweg; sie ist steter Wechsel von Selbstschöpfung und Selbstvernichtung.
20 *aus den „Fragmenten" von Friedrich Schlegel (1798)*

Romantik im Rückblick

Die Romantik war keine bloß literarische Erscheinung, sie unternahm vielmehr eine innere Regeneration des Gesamtlebens, wie sie Novalis angekündigt hatte; und was man später die romantische Schule
25 nannte, war eben nur ein literarisch abgesonderter Zweig des schon kränkelnden Baumes. *Joseph von Eichendorff*

„Die romantische Schule"

(Heinrich Heines Kritik an der Verbindung des Poetischen mit dem Religiösen und Politischen in der „romantischen Schule".)

... Was war aber die romantische Schule in
30 Deutschland? Sie war nichts anders als die Wiedererweckung der Poesie des Mittelalters, wie sie sich in dessen Liedern, Bild- und Bauwerken, in Kunst und Leben, manifestiert hatte. Diese Poesie aber war aus dem Christentume hervorgegangen.

Spott, Hohn *Sarkasmus, Verachtung* derart *dergleichen*

zugleich *zur selben Zeit* heiter *fröhlich*

Herrschaft *Kontrolle* Stoff *die Materie* bewahren *schützen, retten*

Beschränkung *Begrenzung* der Widerspruch *die Kontradiktion*

das Bewußtsein *die Einsicht, Erkenntnis* Beweglichkeit *Mobilität* setzt man sich über sich selbst hinweg *transzendiert man sich selbst* Wechsel *das Hin und Her* Schöpfung *Kreation*

Erscheinung *das Phänomen*

ankündigen *ansagen*

abgesondert *separat* kränkeln *ungesund sein*

... Der politische Zustand Deutschlands war der christlich-altdeutschen Richtung noch besonders günstig.

günstig *gut für*
Sprichwort *Proverb*

Not lehrt beten, sagt das Sprichwort, und wahrlich, nie war die Not in Deutschland größer, und daher das Volk dem Beten, der Religion, dem Christentum zugänglicher 5

zugänglich *aufgeschlossen*
Betrübnis *Niedergeschlagenheit* der **Trost** *die Ruhe und Hoffnung* **Hingeben** *Aufgeben des eigenen Willens*

als damals. Die allgemeine Betrübnis fand Trost in der Religion, und es entstand ein pietistisches Hingeben in den Willen Gottes, von welchem allein die Hilfe erwartet wurde. Und in der Tat, gegen den Napoleon konnte auch gar kein anderer helfen als der liebe Gott 10

Heerscharen *Armeen*

selbst. Auf die weltlichen Heerscharen war nicht mehr zu rechnen, und man mußte vertrauensvoll den Blick

wenden *richten*

nach dem Himmel wenden.

Wir hätten auch den Napoleon ganz ruhig ertragen. Aber unsere Fürsten, während sie hofften, durch 15 Gott von ihm befreit zu werden, gaben sie auch zugleich dem Gedanken Raum, daß die zusammengefaßten Kräfte ihrer Völker dabei sehr mitwirksam sein möchten:

mitwirksam sein *mithelfen*
die Absicht *Intention*
Gemeinsinn *Sinn fürs Ganze*
volkstümlich *in der Tradition des Volkes*

man suchte in dieser Absicht den Gemeinsinn unter den Deutschen zu wecken, und sogar die allerhöchsten Per- 20 sonen sprachen jetzt von deutscher Volkstümlichkeit, vom gemeinsamen deutschen Vaterlande, von der Vereinigung der christlich-germanischen Stämme, von der Einheit Deutschlands. Man befahl uns den Patriotismus,

befehlen *kommandieren*

und wir wurden Patrioten; denn wir tun alles, was uns 25 unsere Fürsten befehlen. Man muß sich aber unter diesem Patriotismus nicht dasselbe Gefühl denken, das hier in Frankreich diesen Namen führt. Der Patriotismus des Franzosen besteht darin, daß sein Herz erwärmt wird, durch diese Wärme sich ausdehnt, sich erweitert, 30

sich ausdehnt *größer wird*
Angehörige *Verwandte*

daß es nicht mehr bloß die nächsten Angehörigen, sondern ganz Frankreich, das ganze Land der Zivilisation, mit seiner Liebe umfaßt; der Patriotismus des Deutschen hingegen besteht darin, daß sein Herz enger

hingegen *jedoch, andererseits*
eng *klein*

wird, daß es sich zusammenzieht wie Leder in der Kälte, 35 daß er das Fremdländische haßt, daß er nicht mehr

fremdländisch *ausländisch*

Weltbürger, nicht mehr Europäer, sondern nur ein enger Deutscher sein will. Da sahen wir nur das idealische

Flegeltum *Kult des Primitiven (bei Teenagers)*

Flegeltum, das Herr Jahn[2] in System gebracht; es be-

[2]Fr. L. Jahn (1778–1852), der „Turnvater", begann 1811 junge Berliner durch gymnastische Übungen und patriotische Lehren zum Kampf gegen Napoleon vorzubereiten. 1819 wurde er von der reaktionären preußischen Regierung ins Gefängnis gesteckt.

gann die schäbige, plumpe, ungewaschene Opposition gegen eine Gesinnung, die eben das Herrlichste und Heiligste ist, was Deutschland hervorgebracht hat, nämlich gegen jene Humanität, gegen jene allgemeine Menschenverbrüderung, gegen jenen Kosmopolitismus, dem unsere großen Geister, Lessing, Herder, Schiller, Goethe, Jean Paul, dem alle Gebildeten in Deutschland immer gehuldigt haben.

Was sich bald darauf in Deutschland ereignete, ist euch allen zuwohl bekannt. Als Gott, der Schnee und die Kosaken die besten Kräfte des Napoleon zerstört hatten, erhielten wir Deutsche den allerhöchsten Befehl, uns vom fremden Joche zu befreien, und wir loderten auf in männlichem Zorn ob der allzulang ertragenen Knechtschaft, und wir begeisterten uns durch die guten Melodien und schlechten Verse der Körnerschen Lieder, und wir erkämpften die Freiheit; denn wir tun alles, was uns von unsern Fürsten befohlen wird.

In der Periode, wo dieser Kampf vorbereitet wurde, mußte eine Schule, die dem französischen Wesen feindlich gesinnt war, und alles deutsch-volkstümliche in Kunst und Leben hervorrühmte, ihr treffliches Gedeihen finden. Die romantische Schule ging damals Hand in Hand mit dem Streben der Regierungen und der geheimen Gesellschaften, und Herr A. W. Schlegel konspirierte gegen Racine zu demselben Ziel, wie der Minister Stein³ gegen Napoleon konspirierte. Die Schule schwamm mit dem Strom der Zeit, nämlich mit dem Strom, der nach seiner Quelle zurückströmte. Als endlich der deutsche Patriotismus und die deutsche Nationalität vollständig siegte, triumphierte auch definitiv die volkstümlich-germanisch-christlich-romantische Schule, die „neudeutsch-religiös-patriotische Kunst". Napoleon, der so groß wie Alexander und Caesar, stürzte zu Boden, und die Herren August Wilhelm und Friedrich Schlegel, die kleinen Romantiker, erhoben sich als Sieger.

Paris, 1832

---

³Karl Reichsfreiherr vom und zum Stein (1757–1831), Staatsmann, Diplomat, Reorganisator Preußens nach dem verlorenen Krieg 1806/07.

WÖRTERVERZEICHNIS

Abkürzungen/*Abbreviations*
für Wörterverzeichnis und Randbemerkungen im Text

adj.	Adjektiv	*mil.*	militärisch
adv.	Adverb	*n. Chr.*	nach Christus, *A. D.*
dat.	Dativ	*obsol.*	obsolet
dt.	deutsch	*pl.*	Plural
engl.	englisch	*reg.*	regulär
franz.	französisch	*sg.*	Singular
gen.	Genitiv	*usw.*	etc.
ital.	italienisch	*vgl.*	vergleiche *compare*
lat.	lateinisch	*vulg.*	vulgär
math.	mathematisch	*z. B.*	zum Beispiel, *e.g.*

Auslassungen/*Omissions*

1. Wörter, die jeder Student im ersten Semester kennenlernt;
2. funktionale Wörter (Artikel, Pronomen, Präpositionen, einfache Adverbien);
3. verwandte Wörter, *cognates*, die leicht erkennbar sind;
4. Infinitive, Partizipien und Adjektive, die als Substantive (Hauptwörter) gebraucht werden und leicht verständlich sind;
5. der Artikel und die Pluralendung **-en** bei den abstrakten femininen Hauptwörtern mit den Endungen **-heit, -keit, -schaft, -ung** (weil sie nur feminin sein können und nur die Pluralendung **-en** haben können);
6. die negativen Formen **un-** und **-los** sind oft ausgelassen, wenn die positiven Formen gegeben sind;
7. Verben mit einfachen Präfixen wie z. B. **auf-, ab-, ein-, aus-, heraus-, herein-,** usw. sind oft ohne Präfix gegeben.

Klammern ( ) bedeuten, daß zwei Formen möglich sind oder waren.

a

ab-ändern alter, modify
ab-brennen, a, a burn up
ab-büßen do penance
die Abendmahlzeit evening meal
der Abgebildete the portrayed
abgelegen remote
abgemessen measured, formal
der Abgesandte, –n emissary
abgeschmackt tasteless
der Abgrund, ⸗e abyss
der Abhang, ⸗e slope
ab-hängen (von), i, a depend on
ab-holen pick up
ab-jagen outsmart, dupe
ab-kommen, a, o get away
die Abkunft descent, lineage
ab-lassen (von), ie, a, ä stop,
   hands off
ab-laufen, ie, au, äu expire
ab-legen take off
ab-lenken divert
Ablösung relief
ab-nehmen, a, o, i take off
ab-schaffen abolish, dismiss
der Abscheu disgust, loathing,
   aversion
abscheulich abominable,
   detestable
Abscheulichkeit atrocity,
   detestableness
der Abschied farewell
das Abschiedsfest farewell party
ab-schlagen, u, a, ä deny, turn
   down
ab-schließen, o, o lock
ab-schütteln shake off
die Absicht, –en intention, plan
ab-sondern separate
ab-spiegeln reflect
ab-statten render
ab-steigen, ie, ie get down,
   dismount
Abteilung (mil.) unit
ab-trocknen dry
ab-wechseln alternate
ab-weichen, i, i deviate
ab-weisen, ie, ie refuse
ab-wenden ward off, turn away,
   prevent

abwesend absent
Abwesenheit absence
ab-zehren become emaciated
ab-ziehen, o, o depart
der Abzug departure
achten auf pay attention, respect
achtlos inattentive
ächzen moan, groan
die Ader, –n vein, artery
adieu goodbye
der Advokat, –en lawyer
Ahndung requital, revenge
die Ahnen ancestors
ahnen guess, have a notion, have
   a presentiment of
Ahnung presentiment
ähnlich similar
der Akkord, –e chord
allerdings certainly, of course, to
   be sure
allerhöchst highest
allerlei various, all sorts
allerliebst lovely
allgemein general
die Allmacht omnipotence
allmählich gradually, slowly
allwissend omniscient
das Alter, – (old) age
sich alterieren get excited, vexed
altern grow old
altertümlich antique
altmodisch oldfashioned
die Amme, –n wet-nurse
der Amt(s)mann magistrate, bail-
   iff
an-bieten, o, o offer
an-blasen, ie, a, ä blow on
der Anblick view, appearance
an-bringen, a, a fix
der Anbruch break, beginning
die Andacht, –en devotion, prayer
das Andenken memory
die Andringenden those charging,
   attacking
an-erkennen, a, a recognize,
   acknowledge
der Anfang, ⸗e beginning
an-fangen, i, a, ä begin
die Angabe, –n declaration, statement

iii

an-geben, a, e, i cite, mention
das Angedenken remembrance
(an-)gehören belong to
der Angehörige, –n relative
die Angel, –n door hinge
Angelegenheit matter, business, affair
(an-)geloben promise
angenehm pleasant
das Angesicht face
an-greifen, griff an, angegriffen attack
ängstigen frighten
der Anhänger, – partisan, disciple
an-häufen pile up
anheim-fallen, ie, a, ä fall to
sich anheischig machen promise, pledge oneself
die Anhöhe, –n elevation, hill
an-klagen accuse
an-klettern scale, climb
an-klopfen knock
an-kommen, a, o arrive
an-kommen auf depend upon; be of importance
an-kündigen announce, proclaim
die Ankunft arrival
an-langen arrive
an-machen fix; fill and light (a pipe)
die Anmut grace
an-nehmen, a, o, i accept; presume; assume
an-ordnen arrange, order
an-regen suggest
an-reizen incite, induce
an-richten dish up, serve up
an-rühren touch
Anschauung concept, view; perception
sich an-schicken set about
an-schließen, o, o join
an-schmauchen begin to smoke
sich an-schmiegen cling to, nestle against
das Ansehen appearance; esteem
der Anspruch, ̈e claim
anständig proper; decent
an-starren stare at
an-stellen do, cause
an-stimmen strike up, begin to sing
an-streichen, i, i paint

Anstrengung exertion, effort
der Anteil interest
die Antike antiquity
das Antlitz face
an-tragen, u, a, ä offer
an-treten, a, e, i begin
der Antrieb, –e moving force; motive
an-wandeln come over, befall
an-weisen, ie, ie assign
Anweisung instruction
der Anwesende, –n the one present
die Anzahl number
an-zeigen announce, show
die Äolsharfe Aeolian harp
arg bad ohne Arg meaning no harm, unsuspectingly
der Ärger anger, vexation
ärgern make angry
sich ärgern get angry
die Armut poverty
die Art, –en way, manner, kind, style, fashion
artig polite, good
Artigkeit politeness
die Arznei, –en medicine
der Arzt, ̈e medical doctor
der Ast, ̈e limb, branch
der Atem breath
atmen breathe
auf-bieten, o, o summon up, do one's utmost
sich auf-bringen (obsol.) come about
auf-fahren, u, a, ä jump up
das Auffallende something extraordinary, conspicuous
auf-fordern call upon
der Aufgang, ̈e ramp, ascent
das Aufgebot summons
auf-greifen, i, i grab, pick up
aufhaltend retarding
auf-heben, o, o lift
auf-horchen listen attentively
auf-hören stop, cease
auf-knacken crack (open)
auf-kommen, a, o come up, get up, rise, arise
auf-lesen, a, e, ie gather, pick up
auf-merken pay attention
aufmerksam attentive
auf-nehmen, a, o, i take in, include
Aufopferung (self)sacrifice
sich auf-regen get excited

sich **auf-richten**   straighten up
auf-schlagen, u, a, ä   open
sich **auf-schlagen**   turn up, raise
auf-schrecken   rouse, startle
der **Aufseher, -**   supervisor, keeper
auf-springen, a, u   jump up;
   burst open
auf-sprühen   sparkle, spark
auf-steigen, ie, ie   rise
der **Auftrag, ⸚e**   order, instruction
auf-treten, a, e, i   appear,
   perform, enter
Aufwallung   flash of temper
auf-warten   wait on
auf-zehren   consume
auf-ziehen, o, o   string (beads)
das **Auge, -n**   eye
der **Augenblick, -e**   moment
augenblicklich   momentary,
   immediately
aus-blasen, ie, a, ä   blow out
sich **ausdehnen**   expand
die **Ausdeutelei**   sophistry
der **Ausdruck, ⸚e**   expression
ausgelassene   boisterous, frolic-
   some
ausgezogen   undressed
aus-halten, ie, a, ä   stand, bear
aus-hauen   cut out
aus-hungern   starve out
aus-liefern   hand over, deliver
sich **aus-liefern**   turn oneself in
aus-löschen   extinguish, put out
aus-machen   constitute, make up;
   determine, decide
die **Ausnahme, -n**   exception
aus-plaudern   divulge, let out
aus-richten   do, carry out,
   succeed in
aus-rotten   destroy, eradicate
die **Aussage, -n**   statement
(sich) **aus-scheiden, ie, ie**
   eliminate
(sich) **aus-schließen, o, o**   exclude
außerhalb   outside
äußerlich   outwardly, external;
   superficial
äußern   express
außerordentlich   extraordinary
die **Aussicht**   view
aus-spreiten   spread
aus-spucken   spit out
aus-stoßen, ie, o, ö   push out,
   expel; utter

der **Austausch**   exchange
aus-treiben, ie, ie   cast out, expel
aus-üben   practice; exert
aus-wechseln   exchange

b

das **Badehaus, ⸚er**   bathing-
   establishment
die **Bademeisterin**   bath-keeper
das **Bahrtuch**   pall
bald   soon
bald ... bald   now ... now
das **Band, ⸚er**   ribbon, tie
bang(e) sein   be afraid
bangen   be afraid
bannen   banish
(in) bar   paying cash
der **Bart, ⸚e**   beard
der **Bauch, ⸚e**   belly, stomach
die **Baukunst**   architecture
der **Baum, ⸚e**   tree
bauschig   puffy
das **Bauwerk, -e**   work of architecture
beabsichtigen   intend
beachten   pay attention to, notice
beben   shake, shiver
der **Becher, -**   goblet
bechern   carouse, booze
bedauern   pity, regret
bedecken   cover
bedenken, bedachte, bedacht
   consider
bedeuten   mean
bedeutsam   meaningful,
   significant
der **Bediente, -n**   servant
die **Bedrängnis**   distress, oppression
das **Bedünken**   opinion
bedürfen, u, u, a   need
das **Bedürfnis**   necessity, want
beeinflussen   influence
die **Beere, -n**   berry
befangen, i, a, ä   embrace, encircle
   (with E. T. A. Hoffmann only)
befehlen, a, o, ie   order,
   command
befestigen   fasten
sich **befeuern**   grow fiery
sich **befinden, a, u**   feel; be
   located
beflügeln   give wings to, inspire
befragen   ask, question
befreien   free, liberate

befriedigen satisfy
sich begeben, a, e, i go, set out
  (for)
  Begebenheit happening, event
  begegnen meet, encounter
  begehen, i, a commit; celebrate
  begehren demand; desire
(sich) begeistern enthuse,
  inspire
  begierig eager
  begleiten accompany
der Begleiter companion
  beglücken make happy
  begnadigen pardon
  begraben, u, a, ä bury
  begreifen, i, i comprehend
  Begrenzung limitation
der Begriff, -e idea, concept, term
  im Begriff sein be about to
  begründen found, establish
  Begünstigung favor
  behagen suit, please
  behaglich comfortable
  behalten, ie, a, ä keep
  behaupten maintain
  behend adroit, quick, agile
  beherrschen dominate, control
die Beichte confession
der Beichtiger father confessor
  beiderseitig mutual, reciprocal
  bei-fügen add
das Bein, -e leg, bone (pl. -er)
das Beispiel, -e example
  beizend staining
  Bekämpfung opposition, fight
  Bekanntschaft acquaintance
das Bekenntnis creed, avowal
sich beklagen complain
  bekommen, a, o receive, get
    wohl bekomm's to your health
sich bekümmern care about, pay
  attention
  Belagerung siege
  belauern lie in waiting
  belauschen eavesdrop
  beleben animate, enliven
  beleidigen insult
  beleuchten illuminate
  beliebig any (you like)
  belohnen reward
sich bemächtigen seize on
  bemerken notice, observe
sich bemühen try (hard), exert
  oneself

das Bemühen endeavor
  beneiden covet, envy
  benutzen use
  bepacken load
  Bequemlichkeit comfort,
  indolence
  beraten, ie, a, ä advice
(sich) beratschlagen deliberate
  berauben rob of
  berauschen intoxicate
  bereiten prepare
  bereits already
  bereuen regret
  bergen hide, protect
der Bergmann, (pl. Bergleute) miner
  berichten report
  beruhen auf rest upon
  beruhigen calm down, comfort
  berühmt famous
  berühren touch in Berührung
  in touch
  Besatzung garrison, occupation
  (sg. only)
  besaufen, besoff, besoffen get
  drunk
  beschäftigen employ someone,
  occupy
(sich) beschäftigen busy oneself
  bescheiden modest
  bescheinen, ie, ie shine upon,
  illuminate
  beschießen, o, o shoot at
  beschließen, o, o decide, resolve
der Beschluß, ⸗e decision
  Beschränkung limitation
  beschreiben, ie, ie describe
  beschwören exorcize, implore
  Beschwörung exorcism
  besessen possessed
  besetzen to occupy
  besiegen beat, defeat, vanquish
sich besinnen, a, o think
  Besinnung consciousness; (criti-
  cal) consideration, reflection
der Besitz possession
  besitzen, besaß, besessen
  possess, own
  besonders especially
  besorgen prepare
  besorglich troublesome,
  worrisome
die Besorgnis concern, anxiety
  besprechen, a, o, i discuss; speak
  a charm over

bespritzen spray, splash,
bespatter
beständig steady, constant,
permanent
bestärken strengthen
bestechen, a, o, i bribe
bestehen, a, a consist; exist; encounter; pass through
bestellen order
bestimmen designate, determine
bestimmt certain, definite
Bestimmung destination, fate,
destiny
bestreuen bestrew
bestürzen startle, terrify
Bestürzung consternation, con-
fusion, dismay
besuchen visit
betäuben deafen
Betäubung daze; unconsciousness
beten pray
beteuern assert
betonen emphasize
betören fool, deceive
betrachten look at
Betrachtung meditation, reflection; study
das Betragen behavior
betreff, in betreff with regard to
betreten, a, e, i enter
die Betrübnis grieve, gloom,
sadness
betrügen, o, o deceive
beugen bend
beunruhigen disturb, worry
beurteilen judge
die Beute prey
der Beutel, – bag, purse
bewahren protect, keep, preserve
sich bewähren prove oneself
bewegen (physical) reg., bewegen
(mental) o, o move, cause
die Bewegkraft motive power
Beweglichkeit mobility
Bewegung movement gesellige
Bewegung social life
der Beweis, –e proof
beweisen, ie, ie prove
bewilligen permit
bewirken cause, bring about
bewohnen inhabit
der Bewohner, – inhabitant
bewundern admire

bewußt conscious bewußtlos
unconscious
das Bewußtsein consciousness; conviction; knowledge
bezahlen pay
bezeichnen point out, denote,
designate
bezichtigen accuse of, charge
with
sich beziehen auf refer to, relate
to
Beziehung connection, regard,
relation
der Bibliothekar, –e librarian
biegen, o, o bend
bieten, o, o offer
das Bild, –er picture, painting
bilden form
das Bildwerk, –e painting, sculpture
das Billett, –s note
billigen approve of
binnen within
der Bischof, ⁼e bishop
bisher, bisherig until now
bitten, bat, gebeten bid, invite,
ask
blank bright
blaß pale
das Blatt, ⁼er leaf; page
bleichen bleach
bleiern made of lead
blenden blind
der Blick, –e glance, view, eye
blicken look
blitzen flash, emit lightning
bloß mere, only
blühen blossom
das Blut blood
die Blüte, –n blossom
der Bock, ⁼e ram, buck
der Boden bottom; ground; floor
der Bogen, – (⁼) bow, arch
bohren bore, drill in den
Grund bohren sink or scuttle
a ship
der Bösewicht, –e(er) scoundrel,
villain
boshaft malicious
Bosheit malice
das Boskett bosket, shrubbery
der Brand, ⁼e fire
der Branntwein hard liquor
brauchbar useful, useable
brauchen use

brausen rush, roar
die Braut, ⸗e bride
der Bräutigam, –e fiancé
brav good
die Briefschaften letters
die Brille, –n glasses
brüllen roar, shout
die Brust, ⸗e breast, chest
brüten hatch, incubate
der Buchsbaum, ⸗e box-tree
buhlen make love, have illicit intercourse
das Bündel, – bundle, bunch
das Bündnis, –se alliance, pact
die Burg, –en (fortified) castle
der Bürgermeister mayor, burgomaster
der Bursche, –n guy, lad
der Busen, – bosom
büßen do penance, suffer for
Bußübung penance

c

der Chirurg, –en surgeon
der Chor, ⸗e chorus
der Christ, –en Christian

d

dagegen against it, on the other hand, however
daher therefore; from there
dahin thither, away
damals at that time
dämmern dawn, grow light or dark
dampfen steam
dankbarlichst most gratefully
dar-bieten, o, o offer
darein thereinto
darnieder down
dar-reichen hand
das Dasein existence
davor of it, from it, against it
decken cover den Tisch decken set the table
der Degen, – sword
demütigen humiliate
dennoch nevertheless
derart in such a way, the like
dergestalt in such a fashion
dergleichen such
derselbe the same

desto the, so much (before comparatives)
deuten auf point to, indicate
der Deutsche, –n the German
dicht close; tight
die Dichtart, –en poetic style, manner
dichten write poetry
der Dichter, – poet
Dichtung poetry
diejenigen those
dienen serve
der Diener, – servant
der Dienst, –e service
das Ding, –e thing
der Dolch, –e dagger
der Dolchstich, –e stab with a dagger
der Dom, –e cathedral
das Dorf, ⸗er village
der Drache, –n dragon
drängen press
drehen turn
Drehung turn, rotation, convolution
drein, therein, thereto, thereinto
drein-schlagen, u, a, ä strike hard
dreist fresh, impertinent
der Dreschflegel, – flail
dringen, a, u penetrate; press forward; crowd
dringend urgent
das Drittel, – third
drohen threaten
der Druck pressure
drücken press die Hand drücken clasp a person's hand
in die Hand drücken give
der Duft, ⸗e fragrance
dumpf muffled, hollow, dull
der Dünkel conceit
dünnstimmig with a thin voice
durchaus throughout, absolutely, entirely
durchdringen, a, u, pierce
durchflechten, o, o, i entwine, braid, weave
durchgreifend effective, radical, thorough
durchlaufen, ie, au, äu run, read through
durchsichtig transparent
durchwallen float through
durchwühlen stir up

dürr parched, meager, scrawny
dürsten be thirsty
düster dusky, gloomy

e

das **Ebenbild** likeness, image
die **Ebene, –n** plain
ebenfalls, ebenso likewise, just as
ebensogut wie just as good as
echt genuine, real
edel noble
der **Edelmann, (***pl.* **Edelleute)** nobleman
der **Edelstein, –e** gem, jewel
der **Efeu** ivy
ehe before
ehedem heretofore
ehemalig former, old
eher earlier **nicht ehe** not until, unless
ehrenwert honorable, respectable
das **Ehrenwort** word of honor
die **Ehrfurcht** respect, reverence
ehrlich honest
der **Eichenhain, –e** oak grove
eifern gegen declaim against
die **Eifersucht** jealousy
eifrig zealous, eager
eigen own, typical, peculiar
Eigenschaft characteristic, peculiarity, quality
eigentlich actual
eigentümlich characteristic
die **Eile** hurry
eilen hurry
sich **ein-bilden** imagine
die **Einbildungskraft** (power of) imagination
ein-dringen, a, u try to influence
ein-drücken press in, imprint
der **Eindruck, ̈e** impression
einfach simple, easy
der **Einfall, ̈e** idea
ein-fallen collapse; interrupt; remember; occur
der **Einfältige** simpleton, naive person
sich **ein-finden, a, u** arrive
ein-flößen instill, inspire with
der **Einfluß, ̈e** influence
einführen introduce; import
der **Eingang, ̈e** entrance

ein-geben, a, e, i inspire
eingedenk sein remember
eingeschlossen included
ein-gestehen, a, a admit
eingreifend radical, effective
ein-halten, ie, a, ä stop
Einheit unity
ein-hüllen envelop, wrap up
einig united
Einkerkerung imprisonment
ein-laden, u, a, lädt invite
ein-lassen, ie, a, ä let in, admit
sich **ein-lassen** get involved
die **Einnahme** conquest, capture
die **Einöde, –n** wilderness
ein-rechnen include, take into account
ein-richten arrange; furnish; construct
einsam lonely, solitary
ein-schärfen impress
ein-schenken pour
ein-schlummern fall asleep
einseitig one-sided
die **Einsicht, –en** insight, discernment, intelligence
der **Einsiedler, –** hermit
einst(mals) once
ein-treten, a, e, tritt step in; set in, occur
ein-tunken dip
ein-weihen initiate
ein-wenden (wandte ein, eingewandt) object
ein-willigen agree
ein-wurzeln take root
einzeln single
einzig only, single
der **Einzug** entry, arrival
das **Eisen, –** iron
eisern of iron
eitel vain, conceited
Eitelkeit vanity
der **Ekel** nausea, disgust
ekelhaft repulsive, disgusting
elend wretched, miserable
das **Elend** misfortune, misery
die **Eltern** parents
empfangen, i, a, ä receive; welcome
empfehlen, a, o, ie recommend
sich **empfehlen** take leave, send respects
Empfehlung recommendation

empfinden, a, u feel, experience
empor up, upwards
empor-ranken creep up, climb up
empören arouse indignation
sich empören rebel, get furious
endlich finally; finite
Endlichkeit finiteness, limitation
eng narrow
der Engel, – angel
der Enkel, – grandchild
entbehren be deprived, lack, want
entbieten, o, o bid, send for
entbinden, a, u, release, absolve
entbrennen, a, a burn, be inflamed
entbunden werden be delivered (of a child)
entdecken discover
entfahren, u, a, ä escape, slip out
entfalten unfold
sich entfärben grow pale
sich entfernen withdraw, go away
entfernt distant, away from
Entfernung distance
entfesseln unchain, untie, release
entflammen inflame, impassion
entfliehen, o, o escape
entgegen toward; contrary
das Entgegengesetzte, –n opposite
sich entgegen-stemmen stand firm against
entgegnen reply
entgehen, i, a escape
enthalten, ie, a, ä contain, include
sich enthalten refrain from
enthaupten behead
entlassen, ie, a, ä dismiss
entlaufen, ie, au, äu run away
entlegen distant
ent-nehmen, a, o, i infer, conclude
entreißen, i, i snatch or tear from
entscheiden, ie, ie decide
entscheidend decisive
entschlafen, ie, a, ä die
sich entschlagen, u, a, ä get rid of
sich entschließen, o, o decide, resolve einen Entschluß fassen come to a resolution, make up one's mind

(sich) entschuldigen excuse
sich entsetzen be terrified
das Entsetzen terror, fear
entsetzlich terrible
entstellen deform, distort
entwaffnen disarm
entwenden swipe
entweder . . . oder either . . . or
(sich) entziehen, o, o withdraw; evade; escape
entzücken delight, thrill
entzünden ignite, kindle
entzwei in two, apart
sich entzweien quarrel, disunite
erbleichen, i, i grow pale
erblicken see
erblühen flourish, thrive
die Erde earth, ground
die Erdspalte, –n crevice
sich ereignen happen
das Ereignis, –se incident, happening
erfahren, u, a, ä experience
erfinden, a, u invent
Erfindung invention
erflehen plead, implore
der Erfolg, –e success
erforschen search, probe
erfrieren, o, o freeze to death
erfüllen fulfill
ergänzen supplement, add to, complete
sich ergeben, a, e, i devote oneself to; follow logically
Ergebenheit in Gott submissive acquiescence to God's will
ergehen, i, a fare, get along
ergötzlich delightful, amusing
ergreifen, ergriff, ergriffen seize, stir, move
der Erguß, ⸚e outpouring
erhaben sublime
erhalten, ie, a, ä receive; maintain, preserve
erheben, o, o raise
sich erheben, o, o arise
Erhebung rising
erhitzt flushed
sich erholen recover, rest, recuperate
erinnern remember
Erinnerung memory of; souvenir
erkämpfen gain by fighting

erkennen, a, a   recognize
erklären   explain, declare
erklettern   climb something
sich erkundigen   inquire
erküren, o, o   choose
erlassen, ie, a, ä   release, free
erlauben   allow
erleben   experience
erleichtern   relieve, ease
erleuchten   illuminate
erlösen   redeem
sich ermannen   take heart
Ermattung   exhaustion
ermorden   murder
der Ermordete   the murdered
ermüden   get tired
ernähren   nourish
ernst(haft)   serious
der Ernst   seriousness
erobern   conquer
eröffnen   announce, inform, relate
sich eröffnen   open, begin
erquicken   refresh
erregen   cause
sich erregen   get excited
erreichen   reach, accomplish
erretten   rescue, save
erringen, a, u   win by effort, obtain
Erschaffung   creation
erscheinen, ie, ie   appear, seem
Erscheinung   appearance, phenomenon
erschießen, o, o   kill by shooting
erschlagen, u, a, ä   kill
erschöpfen   exhaust
erschrecken   frighten, terrify
erschrecken, a, o, i   be frightened
erschüttern   shake, tremble, move deeply
Erschütterung   shock
erschweren   complicate
ersehnen   long for
erstarren   be benumbed, grow stiff
erstatten   refund, restore; deliver
erstaunen   be surprised
das Erstaunen   surprise
erstechen, a, o, i   stab
ersticken   choke, suffocate
erteilen   issue, order
ertragen, u, a, ä   bear
erträglich   bearable

ertrinken, a, u   drown
erwachen   awaken
erwachsen, u, a, ä   grow up
erwachsen sein   be grown up
erwägen, o, o   consider
erwähnen   mention
erwärmen   warm up
erwarten   expect
erweisen, ie, ie   render   einen
   Dienst erweisen   render a service
(sich) erweitern   expand
erwerben, a, o, i   gain, earn, acquire
erwidern   reply
erwürgen   choke to death
erzählen   tell, relate, narrate
der Erzfeind   arch-enemy
erziehen, o, o   educate
erzürnen   aggravate
erzwingen, a, u   force
der Estrich   plaster floor, stone floor
etliche   several
ewig   eternal

f

das Fabrikationsrezept, –e   manufacturer's formula
die Fackel, –n   torch
die Fahne, –n   flag
falb   pale yellow, fallow
der Falke, –n   falcon
die Falte, –n   fold, wrinkle
fangen, i, a, ä   catch   gefangen   caught, taken prisoner, captive
färben   color
der Farbenstrahl, –en   ray of color
das Faß, ⸚er   barrel   das schlägt dem   Faß den Boden aus   that is the limit
fassen   grasp, hold   ins Auge   fassen   fix one's eye upon
fechten, o, o, i   fight
die Feder   feather, pen
das Feder(n)barrett   hat with feathers
der Fehl, –e   fault, blemish
fehlen   lack, miss, be absent   was   fehlt dir?   what's the matter with you?
die Feier, –n   celebration
feiern   celebrate
feierlich   festive, solemn

feig(e) cowardly
der Feind, -e enemy
feindlich hostile
das Feld, -er field
der Felddienst combat duty
der Feldherr commander-in-chief
der Feldzug, ⁼e campaign
der Fels(en), -en rock
der Felsabhang cliff
der Felsgang passage through the
  rock
der Felsstaub rock dust
die Felswand rock face
der Felswall rock wall
die Ferne distance
fertig ready, finished
fertigen make, accomplish
fesseln bind, chain
das Fest, -e feast
fest strong, solid; dry
fest-setzen schedule
feucht damp, moist, wet
das Feuer, - fire, light
der Feuerkünstler fireworks expert
das Feuerrad pinwheel
das Feuerwerk fireworks
die Feuerwerkerarbeit manufacture
  of fireworks
fieberartig feverish
finster gloomy
die Finsternis darkness
die Fläche, -n surface, plain
die Flamme, -n flame
die Flasche, -n bottle
flattern flutter, wave
die Flechte, -n tress, braid
die Fledermaus, ⁼e bat
das Flegeltum boorish behavior
flehen plead, implore
fleischlich carnal, sensual
fleißig diligent
fliehen, o, o flee, escape
fließen, o, o flow
die Flintenkugel, -n bullet
der Fluch, ⁼e curse
die Fluchbefreiten those freed from
  a curse
fluchen swear, curse
die Flucht escape
flüchten take to flight
der Flügel, - wing
die Flügeldecke, -n wing membrane
die Fluh, ⁼e mass of rocks
der Flur, -e vestibule, hall

die Flur, -en field, pasture
der Fluß, ⁼e river
flüstern whisper
die Flut, -en water, flood, tide
die Folge, -n sequel; consequence,
  result
Folge leisten obey, comply with
folgendermaßen as follows
die Folter rack
foltern torture
fordern demand
forschen search
der Forscher researcher
fort-dauern continue
fort-hallen sound on
fort-reißen, i, i tear away, sweep
  away
fortwährend continually
fort-walten work on, carry on
fort-weisen, ie, ie send away
Frankreich France
der Franzose, -n Frenchman
das Freie the open
Freiheit freedom, liberty
freilich of course, to be sure,
  naturally
freiwillig voluntary
fremd foreign, alien, strange
der Fremde, -n stranger, foreigner
die Freude, -n joy, delight
freudig joyful, happy
der Friede(n) peace
frieren, o, o freeze, be cold
frierend shivering
die Frist läuft ab the term expires
fromm pious
die Frucht⁼e fruit
fruchtbar fruitful
fruchtlos unsuccessful
früher earlier, prior, preceding
der Frühling spring
füglich properly
Fügung coincidence die glückliche Fügung providentially
führen lead
der Funke, -n spark
funkeln sparkle, glitter
die Fürbitte, -n intercession
die Furcht fear
furchtbar terrible
(sich) fürchten fear, be afraid
der Fürst, -en prince, ruler
fürwitzig curious, inquisitive,
  pert

der **Fußtritt, –e** kick
füttern feed

g

die **Gabe, –n** gift
der **Galgenstrick** rascal
der **Gang, ⸚e** walk, path
ganz, gänzlich altogether, entire,
  whole, total
die **Garnison** garrison
die **Gasse, –n** lane, alley, street
der **Gast, ⸚e** guest
der **Gasthof, ⸚e** inn, hotel
der **Gastwirt, –e** innkeeper
die **Gattin, –nen** wife
  Gattung genre; type, sort
  gaukeln juggle, play tricks
die **Gebärde, –n** gesture
  gebenedeit blessed
das **Gebiet, –e** realm, territory; field
  gebieten, o, o command, order
der **Gebildete, –n** educated person
das **Gebirge, –** mountains
  geboren born
eine **geborene X** née X
  geborgen safe, secure
das **Gebot, –e** order, rule, command-
  ment **zu Gebote stehen** have
  at one's disposal
der **Gebrauch** use
das **Gebrechen, –** defect, malady
die **Geburt, –en** birth, offspring,
  creation
die **Geburtsstätte** place of birth
der **Geburtstag** birthday
das **Gebüsch, –e** bushes, brush
der **Gedanke, –n** thought
  gedeihen, ie, ie prosper
  gedenken, a, a (*with gen.*) think
  of
das **Gedicht, –e** poem
die **Geduld** patience
  Geehrtester most honorable Sir
  (ironic)
die **Gefahr, –en** danger
  gefallen, ie, a, ä like, please
der **Gefallen** favor
  Gefangenschaft imprisonment
  gefaßt calm, collect
das **Gefieder** feathers
das **Gefühl, –e** feeling
die **Gegend, –en** area, region,
  neighborhood

der **Gegensatz, ⸚e** contrast, opposite
  gegenseitig mutual
der **Gegenstand, ⸚e** object, matter
  gegenüber across
die **Gegenwart** presence, present
  time
  gehässig spiteful, odious
  geheim, geheimnisvoll secret,
  mysterious
das **Geheimnis, –se** secret, mystery
  gehorchen obey
  gehörig proper
der **Geist, –er** spirit, ghost **im
  Geist(e)** spiritually, mentally
die **Geisterwelt** spiritual world (to-
  day: world of the spirits)
  Geistigkeit spirituality, intellec-
  tuality
der **Geistliche, –n** priest
der **Geiz** greed
das **Geklinge(l)** tinkling, ringing
das **Gelage, –** banquet
  geläufig familiar
  gelegentlich occasional
der **Gelehrte, –n** scholar
der (die) **Geliebte, –n** lover, beloved,
  darling
  gelingen, a, u succeed
  gellen sound shrill
  gelobt promised
  gelten, a, o, i be valid; mean **es
  galt ihm** it was aimed at him
das **Gelübde, –** vow
das **Gelüst, –e** desire, appetite
  gelüsten long for, desire
das **Gemach, ⸚er** room
der **Gemahl** husband
das **Gemälde, –** painting
  gemein common
  gemeinsam, gemeinschaftlich
  common, together
der **Gemeinsinn** public spirit, sense
  for the common cause and heri-
  tage
das **Gemisch** mixture
das **Gemüt, –er** mind, total disposi-
  tion, inner man
  gemütlich good-natured, easy-go-
  ing; cozy
  Gemütsbewegung emotion, agitation
die **Genialität** originality
das **Genick** neck
  genießen, o, o enjoy, taste, drink

der **Genuß**, ⁼e pleasure
gerade straight; especially
das **Gerät**, **-e** implement, tool, utensil
geraten in, ie, a, ä get into, fall into
geräumig spacious
gerecht just, fair
Gerechtigkeit justice
das **Geräusch**, **-e** noise, sound
das **Gerede** gossip, talk
das **Gericht**, **-e** court of justice
gerichtlich legal
gering little, small **im geringsten** in the least
der **Geruch**, ⁼e smell, odor
das **Gerücht**, **-e** rumor
gerührt touched
gesamt total, all
der **Gesang** singing
das **Geschäft**, **-e** business; store
geschehen, a, e, ie happen
das **Geschenk**, **-e** present
die **Geschichte**, **-n** story; history (*sing. only*)
das **Geschick** fate, destiny
Geschicklichkeit skillfulness, ability
geschickt skillful, clever
das **Geschlecht**, **-er** race; family; generation; sex
geschlitzt slit, split
der **Geschmack**, ⁼er taste
das **Geschmeide** jewelry
das **Geschöpf**, **-e** creature
das **Geschrei** screaming
das **Geschwätz** chatter, gossip
geschwind quick, fast
die **Geschwister** brother(s) and sister(s)
sich **gesellen zu** associate with
gesellig sociable
Gesellschaft society, company
der **Gesellschafter** companion
das **Gesetz**, **-e** law
der **Gesetzgeber**, **-** legislator
Gesichter schneiden make faces
das **Gesinde** servants
das **Gesindel** scalawags, mob, trash
Gesinnung way of thinking
das **Gespenst**, **-er** ghost, phantom
das **Gespinst**, **-e** web
das **Gespräch**, **-e** conversation

die **Gestalt**, **-en** figure; person; shape
gestehen, a, a confess, admit
das **Gestirn**, **-e** star, constellation
das **Gesträuch**, **-er** shrubs, bushes
gestrig of yesterday
Gesundheit health
das **Getöse** roar, noise
getreu faithful, loyal
getrost confidently
gewahr werden, u, o, i notice
gewähren grant
die **Gewalt**, **-en** force, power
gewaltig powerful, forceful
gewaltsam violent, with force
das **Gewand**, ⁼er dress, gown
Gewandtheit dexterity; cleverness
das **Gewehr**, **-e** gun, rifle
der **Gewinn** gain, advantage, profit
gewiß certain
das **Gewissen** conscience
gewissenhaft conscientious, scrupulous
gewissermaßen to some extent, in a way
Gewißheit certainty
sich **gewöhnen** get used to
gewohnt, gewöhnt be used to
gewöhnlich usual
Gewohnheit habit
Gewöhnung accustoming
das **Gift**, **-e** poison
der **Gipfel**, **-** top, peak
das **Gitter**, **-** fence, gate
das **Gittertor** wrought iron gate
der **Glanz** gleam, light, splendor
glatt smooth, even, easy
glauben believe
der **Glaube(n)** belief, faith
gläubig faithful, devout
gleichen, i, i resemble
gleichförmig monotonous
gleichmütig even-tempered, calm
gleichsam as it were
gleichwohl nevertheless, yet, however
gleiten, i, i glide
das **Glied**, **-er** limb
die **Glocke**, **-n** bell
glorreich glorious
das **Glück** fortune, happiness
glücklicherweise fortunately

glühen glow
die **Glut** glow, heat; passion, fervor
die **Gnade** grace
    gnädig gracious, kind
    gönnen not to begrudge, favor
(der) **Gott, ⁻er** God
    gottergeben devout
    Götterbilder statues of gods
der **Gottesdienst, -e** church service
    göttlich divine
der **Götzendienst** idolatry
das **Grab, ⁻er** grave
    graben, u, a, ä dig
der **Graf, -en** count
    Grafschaft county, shire
der **Gram** grief **jemandem Gram**
    sein bear someone a grudge
sich **grämen** grieve **sich zu**
    Tode grämen pine away
    gräßlich hideous, terrible
    grausen shudder
das **Grausen** horror, terror
    grausig gruesome
    greifen, i, i reach for
die **Grenze, -n** border
der **Grenzstein, -e** boundary-stone
der **Greuel, -** horror, abomination
der **Grieche, -n** Greek
die **Grille, -n** cricket; whim, caprice
    grob coarse, rough
die **Größe** greatness, grandeur
die **Größe, -n** size
der **Grund, ⁻e** ground; basis; reason
    gründlich thorough, fundamental
    grüßen greet
die **Gunst** favor
    Gunstbezeigung act of favor
    günstig favorable, friendly
das **Gut** wealth, possession; blessing
    das höchste Gut the most precious thing
die **Güte** kindness
    gütig kind
sich **gütlich tun** enjoy something, revel in something
    gutmütig good-natured

h

die **Habichtsnase** hook-nose
der **Hafen, ⁻** harbor
der **Hahn, ⁻e** cock, rooster

der **Haken, -** hook
die **Hälfte, -n** half
der **Hals, ⁻e** neck
    halsbrecherisch neck-breaking, dangerous
die **Halsschnur** necklace
    halten, ie, a, ä hold, keep, stop
    halten für consider, take it to be
    hämisch malicious, spiteful
die **Handarbeit, -en** needlework
der **Handel** business
    handeln trade; act
    Händel machen (händeln) start fights
das **Händeringen** wringing of hands
das **Handgelenk** wrist
der **Handwerker, -** craftsman
    hangen, i, a, ä hang
    hassen hate
der **Haß** hate
    häßlich ugly
die **Hast** haste, hurry
die **Haube, -n** bonnet
die **Haubitze, -n** howitzer
    häufig frequent
das **Häuflein, -** small group, troup
das **Haupt, ⁻er** head
die **Hauptquelle** main source
die **Hauptursache** main cause
    Haushaltung household
die **Haut** skin, hide
    heben, o, o lift
das **Heer, -e** army
die **Heerschar, -en** legion, army
    heften fasten
    heftig intense, vigorous, fierce, violent
die **Heide** heather
das **Heidentum** paganism, heathendom
    heilig holy
der **Heiligenschein** halo
die **Heimat** homeland
    heimisch homelike, native, indigenous
die **Heimkehr** return home
    heimlich secretly
    Heimlichkeiten secrets
    heiraten marry
    heißen, ie, ei be called; bid someone to do something
    heiter gay, merry; serene
    Heiterkeit cheerfulness; serenity
    heizen heat

der **Held, –en** hero
hell bright, light
hellgeschliffen brightly cut
Hellung brightness
das **Hemd, –en** shirt
hemmen hold up, interfere with
der **Henker, –** hangman **ins Henkers Namen** (obsol. curse)
heran-strömen stream onward, rush onward
herauf-nesteln lace up, fasten
heraus-geben, a, e, i publish, edit
herbei-führen lead to
herbei-schaffen get
herbei-schleppen drag
hergestellt cured
die **Herkunft** origin, descent
herrlich grand, magnificent
Herrlichkeit splendor, glory
Herrschaft rule, control
her-rühren stem from
her-stellen produce; restore
hervor (*adv. and prefix indicating* forward movement) forth, out of
hervor-holen pull out
das **Herz, des –ens, en** heart
der **Herzog, ⸚e** duke
die **Heuernte, –n** hay harvest
die **Hexe, –n** witch
der **Hexenprozeß** witchcraft trial
das **Hexenwesen** practice of witchcraft
hienieden here on earth
hierüber concerning this
die **Hilfe** help, aid, assistance
der **Himmel, –** heaven, sky
Hinausschaffung expulsion
das **Hindernis, –se** hindrance, obstacle
hingeben, a, e, i give away
sich **hin-geben** yield, surrender
hingegen however, on the other hand
hin-gehören belong
sich **hinhalten lassen** be kept in suspense
hinlänglich sufficient
hin-reichen suffice
die **Hinsicht** regard **in dieser Hinsicht** in this regard
hin-strecken hold forward

hinterbringen, a, a inform
hinterdrein afterwards
der **Hintergrund, ⸚e** background; motive
hinweg over, away from
sich **hinweg-setzen über** overcome
hinzu-fügen add
das **Hirn** brain
der **Hirte, –n** shepherd
hitzig burning, heated
hoch high
hochherzig magnanimous, noble-minded
höchstens at best, at the most
der **Hochverrat** high-treason
die **Hochzeit, –en** wedding
der **Hof, ⸚e** yard, court
Hoffnung hope
der **Hofmeister** private tutor
Hoheit majesty
hohl hollow
die **Höhle, –n** cave, grotto
der **Hohn** sneer, insult, scorn
höhnend sarcastic, sneering
hold lovely, gracious
das **Holz, ⸚er** wood
hölzern wooden
der **Holzhauer** woodcutter
das **Höschen, –** little pants
die **Hüfte, –n** hip
der **Hügel, –** hill
das **Huhn, ⸚er** hen
huldigen pay homage, subscribe to
die **Hülle, –n** raiment, cover
hüllen wrap
die **Humanität** humanism
der **Husar, –en** hussar, cavalry man
husten cough
der **Hut, ⸚e** hat
(sich) **hüten** guard, protect, be careful (not to)

i

ihretwillen for her sake
immerdar for ever and ever
immerfort continually
inbrünstig ardent, fervent
indem, indes while
der **Ingrimm** anger
das **Innere** innermost, heart, soul

innerlich   inward
innig   heart-felt, intimate, ardent, close
insbesondere   especially
die Insel, –n   island
insgeheim   secretly, in private
insgesamt   altogether
inzwischen   meanwhile
irdisch   earthly
irgend (*adv.*)   any, some
irgendeiner   anyone, someone
irgendwann   anytime, sometime
irr   confused, crazy
irren   go astray
sich irren   err, be mistaken
der Irrtum, ⸚er   error
der Irrwahn   false belief, superstition
der Irrwisch, –e   will-o'-the-wisp

J

die Jagd, –en   hunt, hunting
der Jäger, –   hunter
das Jahrhundert, –e   century
der Jammer   misery
jammern   lament
jemals   even
jenseits   yonder
das Jenseits   the beyond
das Joch   yoke, tyranny
der Johanniskäfer, –   glowworm
die Johanniswürmer   glowworms
die Jugend   youth
die Jugendblüte   bloom of youth
der Jugendgeselle, –n   companion of one's youth
der Jugendglanz   glow of youth
die Jungfrau, –en   maid
der Jüngling, –e   youth, lad
jüngst   recently

K

kahl   bare, naked
der Kahn, ⸚e   boat, skiff
die Kälte   cold
der Kamin, –e   fireplace, hearth
die Kammer, –n   chamber, room
der Kammerdiener, –   valet, man-servant
der Kampf, ⸚e   fight, struggle
die Kapelle, –n   chapel
die Kartätsche, –n   grape-shot (a cluster of small iron balls used as a cannon charge)
die Karte, –n   card; map
die Kehle   throat
kehren   sweep; turn
der Keim, –e   nucleus, bud
keineswegs   not at all
der Kellner, –   waiter
kennen-lernen   get acquainted with
der Kerl, –e (–s)   fellow, guy
der Kern, –e   nucleus
die Kerze, –n   candle
der Kerzenschimmer   candle light
die Kette, –n   chain, necklace
keuchen   pant
Kindheit   childhood
kindisch   childish (*earlier:* child-like)
die Kirche, –n   church
die Kirsche, –n   cherry
die Kiste, –n   crate, chest
der Kitzel, –   desire, titillation
der Klang, ⸚e   sound, tone
klagen   complain; lament
kläglich   pitiful, miserable
klar   clear
die Klause, –n   hermitage
der Klausner, –   hermit
kleiden   dress
Kleidung, das Kleid   dress, clothing
Kleinigkeit   trifle
klettern   climb
das Kloster, ⸚   monastery
die Kluft, ⸚e   cleft, ravine
klug   clever
der Knabe, –n   boy, lad
der Knecht, –e   servant
Knechtschaft   slavery, oppression
der Knicks, –e   curtsy
das Knie, –   knee
knien   kneel
knistern   crackle
der Knöchel, –   ankle; knuckle
der Knochensplitter, –   bone fragment
knüpfen   tie, connect
die Kohle, –n   coal
der Köhler, –   charcoal-burner
der König, –e   king
der Kontrahent, –en   contracting party
der Kopf, ⸚e   head

das **Kopfschütteln** misgiving, disapproval
das **Kopfweh** headache
die **Kopfwunde, –n** head injury, wound
kostbar precious
der **Kot** mud, dirt
krachen crack, break with a noise
krächzen croak, caw
die **Kraft, ˮe** strength, power
der **Kram** retail trade
kramen rummage
der **Krampf, ˮe** cramp, convulsion
kränkeln ailing, be sickly
Krankheit sickness, disease
der **Kranz, ˮe** wreath
das **Kraut, ˮer** herb
der **Kreis, –e** circle, round, ring
kreisen circle
das **Kreuz, –e** cross
kreuzen cross
der **Kreuzfahrer, –** crusader
der **Kreuzzug, ˮe** crusade
kriechen, o, o creep, crawl
der **Krieg, –e** war
das **Kriegsgericht** court-martial
das **Kriegsgesetz** military law
der **Kriegsrat** council of war
krönen crown
die **Kugel, –n** bullet
kühn bold
der **Kummer** grief
künftig in the future
die **Kunst, ˮe** art
das **Kunststück, –e** trick
künstlich artful, ingenious
der **Kuß, ˮe** kiss
küssen kiss
die **Kutsche, –n** coach, carriage

l

lachen laugh
lächeln smile
laden, u, a, lädt load
das **Lager** bed; camp
die **Landsleute** (*sg.* **Landsmann**) fellow countrymen
die **Landstraße, –n** road
langen reach
längst for some time
langweilig boring, dull
die **Larve** mask, face (ironic)
lässig idle, lazy

das **Laster, –** vice
lau mild, lukewarm
das **Laub** leaves, foliage
der **Laubgang, ˮe** arcade
lauern spy, watch
der **Lauf, ˮe** run; barrel (artillery)
vollen Lauf lassen give free play to
laufen, ie, au, aü run
lauschen listen
lausen delouse, rid of lice
läuten ring
lauter nothing but; pure
lautlos without a sound
lauwarm tepid, lukewarm
leben live
das **Leben, –** life
lebendig lively, alive
die **Lebensfülle** fulness of life
die **Lebenslust** vivacity, high spirits
die **Lebensmittel** provisions
lebhaft lively, vivid, animated
das **Leder, –** leather **vom Leder ziehen** draw a sword (for action)
leer empty, vacant; vain
lehnen lean
der **Lehnsessel, –** arm-chair, easy chair
die **Lehre, –n** teaching, theory
lehren teach
der **Leib, –er** body
leibhaftig true, real
die **Leiche, –n** corpse, dead body
der **Leichnam** corpse
das **Leid, –en** sorrow, harm
Leid(s) zufügen do harm
leiden, litt, gelitten suffer
Leidenschaft passion
leider unfortunately
Leistung achievement
leiten lead, guide
die **Lerche, –n** lark
letzt last
leuchten shine, beam, illuminate
die **Leuchtkugel, –n** flare
leugnen deny
liebenswürdig amiable, charming, kind
das **Liebesbündnis** liaison
der **Liebeslaut, –e** sound of love
die **Liebesqual, –en** love's pain
der **Liebhaber, –** lover
die **Liebhaberei, –en** hobby

Liebkosung   caress
die Lieblingstaube   favorite dove
liebreich   kind, loving
Liebschaft   love affair
das Lied, **-er**   song
liefern   deliver, supply
liegend   situated, lying
die Lilie, **-n**   lily
die Linde, **-n**   linden tree
Linienverbindungen   pattern of lines
lispeln   lisp, whisper
listig   cunning, sly
das Loch **-̈er**   hole
die Locke, **-n**   curl
locken   lure, entice
lodern   blaze, flare
der Löffel, **-**   spoon
lose   loose
löschen   extinguish
lösen   loosen, undo
los-werden   get rid of
die Lücke, **-n**   hole, gap
die Luft, **-̈e**   air, wind
lüften   ventilate
die Lüge, **-n**   lie
lügenhaft   lying, false
die Lunte, **-n**   fuse, slow-burning chemically treated rope used to ignite antique firearms
die Lust, **-̈e**   joy, pleasure, lust
lustig   gay

m

machen   make   **machen, daß**   hurry
die Macht, **-̈e**   power
die Magd, **-̈e**   maidservant
der Mähder, **-**   haymaker
das Mahl, die Mahlzeit, **-en**   meal
das Mal, **-e**   time
malen   paint
die Malerei, **-en**   painting
mancherlei   various
mannigfach, mannigfaltig   manifold, varied
männlich   male, masculine
der Mantel, **-̈**   coat, cloak
das Märchen, **-**   fairy tale
märchenhaft   like a fairy tale
die Maßregel, **-n**   measure, step
die Materie   matter
matt   mat, weak; muffled

die Mauer, **-n**   wall
das Mauerwerk   masonry
das Maul, **-̈er**   mouth of animals
meckern   bleat
das Meer, **-e**   sea
mehren   increase
mehrere   several
meiden, ie, ie   avoid, flee
Meinung   opinion
der Meister, **-**   master
sich melden lassen   have oneself announced
die Menge   crowd
der Mensch, **-en**   human being, man
das Mensch, **-er** (*vulg.*)   woman
das Menschengeschlecht   human race
Menschenverbrüderung   fraternization of mankind
merken   notice
merkwürdig   odd, strange, noteworthy
die Messe, **-n**   mass
das Meßgewand   vestment
messen   measure
das Messer, **-**   knife
die Miene, **-n**   look, expression
mieten   rent
mindest   least, smallest   **im mindesten**   in the least
mischen   mix
mißlingen   fail
das Mitgefühl, das Mitleid   compassion
mit-teilen   communicate, pass on, tell
das Mittel, **-**   agent; medicine, remedy; means
das Mittelalter   middle ages
die Mitternacht   midnight
mitunter   at times, sometimes
die Mode, **-n**   fashion
der Mönch, **-e**   monk
das Moos, **-e**   moss
der Mörder, **-**   murderer
der Mord(s)kerl, **-e (-s)**   devil of a fellow
die Mordtat, **-en**   murder
der Morgenglanz   morning light
die Morgenröte   dawn, aurora
die Mühe, **-n**   effort, trouble, toil
mündlich   oral
munter   gay, brisk, lively

die **Münze, –n** coin **für bare
  Münze nehmen** take words at
  their face value
murmeln murmur
müßig idle
der **Mut** courage; spirit
mutwillig roguish, mischievous
die **Mütze, –n** cap

n

der **Nachbar, –n** neighbor
nach-denken, a, a meditate, contemplate
der **Nachen, –** small boat, skiff
Nachforschung research, investigation
nach-geben, a, e, i give in, yield
Nachgiebigkeit softness, compli-
  ance
der **Nachkomme, –n** descendant
nachlässig careless, negligent
nach-lesen, a, e, ie glean; read
  again
nach-machen imitate
nachmals afterwards
die **Nachricht (-en)** news
nach-sagen repeat
die **Nachsicht** forbearance, clem-
  ency, consideration
nach-sinnen, a, o contemplate
das **Nachsinnen** meditation; brood-
  ing
der **Nachteil, –e** disadvantage
der **Nachtisch** dessert
die **Nacht, ⁼e** night
der **Nachttisch** bed-side table
nächtlich nocturnal; nightly
die **Nachwelt** posterity, future gener-
  ations
der **Nacken, –** nape of the neck
nah near, close
sich **nahen, sich nähern** come
  near
die **Nähe** nearness, proximity, neighborhood, vicinity
naheliegend adjacent, nearby
nähen sew, stitch
nähren nourish, foster
namenlos nameless, inexpressible
namentlich especially
nämlich namely
der **Nebel, –** fog, mist

die **Nebenfrage** subordinate
  question
der **Nebenmann** man right or left of
  one
neckhaft teasing, playful
die **Necksucht** tendency to tease
neigen bow
Neigung liking; tendency; in-
  clination
nennen, a, a call, name
die **Neugier(de)** curiosity
Neuigkeit news
neulich recently
nicht not **mit nichten** by no
  means
Nichtigkeit nothingness
nichtswürdig vile, base
nicken nod; sleep, nap
(sich) **nieder-lassen, ie, a, ä** let
  down, sit down; settle
Niederlassung getting settled
  and established
nieder-sehen, a, e, ie look down
nieder-sinken, a, u sink down
nieder-stürzen fall, collapse
niemals never
nimmermehr never, nevermore
nirgends nowhere
der **Nix, –e** water sprite
die **Nixe, –n** water nymph
nachmalig repeated
der **Nomos** (Greek) law
nördlich northern
die **Not, ⁼e** need, distress, trouble,
  want
nötig, notwendig necessary
nötigen urge; force
der **Notleidende, –n** sufferer
nüchtern sober
die **Nuß, ⁼e** nut
nützen be useful
nutzlos useless, futile

o

der **Oberst, –en (–s)** colonel
obgleich although
Obrigkeit authorities
das **Obst** fruit
öd bare, bleak, desolate, dreary
der **Odem** breath
der **Ofenruß** soot
offenbar obvious
offenbaren reveal

öffentlich (in) public
Öffnung opening
die Ohnmacht unconsciousness,
    faint; powerlessness
der Olivenast, ⁼e olive branch
das Opfer, – sacrifice; victim
sich opfern sacrifice oneself
der Ordensgeistliche, –n priest who
    is a member of a religious ord-
    er
    ordnen put in order, regulate
    Ordnung order
der Ort, –e place
    Ortschaft place (village, town)

p

das Paar, –e pair zu Paaren
    treiben put to flight
    pack dich! get out!
    packen pack, grab
die Pappe cardboard
der Papst, ⁼e pope
    passen fit
    peinigen torment
der Pergamentband, ⁼e parchment
    volume
    perlen bubble
der Pfad, –e path
der Pfefferkuchen, – ginger bread
die Pfeife, –n pipe
der Pfeifenstummel short old pipe
der Pfeil, –e arrow
    pfeilschnell swift as an arrow
das Pferd, –e horse
die Pflanze, –n plant
    pflegen nurse, take care; be used
    to, be in the habit of
die Pflege care
die Phiole, –n phial, bottle (contain-
    ing poison)
der Piekschlitten, – sleigh with
    pointed prow
    plagen plague, torture
    plump ill-bred, unwieldy
der Pöbel mob
der Polsterstuhl, ⁼e upholstered
    chair, easy chair
    possierlich funny
    potenzieren raise to a higher
    power
die Potenzreihe, –n exponential
    series (*math.*)
die Pracht beauty, splendor

prächtig, prachtvoll gorgeous,
    fine, magnificent, splendid
    prasseln crackle; fall upon
    predigen preach
    preisen, ie, ie praise
    Preußen Prussia
    preußisch Prussian
der Priester, – priest
der Priestersegen priest's blessing
das Pult desk
das Pulver, – powder
das Pulverfaß powder barrel
der Pulverturm powder tower
der Pulvervorrat powder supply
der Putz, attire, finery, dress
    putzen clean

q

das Quacksalbern quackery, charla-
    tanery
die Qual, –en pain, torment, torture
der Quark nonsense
die Quelle, –n spring; origin, source
    quellen, o, o, i arise from
    quer diagonal
    quieken squeak, squeal

r

die Rabenfittiche raven's wings
der Rachen mouth (of an animal)
sich rächen revenge oneself
    raffen snatch up, gather up
der Rahmen, – frame
die Rakete, –n rocket
der Rand, ⁼er rim
    rascheln rustle, crackle
    rasen rage
    rasend werden go mad
die Raserei rage, fury, frenzy
der Rasen, – lawn
der Rat advice
    raten, ie, a, ä advise, counsel
das Rathaus city hall
der Ratschluß decision einen Rat-
    schluß fassen arrive at a deci-
    sion
der Rauchfang chimney flue
    rauh rough, cold, unpleasant
der Raum, ⁼e room, space
    rauschen rustle, rush
das Rebengeländer, – vine-trellis
    Rechenschaft reckoning, account

rechnen reckon, calculate, count, figure **dazu rechnen** add to
Rechtschaffenheit integrity, honesty
die **Rede, –n** speech **freundliche Reden** flattery (*ironic*)
redlich honest
Redlichkeit honesty
das **Reelle** real
rege active, lively
die **Regel, –n** rule
sich **regen** stir, move
der **Regen** rain
regieren govern
reiben, ie, ie rub
das **Reich, –e** realm, kingdom, nation, state
reichen reach, offer, present, hand to
reichlich generous
der **Reichtum** wealth
reifen ripen
der **Reim, –e** rhyme
rein pure
reinigen clean
die **Reise, –n** trip, journey
die **Reisemütze** travel cap
der **Reiter, –** horseman, cavalryman
der **Reiz, –e** charm, attraction
reizend charming
retten save, rescue
die **Reue** repentance
reuig penitent
(sich) **richten auf, an** turn to
Richtung direction; tendency
riechen, o, o smell
der **Riese, –n** giant
riesengroß gigantic, colossal
rieseln ripple, trickle; shiver
die **Rinde, –n** outer surface, crust, bark
ringen, a, u struggle, wrestle
rings(umher) round, all around
rischeln (*see* **rascheln**)
der **Ritter, –** knight
röcheln death rattle
roh raw, brutal
das **Römertum** Roman nationality and culture
das **Roß, ̈er** horse
der **Rückblick** backward glance, review
rücken move, pull up, push along
der **Rücken, –** back

der **Rückhalt** reserve
die **Rücksicht, –en** consideration, regard, thoughtfulness
der **Rückzug, ̈e** retreat
rufen, ie, u call, shout
ruhig quiet, calm; all right
der **Ruhm** glory, honor
rühmen praise, extol
rühmlich honorable, brave
rühren move, stir, touch
Rührung feeling, emotion
rührend touching
der **Runenspruch, ̈e** runic spell, incantation
rußig sooty
rutschen slide
rütteln shake (up)

S

der **Saal,** *pl.* **Säle** hall, assembly room
die **Saalesdecke** ceiling of a hall
die **Sache, –n** thing, matter, affair
der **Saft, ̈e** sap, fluid, juice
die **Sage, –n** saga, legend, myth, tradition
sägen saw
das **Saitengelispel** the sound of strings
sammeln collect
sich **sammeln** collect one's thoughts
Sammlung collection
samt together
sanft, sanftmütig gentle, mild
der **Sänger** singer
satt satisfied, full enough
der **Sattel, ̈** saddle
der **Satz, ̈e** sentence; leap, bound, jump
säumen wait, delay
säuseln rustle, whisper
sausen blow hard, rush, howl
der **Schabernack** trick, hoax
schäbig shabby
schaden be harmful
der **Schaden** harm, damage
schadlos, halten für make up for
schaff! get
schaffen, u, a create
schallen sound
schalten und walten do as one likes; manage
die **Scham** shame

sich **schämen** be ashamed
schamrot blushing with shame
die **Schande** shame
die **Schandreden** evil talk
schändlich infamous, shameful
die **Schar, –en** crowd, band, group
der **Schatten, –** shadow
schaudern shudder
der **Schauer, –** thrill, shudder
schauerlich gruesome, terrible
die **Scheide, –n** sheath, scabbard
scheiden, ie, ie part, separate, divorce
der **Schein** shine, light; illusion, appearance
scheinbar seeming
scheiteln part (one's hair)
schelten, a, o, i scold
schenken give (a gift), grant
sich **scheren** get out
der **Scherz, –e** fun, joke
scherzen jest, joke
scherzhaft joking, jesting, funny, facetious
die **Scheu** shyness
scheuen shy
schicken send
das **Schicksal, –e** fate, destiny
schieben, o, o push, shove
schier almost
der **Schiffer, –** skipper, sailor
schildern depict, portray
der **Schilf** reed
der **Schimmer, –** glitter, gleam, luster
der **Schimpf** blame
schimpflich disgraceful
die **Schlacht, –en** battle
der **Schlag** beat, blow, strike
schlagen, u, a, ä beat
sich **schlagen für** fight for (someone)
der **Schlagschatten, –** cast shadow
die **Schlange, –n** snake, viper
schlank slender
schlau shrewd, sly, canny
schlecht bad, wicked, poor, inferior
schlechthin simply
schleichen, i, i sneak, steal away
der **Schleier, –** veil
schlemmen gormandize
schleudern throw, toss
schlicht simple, plain
schlimm bad

schlingen, a, u twist; gulp, gorge
das **Schloß, –̈er** castle
schluchzen sob
der **Schlummer** slumber
schlüpfen slide, slip
der **Schluß, –̈e** end, conclusion, finale
das **Schlüsselloch, –̈er** key hole
die **Schmach** humiliation, disgrace
schmachvoll humiliating, disgraceful
schmählich disgraceful
schmecken taste, smell
der **Schmeichler, –** flatterer
der **Schmerz, –en** pain
schmettern crash, smash
schmieden forge, hammer
schmücken decorate, ornament, adorn
der **Schnabel, –̈** nib, beak
schnackisch gaudy; gossip-inviting
schnallen buckle, strap, fasten
der **Schnaps, –̈e** liquor
schnarchen snore
der **Schnauzbart, –̈e** moustache
die **Schnauze, –n** snout, muzzle
der **Schnee** snow
schneiden, schnitt, geschnitten cut
schneuzen blow one's nose
Schnickschnack chit-chat, tittle-tattle
schnöd(e) base
schonen spare
schöpfen create **Verdacht** **schöpfen** become suspicious
Schöpfung creation
der **Schornsteinfeger, –** chimney-sweep
der **Schoß** womb, lap
schräg slanted
der **Schrank, –̈e** wardrobe
schrecken scare
der **Schreck(en)** fright, terror
schrecklich terrible
das **Schreiben** writing, letter, missive
das **Schreibpult, –e** desk
schreien, ie, ie cry, scream
schreiten, schritt, geschritten walk
der **Schritt, –e** step
der **Schriftsteller, –** writer, author
schruppen scrub
die **Schuld, –en** guilt, debt

schuldig (sein) guilty, owe
die Schürze, **-n** apron
der Schuß, **⁼e** shot
die Schüssel, **-n** bowl, dish
schütteln shake
schützen protect
der Schwan, **⁼e** swan
schwanken sway
schwätzen, schwatzen gossip
der Schwätzer chatterbox
der Schweif, **-e** tail
schweifen roam
schweigen keep silent
der Schweiß sweat
schwelgen indulge, revel in
die Schwerenot kriegen enough to sicken one; to hell with . . .
das Schwert, **-er** sword
der Schwertstreich slash with a sword
schwimmen, a, o swim
die Schwinge, **-n** wing
schwitzen sweat
schwören, o, o swear (an oath)
schwül sultry
der Schwung animation, impetus
der Schwur, **⁼e** oath
die Seele, **-n** soul
segeln sail
der Segen blessing
segnen bless
sehnlicher Wunsch ardent wish
die Sehnsucht, **⁼e** longing
seiden silken
das Seil, **-e** rope
seinesgleichen his like
seitdem, seither since
die Seite, **-n** side; page
seitwärts aside, sideways
Selbstbetrachtung looking at oneself, introspection
das Selbstgefühl self-confidence
das Selbstgespräch soliloquy
Selbstschöpfung self-creation
Selbstvernichtung self-destruction
Selbstzufriedenheit complacency
selig happy, blissful
selten seldom, rare, unusual
seltsam strange, odd
der Sessel, **-** easy-chair
der Seufzer, seufzen sigh
Sicherheit safety, certainty

sichern protect
sichtbar visible
der Siegelring signet ring
siegen win, triumph
der Sinn, **-e** sense; meaning; mind
sinnlich sensuous
Sinnlichkeit material nature; sensuousness; sensuality
das Sinnige the ingenious, the tasteful, the meaningful
die Sitte, **-n** custom, habit, tradition
sobald as soon as
soeben right now
sogar even, what's more
sogleich immediately
der Soldat, **-en** soldier
die Sommerfäden (*pl.*) gossamer, webs (during Indian summer)
sonderbar strange
sonderlich particular
Sonderung separation
die Sonne, **-n** sun
sonst otherwise, usually
sorgfältig careful
sorglos careless
sorgsam solicitous, with consideration
sowie as soon as
spalten split
Spannung tension
der Spaß, **⁼e** jest, joke
spät late
sperren block (off), close
das Spiegelbild mirror image
die Spielerei, **-en** childish amusement
die Spitze, **-n** tip, point
das Spitzenklöppeln crochet
spitz(ig) pointed
Spitzfindigkeit craftiness, sophistry
der Sporn, *pl.* Sporen spur
der Spott ridicule, scorn, sarcasm
spottweise mockingly, ironically
die Sprache, **-n** language
sprengen gallop; explode **ein-sprengen** attacking on horseback
das Sprichwort, **⁼er** proverb
der Springbrunnen, **-** fountain
spritzen squirt
der Spruch, **⁼e** proverb, saying
die Spur, **-en** trace, footprint
der Stab, **⁼e** staff, crook

die **Staffel, -n** step
der **Stahlknopf, ∸e** steel button
der **Stamm, ∸e** stem; tribe
  stampfen crush
  stark strong
die **Stärke** strength
  starr stiff, motionless
  starren stiffen, stare at
  statt instead
  statt-finden, a, u take place
  stattlich stately
der **Staub** dust
  staunen be astonished
der **Stecken, -** stick
  stehlen, a, o, ie steal
  steigen, ie, ie climb
  steil steep
das **Steinpflaster** stone pavement
die **Stelle, -n** place, spot
  Stellung position
  sterben, a, o, i die
  stet steady, continuous
  steuern steer
die **Stichelei, -en** gibe, sneer
der **Stiefel, -** boot
die **Stiefmutter** stepmother
  stiften cause
  stillschweigend quietly
die **Stimme, -n** voice
die **Stirn, -n** forehead
der **Stock, ∸e** stick
  stocken stop, cease
der **Stoff, -e** fabric, cloth; subject
    matter
  stolz proud
der **Stolz** pride
  stopfen fill
  stören disturb
  stoßen, ie, o, ö push
die **Strafe, -n** punishment
der **Strahl, -en** beam, ray
  strahlen shine, radiate, beam
(sich) **sträuben** resist, oppose
der **Strauch, ∸er** shrub
der **Strauß, ∸e** bouquet
  streben strive, tend, seek
  strecken stretch
der **Streich, -e** stroke, blow; prank,
    trick
  streichen, i, i sweep over; paint
  streicheln pat
  streifen roam, ramble
der **Streifen, -** stripe
der **Streit** quarrel, fight

die **Streitfrage** point of controversy
  streng strict
die **Strenge** strictness, severity
das **Strohlager** straw bed
der **Strom, ∸e** river
der **Strumpf, ∸e** stocking
die **Stube, -n** room
die **Stufe, -n** step
  stumm dumb
der **Sturm, ∸e** storm; attack (*sing. only*)
  stürzen fall, plunge
  stutzen be startled
  stützen support
sich **stützen auf** depend on
  suchen seek, look for, search
die **Sucht** mania
  südlich south, southern
der **Sumpf, ∸e** swamp
die **Sünde, -n** sin
  süß sweet

t

die **Tafel** table
das **Tal, ∸er** dale, valley
  tapfer brave, bold
die **Tarnkappe, -n** magic hood
die **Tat, -en** deed **in der Tat** in-
    deed
  Tätigkeit work, activity
der **Tau** dew
  tauchen dive, submerge
  täuschen delude, deceive
  tausendfach thousandfold
der **Teich, -e** pond, pool
  teilen share, divide
der **Teil, -e** part
die **Teilnahme** interest, sympathy;
    participation
  teil-nehmen, a, o, i participate
der **Teller, -** plate
das **Testament** (last) will
der **Teufel, -** devil
die **Teufelsfabrik** devil's factory
der **Teufelskerl** deuce of a fellow, the
    original "son of a gun"
  tief deep
das **Tier, -e** animal
der **Tischgenosse, -n** table com-
    panion
die **Tischreihe** (row of) guests at the
    table
  toben rage
die **Tobsucht** frenzy, mania

der **Tod**   death
die **Todesstrafe**   capital punishment
toll   crazy, foolish, lunatic
tollkühn   foolhardy
das **Tor, -e**   gate
der **Tor, -en**   fool
Torheit   foolishness
töricht   foolish
die **Tracht, -en**   dress, garb
trachten   strive for, aspire
träge   lazy, dull
tragen, u, a, ä   carry; bear; wear
der **Trank, Trunk**   drink, potion
tränken   nurse (a child), give a drink
die **Traube, -n**   grape
die **Trauer**   mourning
trauern   grieve, mourn
der **Traum, ⸚e**   dream
träumerisch   dreamy
traurig   sad
Trauung   marriage ceremony
treffen, a, o, i   meet; hit
trefflich   excellent
treiben, ie, ie   drift; drive
Trennung   separation
die **Treue**   fidelity, loyalty
treulich   faithfully, conscientiously
Treulosigkeit   faithlessness, perfidy
der **Trieb, -e**   urge, desire
triefen   drip
trocken   dry
trommeln   drum
der **Tropfen, -**   drop
der **Trost**   consolation
trösten   console
trotzen   oppose, spite
trüb(e)   melancholic, gloomy
die **Truhe, -n**   trunk, chest
der **Trunk**   drink, potion
trunken   intoxicated
das **Tuch, ⸚er**   cloth
tüchtig   thorough, solid
die **Tugend, -en**   virtue

U

das **Übel, -**   evil; illness
überbringen, a, a   deliver
der **Überdruß**   boredom, ennui
sich **übereilen**   be unduly hasty

überein-stimmen   agree
überfließen, o, o   flow over, inundate
übergeben, a, e, i   surrender
übergießen, o, o   pour over
überhaupt   at all, in general
überhoben sein   excused from
überlassen, ie, a, ä   entrust, leave to
überlegen   consider
überliefern   pass on, hand down
überlisten   outwit, dupe
übernachten   stay over night
überraschen   surprise
überreden   persuade
übersetzen   translate
überstehen, a, a   overcome
überstrahlen   outshine
überwältigen   overpower
überwinden, a, u   overpower, overcome
überzeugen   convince
Überzeugung   conviction
die **Übrigen**   the others
übrigens   by the way
das **Ufer, -**   bank, shore
umarmen   embrace
(sich) **um-drehen**   turn around
umfangen, i, a, ä   embrace
der **Umfang**   extent, compass
umfassen   embrace, span
umfließen, o, o   flow around; encircle, surround
der **Umgang**   acquaintance, association
umgeben, a, e, i   surround
Umgebung   surrounding, environment
um-gehen mit, i, a   deal with, handle
umgekehrt   on the other hand, opposite
um-hängen   put around
umher   around
um-kehren   turn around
der **Umkreis**   circle, range
um-lenken   change the subject
umringen   surround
umschlingen, a, u   embrace
umstricken   entangle, ensnare
um-stürzen   fall down
der **Umtrieb, -e**   agitation
um-wandeln   change, transform

umweben, o, o weave around
  mit Dunkel umwoben veiled in obscurity
um-wenden (*see also:* **wenden**) turn around, turn away
unabhängig independent
Unabhängigkeit independence
unangenehm unpleasant
unaufhaltsam incessant, impetuous
unauflöslich insoluble
unausbleiblich inevitable
unaussprechlich inexpressible, unspeakable, indefinable
unbarmherzig merciless, pitiless
unbekümmert unconcerned
unbenützt unused
unbesorgt unconcerned
unbeweglich immovable
unbeweibt unmarried
unbezwinglich invincible
undenkbar unthinkable
unendlich infinite, endless
das **Unendliche** infinite
Unendlichkeit infinity
unerklärlich unexplicable
unermüdlich untiring
unerreicht unattained
unerschrocken unfrightened
ungeachtet in spite of
ungefähr approximately
ungeheuer, ungeheure tremendous, enormous
ungemein extraordinary
das **Ungestüm** violence, impetuosity
ungetrübt serene
ungewiß uncertain
ungezügelt unbridled
der **Unglaube(n)** unbelief
ungleichartig different
das **Unglück** misfortune, accident
unglücklich unhappy, unfortunate
das **Unheil** trouble, disaster
unheilbar incurable
unmaßgeblich unpresuming
unmäßig excessive
der **Unmut** ill humor
unmutig annoyed
das **Unrecht** injustice, wrong
die **Unruhe** unrest
unschätzbar invaluable, inestimable
unscheinlich worn

unschuldig innocent
unselig unhappy, unfortunate, wretched
unsichtbar invisible
unsinnig crazy, mad
unsterblich immortal
unstet restless
untauglich unfit
unterbrechen, a, o, i interrupt
unterdes(sen) meanwhile
unterdrücken suppress
der **Untergang** destruction
unter-gehen, i, a sink, perish
untergeordnet subordinate
sich **unterhalten, ie, a, ä** converse, entertain
Unterjochung subjugation
unterlassen, ie, a, ä abstain, refrain
unternehmen, a, o, i undertake
das **Unternehmen, –** undertaking, enterprise
Unterredung conversation
unterscheiden, ie, ie distinguish
der **Unterschied, –e** difference
Unterstützung support
untersuchen examine, investigate
Untersuchung investigation
unterwegs on the way
die **Untreue** perfidy, disloyalty
unverbrüchlich inviolate
unvermeidlich inevitable
unvernehmlich inaudible
unversehrt unharmed
unverständig unwise, stupid
unwiderstehlich irresistible
unwillig indignant
unwillkürlich involuntary, automatic
unzählig countless
üppig plentiful; voluptuous, exuberant
die **Ureltern** ancestors
die **Ursache, –n** cause, reason for
der **Ursprung, ⸚e** origin, spring

V

sich **verabreden** agree upon
Verabredung agreement
verabscheuungswürdig abominable, detestable
verachten despise

verändern   change, alter
Veranlassung   cause
veranstalten   arrange
Verantwortung   responsibility
verbergen, a, o, i   hide; conceal
Verbesserung   improvement
verbinden, a, u   connect   eine
   Wunde verbinden   bandage,
   dress a wound
verbleichen   grow pale, pass
   away
verblüfft   startled
verblühen   wither, fade
das Verbot, –e   injunction, interdic-
   tion, prohibition, warning
verbrechen, a, o, i   commit (a
   crime)
das Verbrechen, –   crime
(sich) verbreiten   spread, propa-
   gate
verbrennen, a, a   burn (up)
verbürgen   guarantee
der Verdacht   suspicion
verdammen   condemn, damn
verderben, a, o, i   spoil, ruin
das Verderben   destruction, perdi-
   tion
verderblich   destructive, ruinous
verdeutschen   put into German
verdienen   earn, deserve
verdrießlich   annoyed, annoying,
   vexed
verdünnen   dilute
der Verehrer, –   admirer
Verehrter   my dear Sir
(sich) vereinigen   unite
verewigen   perpetuate, immor-
   talize
verfahren, u, a, ä   proceed, act
verfallen, ie, a, ä   decay
verfallen (plus dat.)   become the
   property of
der Verfasser, –   author
verfließen, o, o   elapse, pass
verfluchen   damn, curse
verfolgen   trail, follow up
der Verfolger, –   pursuer, persecutor
verführen   mislead, seduce
verführerisch   tempting, seduc-
   tive, bewitching
Vergangenheit   past
vergeben, a, e, i   forgive
vergebens, vergeblich   in vain
Vergebung   forgiveness

das Vergehen, –   crime, transgression
vergelten, a, o, i   make up for, reward
vergessen, a, e, i   forget
vergießen, o, o   shed
vergiften   poison
verglühen   cease glowing
vergnügt   merry, spritely
vergraben   bury, hide
sich vergreifen, i, i   lay violent
   hands upon
verhallen   fade away
das Verhältnis, –se   relation(ship);
   affair; situation
verhängen   cover
verhehlen   conceal
verheimlichen   keep secret
verheißend   promising
verherrlichen   glorify
verhöhnen   mock, ridicule
verhüllen   cover, veil
sich verirren   go astray, err
der Verkehr   traffic, movement
sich verklausulieren   protect oneself
   by (legal) clauses
verklingen, a, u   fade away
verknüpfen   connect, unite
verkünd(ig)en   proclaim, announce
verkürzen   shorten, make shorter
verlachen   laugh at, deride
verlangen   demand, ask for;
   crave, desire
das Verlangen   desire
verlängern   lengthen, extend
verlassen, ie, a, ä   forsake, leave,
   leave behind, evacuate
sich verlassen auf   depend on
Verlassenheit   abandonment
verlegen   embarrassed, uneasy
verleiten   mislead, induce
Verleumdung   slander, defama-
   tion
sich verlieben   fall in love
verliebt   in love, amorous
verlieren, o, o   lose
verloben   get engaged
verlocken   entice, allure, mislead,
   tempt
verlöschen, o, o, i   fade away, go
   out
der Verlust, –e   loss
vermachen   bequeath
vermählen   join in wedlock, unite

vermehren   increase
vermeiden, ie, ie   avoid
vermischen   mix
vermissen   miss
vermögen, vermochte, vermocht,
   vermag   be able
das Vermögen   property, possession
vernachlässigen   neglect
vernehmen, a, o, i   hear
vernichten   destroy
Vernichtung   destruction
die Vernunft   reason
vernünftig   reasonable
verpflegen   nurse, tend
verraten   betray
der Verrat   treachery
der Verräter   traitor
verrichten   do, perform
Verrichtung   (daily) work
verrücken   move
Verrücktheit   madness
versammeln   gather, assemble
versäumen   miss, neglect
sich verschaffen   obtain, fight for
verschieden   different
verschließen, o, o   lock up, en-
   close, contain
verschlingen, a, u   entwine, entangle
verschlossen   uncommunicative
verschmähen   despise
verschmelzen   liquify
verschmelzen, o, o, i   become
   liquid
verschmerzen   console oneself,
   get over something
verschollen   disappeared
verschönern   beautify, adorn
verschütten   spill
verschweigen, ie, ie   conceal,
   keep secret
verschwenden   waste
verschwinden, a, u   disappear
sich versehen, a, e, ie   be aware
   ehe er es sich versah   before he
   was aware of it
versehren   injure, damage
sich versenken   submerge
versetzen   answer
versetzt   moved, placed
versichern   assure
Versicherung   assurance, insur-
   ance
versinken, a, u   drown, fade

versorgen   supply
versprechen, a, o, i   promise
der Verstand   reason
verstäuben   atomize, reduce to
   dust
verstecken   hide
verstehen, a, a   understand
versteinern   turn to stone
verstellen   feign, disguise
verstorben   dead
verstört   disconcerted, troubled
verstoßen, ie, o, ö   cast away
verstricken   entangle, ensnare
verstummen   become silent
der Versuch, -e versuchen   try, at-
   tempt
sich vertiefen   immerse oneself,
   become absorbed in
vertilgen   eradicate, annihilate
der Vertrag, ⁼e   contract
vertragsgemäß   according to the
   contract
vertrauen   trust, entrust
vertreiben, ie, ie   drive away
verursachen   cause
verwachsen   grown over
verwahren   keep, secure
sich verwahren   beware
sich verwandeln   change, transform
Verwandlung   change, transfor-
   mation
verweisen, ie, ie   reprimand
verwenden   use
verwettert   weather-beaten
verwildert   neglected, snarled
verwirken   forfeit
verwirklichen   realize, make real
verwirren   confuse
verwischen   wipe away, efface
verwunden   wound, injure
verwundern   astonish
verwünschen   deplore, curse, bewitch
verwüsten   lay waste, devastate
verzaubern   bewitch, charm
verzehren   eat, consume, devour
verzehrend   burning, all consum-
   ing
verzeihen, ie, ie   forgive
verzerren   distort
verziehen, verzog, verzogen
   distort
der Verzug   delay

verzweifeln, Verzweiflung despair
das **Vieh** cattle
der **Vogel, ²** bird
das **Volk, ²er** people of a nation
der **Volksglaube** popular belief and superstitions
volksmäßig folklike, popular
volkstümlich popular, in the (historical) manner of the people
der **Volkszulauf** gathering of a crowd
vollbringen, vollbrachte, vollbracht accomplish
vollenden complete, perfect
vollends finally
völlig complete
voll-schenken fill
vollständig complete
vollziehen, o, o execute, accomplish
voran-schreiten, schritt, geschritten walk in front
voraus-setzen suppose, presume
vorbereiten prepare
vorder front, fore
der **Vorfahr(e), –n** ancestor
der **Vorfall, ²e** incident, occurrence
vor-greifen, griff, gegriffen forestall
vorhanden at hand, existing
vorher before
vorhergehend, vorig previous, preceding
vor-kommen, a, o happen, appear, seem
sich **vor-kommen** feel like, seem like
vor-lesen, a, e, ie read to someone
Vorlesung academic lecture
vor-leuchten carry light in front of someone
vor-machen show how to do
der **Vormund** guardian
vor-nehmen, a, o, i conduct, undertake
der **Vorposten, –** advance guard
der **Vorrat, ²e** supply, provisions
das **Vorrecht** privilege
die **Vorrede** preface, foreword
vor-rücken hold against (as a grudge)
der **Vorsatz, ²e** intention
vor-schlagen, u, a, ä propose

vor-schnurren hum
die **Vorschrift, –en** rule, regulation
Vorsehung providence
die **Vorsicht** caution
vorsichtig cautious
die **Vorsorge** provision, foresight
sich **vor-stellen** imagine, picture
vortrefflich excellent, splendid
vorüber by, past, over
vorüber-ziehen, o, o pass by
der **Vorwand, ²e** pretext
die **Vorwelt** former ages, antiquity
der **Vorwurf, ²e** accusation, reproach
vor-ziehen, o, o prefer
das **Vorzimmer** anteroom

W

wacker decent, brave, gallant
die **Waffe, –n** weapon
waffnen arm
wagen dare
die **Wahl treffen** make a choice
wählen choose
wähnen imagine, presume
der **Wahnsinn** madness
wahnsinnig mad, crazy
wahr, wahrhaft, wahrhaftig true, truly
Wahrheit truth
das **Wahrzeichen** distinctive mark, symbol
der **Wald, ²er** forest, woods
der **Waldgrund, ²e** depth of the woods
das **Waldhorn, ²er** French horn
die **Wald(es)schluft, ²e** ravine, gorge, canyon
der **Walfischrachen** whale's mouth
die **Walküre, –n** Valkyrie
wallen flutter
das **Wams, ²er** jacket
die **Wand, ²e** wall
der **Wandel** conduct
wandeln walk, wander
die **Wange, –n** cheek
das **Wanken** swaying, irresolution
das **Wappen, –** coat of arms
der **Wassereimer, –** water pail, bucket
weben (o, o) weave
der **Wechsel** change
wecken awaken, arouse

weg-kommen, a, o disappear
weg-stoßen, ie, o, ö push aside
wehe dem Schädel woe betide the head
wehen blow, flutter, wave
das Wehgeschrei lamentations
die Wehmut melancholy, sadness
das Weib, -er wife, woman
weiblich female, feminine
weich soft
weichen, i, i yield, withdraw
Weigerung refusal
der Weiher, - pond
die Weinlaubranke, -n vine-shoot
die Weise, -n manner, fashion
der Weise, -n sage, philosopher
weisen show
Weisheit wisdom
weis-sagen prophesy
die Welle, -n wave
die Welt, -en world
das Weltall universe, cosmos
der Weltbürger cosmopolitan
Weltherrschaft world dominion, universal empire
wenden (also: wenden, wandte, gewandt) turn
das Werden evolution, growth
werfen, a, o, i throw
das Wesen nature, essence, being, character
die Wesen (pl.) beings
wesentlich essential
wickeln wrap
wider against
der Widerglanz, Widerschein reflection
der Widerspruch, ⁼e contradiction
widerstehen, a, a, widerstreben resist
der Widerwille(n) repulsion
widrig hostile, disgusting
die Wiederbeglückten those made happy again
Wiedererweckung rebirth
die Wiedergebärerin the agent or being bringing about regeneration
wieder-her-stellen restore, reconstruct
wiederholen repeat
die Wiege, -n cradle
wiegen lull
die Wiese, -n meadow

wiewohl although
das Wild game
die Willkür caprice, arbitrary action
wimmern whimper, whine
der Wink, -e sign, wink
der Winkel, - corner
der Wipfel, - tree top
wirbeln whirl
wirken work, act, effect, impact
wirklich real
wirksam effective
Wirkung effect, impact
der Wirt, -e innkeeper, host
die Wirtsstube the dining and drinking room of an inn
die Wirtstafel (long) restaurant table
wischen wipe
Wissenschaft science
die Witwe, -n widow
die Woge, -n wave
wohl good, well, probably
das Wohlgefallen pleasure, satisfaction
wohlgemut(et) cheerful
wohlhabend wealthy
das Wohlleben comfortable existence
wohlriechend fragrant, perfumed
der Wohlstand comfort, wealth
wohltönend pleasant sounding
wohl-tun, tat wohl, wohlgetan it feels (does) good
das Wohlwollen benevolence, kind feelings
die Wolke, -n cloud
die Wollust, ⁼e lust, voluptuousness, sensual pleasures
wonach whereafter
die Wonne, -n bliss, rapture
der Wucherer, - usurer
wunderlich strange, peculiar
sich wundern be surprised
der Wunsch, ⁼e wish
die Würde dignity
der Wurm, ⁼er worm
die Wurzel, -n root
wüst wild, disorderly
die Wut rage, fury
wütend furious

Z

die Zahl, -en number
das Zahnweh toothache

zanken quarrel
zart, zärtlich tender
der Zauber, die Zauberei magic; spell, enchantment
die Zauberkunst sorcery
der Zauberspruch, ⸚e spell, incantation, charm
das Zeichen, - sign
zeigen show
sich zeigen show up
die Zeile, -n line
die Zeit, -en time
das Zeitalter, - epoch, era
zerfließen, o, o melt, dissolve
zergliedern analyse
zerreißen, i, i tear apart
zerrütten ruin, wreck
zerschmettern smash, crush
zersprengen explode
zerspringen, a, u burst, crack, break to pieces
zerstören destroy
zerstreuen scatter, disperse
sich zerstreuen divert, amuse oneself
zertrümmern smash, ruin
zerzausen tumble, crumble, dishevel
zeugen für testify, bear witness
die Ziege, -n goat
ziehen, o, o move, pull, draw
das Ziel, -e aim, goal
ziemlich fairly, rather
zieren adorn, decorate
zierlich graceful, neat, delicate
zittern tremble, shiver
zögern hesitate
der Zögling, -e pupil
der Zoll, ⸚e duty, tax, toll
der Zorn wrath, anger
Zubereitung preparation
zu-bringen, a, a spend time
zucken quiver, flash
zücken (ein Messer) draw (a knife)
Zudringlichkeit advances, aggressiveness
der Zufall, ⸚e chance, the accidental
zufällig accidental

zufrieden satisfied, pleased
der Zug, ⸚e march, train; trend, tendency; trait
zugänglich approachable, affable, susceptible
zu-geben, a, e, i admit
zugegen (sein) (be) present
zu-gehen, i, a happen
der Zügel, - bridle
zügellos unbridled, unrestrained
zugetan sein like something
zugleich at the same time
zugunsten in favor of
die Zukunft future
zuletzt last
zumute in the mood; feel
zunächst to begin with, first of all
das Zündloch, -er touch hole (mil.)
die Zunge, -n tongue
das Zureden persuasion
zusammen-berufen, ie, u summon
zusammen-fügen put together
zusammengefaßt concentrated
der Zusammenhang, ⸚e context, connection
zusammen-stürzen collapse
der Zuschauer, - spectator, bystander
zu-schreiben, ie, ie attribute
der Zustand, ⸚e state, condition
zu-stoßen, ie, o, ö happen
zuteil werden fall to a person's share
das Zutrauen confidence
zutraulich friendly, confiding, confidential
das Zutun help, assistance
die Zuversicht confidence
zuvörderst first of all
zuweilen at times
zuwider distasteful, odious
der Zweck, -e purpose
der Zweifel, - doubt
zweifeln doubt
der Zweig, -e twig, branch
zwingen, a, u force
der Zwinger, - den